実録　世界金融危機

日本経済新聞社=編

まえがき

米欧市場の混乱をきっかけに、世界中に広がった金融危機。それが景気を冷やし、世界は百年に一度あるかないかの経済危機に突入しました。日米欧は経済成長率がマイナスになる景気後退局面に入り、これまで好調だった中国やインドなど新興国の成長率も大幅に鈍り、世界は先が見えない同時不況にあえぎだしました。

歴史的な危機。それはさまざまな経済統計が示しています。二〇〇八年十一月の輸出額は前年同月比で二六・七％減。統計を取り始めて以来、過去最大の減少率になりました。〇八年の国内の新車販売は二十八年ぶりの低水準に沈み、トヨタ自動車の〇九年三月期決算は創業以来、初の営業赤字に陥る見通しです。

世界でも異常な数字が並んでいます。英国の中央銀行であるイングランド銀行の政策金利。〇九年一月に年二・〇％から年一・五％に引き下げた結果、一六九四年の創設以来、初めて一％台を付けました。三百十数年の歴史を塗り替える金利水準になったのです。

世界の金融機関のあり方も大きく変わりました。銀行・証券・保険など、さまざまな事業を手がける総合金融機関化は曲がり角を迎えました。その象徴が米シティグループです。この十数年の拡大路線を見直し、銀行業回帰を打ち出しました。

今回の危機は、〇七年ごろから米国で信用力の低い個人向け住宅融資（サブプライムローン）が焦げ付きだしたことがきっかけでした。その時点では、まさかここまで深刻になるとは、誰も予想していませんでした。

なぜ歴史的危機に陥ったのでしょうか。

最大の理由は、金融商品の信頼性が揺らいだことです。銀行貸し出しや不動産など金額の大きな資産を投資家が買いやすい金融商品にする「証券化」と呼ばれる取引手法。これを活用して、ここ数年、さまざまな投資対象を組み入れた商品が普及しました。複雑すぎて、どんなリスクが潜んでいるかわかりにくい商品もありましたが、格付け会社が高ランクを与え、投資家が積極的に購入しました。しかし、サブプライムローンの焦げ付きが増えるにつれ、それを組み入れた商品の価値が大幅に下がり、組み入れていないほかの商品も「危ない」と思われるようになり、さまざまな金融商品の価値が下がってしまいました。

価値が下がれば、それを売っていた証券会社は在庫を抱え、多額の評価損計上を迫られます。購入した銀行や機関投資家も多額の損失を被ります。リスクを伴う金融商品の買い手は消え、さらに価値が下がり、損失はますます膨らみました。赤字になれば、資本も目減りし、銀行の経営も悪化していきます。

銀行経営が悪化すれば、銀行間で日々のおカネを融通し合う短期金融市場も、「危ない相手に貸せば戻ってこなくなる」と疑心暗鬼になり、特にドルを調達し合う市場の機能はマヒしてしまう。世界の中央銀行が協調してドル資金の供給に動き出さざるを得なくなりました。

株式市場も壊れました。リスクを伴う商品はもう手が出せないとばかりに、世界の投資家は株式への投資も絞り、株式相場は急落しました。

こうした金融危機がなぜ経済危機に深化してしまったのでしょうか。

国内総生産（ＧＤＰ）に比べて銀行部門の依存度が高い国や、これまで世界のおカネが集まりすぎ、その反動で投資資金が逃げてしまった国などの通貨の価値が下がり、国自体が危機に直面しました。例えばアイスランドの中核銀行は円建て債の利払いができなくなり、債務不履行状態に陥ってしまいました。スイスは自力では国内市場の安定化策をとれなくなり、欧州連合（ＥＵ）に加盟していないのに欧州中央銀行（ＥＣＢ）からスイスフラン建ての資金の供給を受けざるを得なくなりました。

株急落などで世界の企業も家計も、景気の先行きへの不安心理が高まり、経済活動に慎重になり、消費も冷え込んでしまいました。金融危機が実体経済を下押しし、世界は不況期に入りました。

さらに今、世界中で問題になってきたのが、大量の失業者の発生と、企業倒産です。主要企業は軒並み業績を大幅に下方修正。経営改善のための雇用削減に動き出しました。銀行は経営に不安がある企業への融資に慎重になってきました。さらに、巨額損失が発生して赤字になれば資本が目減りするので、融資を増やす余力もなくなります。結果として、資金繰りを確保できなくなる企業は倒産に追い込まれてしまいます。

米国では金融当局が、公的資金を使って主要銀行に軒並み資本注入し、ビッグスリーと呼ばれる自動車三社への支援に動きだしました。もちろん米国だけではありません。日本を含め世界各国で、金融機関の支援や景気対策など政策総動員で危機封じに動き出しました。それでも危機の深まりに追い付かず、追加の対応策を迫られています。出口は全く見えない状況に陥っています。

本書は、なぜ市場が壊れ、主要国の大手金融機関の経営がなぜ一斉に悪くなったのか、主要国の政府や中央銀行が危機封じ策に動いても、どうして出口が見えないのか、など危機の真相を検証したものです。日本経済新聞の朝刊で〇八年十二月十六日付から十九日付まで四日間連続で検証した特集面を、大幅に加筆してまとめました。肩書などは当時のままにしています。危機を読み解くうえでの参考になればと願っております。

二〇〇九年二月

日本経済新聞社

目次

第1章

世界経済に未曾有の嵐

「百年に一度か五十年に一度の事態」

ＦＲＢのグリーンスパン前議長は、二〇〇八年九月九日に出版した著書で今回の金融危機をこう評した。その時点では誇張した見方ともみられたが、出版の六日後、リーマン・ブラザーズが破綻、世界は未曾有の危機に突入する。

1 深まる危機――膨らむ損失、見えない出口

百年に一度の事態

「最悪の事態がじつは最悪でなく、さらに悪化し続けた」――。二十世紀の〝経済学の巨人〟と呼ばれた米経済学者ジョン・K・ガルブレイス氏は、一九五五年春に出版した著書『大暴落1929』のなかで、二九年の株価暴落をきっかけとした大恐慌が、ほかのバブルの生成と崩壊とは際立って違った特徴をこう評した。

〝暗黒の木曜日〟〝悲劇の火曜日〟と呼ばれる株式相場の暴落に見舞われた一九二九年秋。ニューヨーク証券取引所に上場する米国の主要銘柄の平均株価がつけた最安値は十一月の二二四ドル。九月のピークからほぼ五割下げた水準で、多くの人が底値だとみた。それが三年後の三二年七月には五〇ドル前後になっていた。同年の大暴落の後、経済は悪化、銀行の倒産が急増、それが景気の急激な後退を増幅し、大恐慌につながった。三三年の米国の国民総生産（GNP）は二九年の三分の二に落ち込んだ。街には失業者があふれ、四人

に一人が職を失った。

三三年にフランクリン・ルーズベルト大統領が就任し、〝ニューディール〟の名で知られる経済政策を打ち出し、財政均衡から財政拡大へと政策のかじを切って新規まき直しに打って出た。だが、経済規模が二九年当時の水準まで回復したのは四一年で、十年以上を要した。第二次世界大戦による〝戦時特需〟を待たねばならなかった。

そして今、世界が直面する金融・経済の危機について、経済専門家は「大恐慌以来」「百年に一度か、五十年に一度の危機」と指摘する。金融機関の損失はいったいどこまで膨むのか、実体経済はどこまで悪くなるのか。誰も想像しなかったような速度と深度で、世界経済の状況は悪化し続け、いっこうに底が見えてこないことへの不安が広がっているためだ。

二〇〇六年末ごろから一部の関係者が心配し始めていた米国の信用力の低い個人向け住宅融資（サブプライムローン）問題は、振り返れば、きっかけにすぎなかった。

〝信用力の低い個人〟というと、イメージしにくいかもしれない。頭金を払う貯蓄がないだけでなく、月々、住宅ローンの元利返済するのにも十分な収入がない人といえば、わかりやすいだろうか。米国では、そうした人々まで住宅を買えるようになっていた。住宅ローンといえば、頭金二〇％、三十年固定金利返済というのが米国でも一般的だった。それが、頭金なしで、最初の二、三年の元利返済額を通常よりぐんと低く抑えた住宅ローンを金融機関や住宅金融会社が投入して、融資実行を競った。なかには、最初の五年間は利息だけ返済する「インタレスト・オンリー」と呼ばれるローンまであった。

誰でも容易に持ち家を取得できる。そんな夢のような話をかなえる住宅ローンの提供がなぜ可能だったのか。住宅価格は上がり続けるという神話に米国中が支配されてしまっていたとしかいいようがない。

収入の少ない個人にとって、本格的な返済期限が来れば、支払い不能に陥る可能性が大きい。だが、住宅価格が値上がりしていれば、それを転売して、ローンを返し、おつりが来る。貸し手の金融機関にしてみても、住宅価格が下がりさえしなければ、借り手の個人が支払い不能に陥っても、担保の住宅を売却すれば、元がとれる。

〇六年六月をピークに米国の主要都市の住宅価格が下がり出すと、逆回転が始まった。同年末にはサブプライムローンに特化した中堅住宅ローン会社が倒産した。翌〇七年二月には、英HSBCが住宅ローン関連で百五億ドルの損失を計上すると発表した。同月末には、〝上海ショック〟と呼ばれた世界連鎖株安が起こった。きっかけとなった上海株の急落を引き起こしたのは「住宅市場の調整」に懸念を示した米連邦準備理事会（FRB）のアラン・グリーンスパン前議長の講演だった。同年四月には、カリフォルニア州に本拠を置く住宅金融大手ニューセンチュリー・ファイナンシャルが破産した。サブプライム問題への懸念が、世界の金融当局者や市場関係者の間に頭をもたげ始めた。

とはいえ、当時の雰囲気は必ずしも、悲観色に染まっていたわけではない。サブプライム市場という限定された分野の問題と考えられていたためである。

「サブプライムローン残高は一・三兆ドルと米国の住宅ローン市場全体の一割に過ぎない」――。〇七年春、ワシントンで開いた七カ国（G7）財務相・中央銀行総裁会議で、ポールソン米財務長官は「サブプライムローンの不良債権化は住宅市場の一部の問題であり、今後、損失処理を迫られるにしても、銀行の資本の厚みを考えれば、致命的な金額にはならない」「経済全体を揺るがす問題ではない」と、各国に説明して回った。

各国首脳も、世界経済のエンジンである米経済の行方に懸念を抱きつつも、「中国、インドなど新興国経済の高成長が続き、世界経済が良好ななかで、米国経済だけが悪くなることはないだろう」（日本銀行の福井俊彦総裁）といった見方が強かった。かつて「米国が風邪を引けば、世界が風邪を引く」と言われた。それが「米国が風邪を引いても、世界はせき払い一つ」どころか、「世界が米国の風邪を癒やす」と、信じる空気すらあった。いわゆる「デカップリング」論である。

議長試算の十倍

そんな楽観は長続きしなかった。二〇〇七年六月、米大手証券ベアー・スターンズ傘下の二つのヘッジファンドの危機が表面化すると、市場に動揺が走った。

ニファンドはサブプライム関連資産の値下がりで、運用成績が悪化、資金繰りが行き詰まった。こうしたファンドは、住宅ローン担保証券（RMBS）や複数の証券化商品を合成した債務担保証券（CDO）などの保有資産を担保に市場から短期資金を調達する「レポ取引」と呼ばれる手法で、資金繰りを回していた。だが、担保価値の値下がりで、必要な資金が調達できなくなったのである。

市場関係者が疑心暗鬼に陥った大きな理由の一つは、ベアー・スターンズ系ファンドが保有していたサブプライム関連資産の大半が最上位格付けである「トリプルA格」だった点だ。原債権であるサブプライムローンの焦げ付きにもかかわらず、格付け会社は証券化商品の評価の見

キーワード

証券化

銀行貸し出しや不動産など金額の大きな資産を金融商品にして投資者が買いやすいようにする取引手法。信用力が弱く、お金が戻ってこない可能性がある個人や企業に貸すとき、この貸し出しの一部を証券化して投資家にさばけば、銀行にとって焦げ付きを分散できる。投資家にとっては、リスクが高い分、高利回りで運用できるケースが多い。

証券化すればさまざまな商品を組み入れた仕組み商品をつくれる。複雑すぎて、どんなリスクが潜んでいるかわかりにくい商品も数年前から登場。これが市場の不信感を招き、証券化商品の価値が大幅に下がり、市場が混乱。金融危機につながった。

直しを怠ってきた。そもそも証券化商品は仕組みが複雑すぎて、リスクを測定するのが難しい。唯一のよりどころともいえる格付けの信頼が揺らぐと、「リスクがどこに散らばっているのか、分からない」という不安が投資家の間で増幅し始めた。

格付け会社への批判の風圧の高まりに押されるように、スタンダード・アンド・プアーズ（S&P）、ムーディーズ・インベスターズ・サービスなど米大手格付け会社は七月に相次いで、サブプライム関連資産の評価を見直し、大量格下げに動いた。これが資産価値の下落を加速したのはいうまでもない。

「金融機関やファンドの評価損はどこまで膨らむのか」――。市場関係者は水面下で浮き足立ち始めた。

七月半ば、金融政策の基本方針を説明するために米議会で証言した米連邦準備理事会（FRB）のベン・バーナンキ議長は「サブプライム関連の損失が五百億―一千億ドル（ざっと五兆―十兆円）に上る可能性がある」と発言して物議を醸した。金融当局の首脳が信用不安をあおるような発言をするのは問題だと批判の声があがった。だが、その反応は、その時点では誰も、今回の金融危機の深刻さに気づいていなかった証しでもあった。

金融損失はとても、そんな金額ではすまなかったからだ。

最初の激震は、〇七年八月にやってきた。金融機関やファンドを含む企業が短期資金を調達するコマーシャル・ペーパー（CP）市場から、資金の出し手が姿を消してしまったのである。特に、証券化商品を担保にした資産担保CP（ABCP）の発行は事実上、ストップした。格付けの信頼の揺らぎとともに、住宅ローン担保証券（RMBS）などの担保価値が疑問視され始めていたことを思えば、当然の帰結でもあった。

八月九日、仏BNPパリバが、傘下の三ファンドの資金繰りが逼迫し、投資家の解約要請に応じることが難しくなったとして、ファンドの資産凍結を宣言すると、この問題が白日の下にさらされた。

それ以前から、短期金融市場の変調が一部の住宅金融会社やファンドの経営を圧迫していた。サブプライム投資で失敗した独IKB産業銀行は事実上、ドイツ政府の支援を受けて、破綻を回避した。米国でも、有力住宅金融会社アメリカン・ホーム・モーゲージが資金調達のメドがつかずに破産した。

その影響が欧州の有力銀行であるBNPパリバの傘下にも及んだと知れると、世界の金融市場にショックが走った。欧米の株価は急落。欧米の短期市場は事実上、機能停止に陥った。欧州中央銀行（ECB）は同日、九百四十八億ユーロに上る緊急資金供給を実施。FRB、カナダ中央銀行、日銀など世界の中央銀行も追随した。世界の中央銀行がこれほど大規模な資金供給で協調したのは、〇一年九月十一日の同時多発テロ直後以来。世界は文字通り、激震に襲われた。

日本のお茶の間にサブプライム問題という言葉が浸透していったのも、この出来事がきっかけだった。ただ、BNPパリバ・ショックを単純にサブプライム問題と呼ぶのは、必ずしも正確ではない。BNPパリバ系ファンドは、サブプライム関連資産をほとんど組み入れていなかったからだ。

むしろ、その方が深刻だった。市場の疑心暗鬼はサブプライム関連商品だけでなく、証券化商品全体に向けられ、それらを担保にした資金調達が難しくなったためだ。世界のメディアがこの夏の出来事を「サブプライム問題に端を発した金融動乱」という表現で説明したのは、このためだ。

米住宅金融最大手カントリーワイド・ファイナンシャルの資金繰り危機、英ノーザン・ロックの取り付け騒ぎなど、九月にかけて混乱が続いたが、九月十八日にFRBが一年三カ月ぶりに利下げに転じると、市場はひとまず、落ち着きを取り戻したかに見えた。

だが、小康は長続きしなかった。大手金融機関の経営不安に火がつき始めたからだ。振り返れば、ダウ工業株三十種平均が十月十一日に過去最高値をつけた後、力尽きたように下落に転じたのは、金融不安が実体経済に及ぶ前兆だったのかもしれない。

十月末ごろから、銀行間取引金利がじわじわと上昇、銀行同士が相互不信に陥る悪循環が始まった。

十月三十日、メリルリンチは七十九億ドルの評価損計上を発表し、スタン・オニール最高経営責任者（CEO）が辞任した。翌月五日には、シティグループが簿価五百五十億ドルの住宅関連の金融資産が八十億―百十億ドルに減価する見込みであると発表。チャールズ・プリンスCEOが同グループを去った。ワコビア、UBS、HSBCなど欧米主要金融機関が相次ぎ、損失処理を発表した。

このとき、欧米の主要金融機関は「厳しい価格評価をした結果」と強調した。不良債権処理が遅れた日本の「失われた十年」と比べ、欧米銀の対応は確かに速かった。だが、市場は不十分だと見抜いていた。

欧米勢が処理したのは、会計上、バランスシートにのせている金融資産についてだった。各金融機関は証券化商品を組成するために、住宅ローンや住宅ローン担保証券などを大量に仕入れていたが、証券化市場の機能停止で、売れ残りを抱えていた。それらには評価損が発生しているはずだが、市場から買い手が消え、証券化商品の売買が成立しない状況になっていたため、正確な時価は誰にも分からない。値段がつかない以上、評価損を厳しく計上したと言っても、あくまでも言い値にすぎなかった。

さらに、市場が懸念したのは、各金融機関が簿外に抱える運用組織の存在だった。特に、ストラクチャード・インベストメント・ビークル（SIV）と呼ばれる運用組織の取り扱いが焦点になった。これらの運用組織は、金融機関が組成した証券化商品の受け皿。会計上は非連結化が認められていたが、実体は銀行の別動隊で、これらを切り捨てれば、その銀行の信用低下につながりかねなかった。かといって、連結化すれば、銀行が多額のリスクを抱え込むことになる。ポールソン米財務長官は、民間資金を集めた買い取りファンド構想を後押ししたが、これは不調に終わった。年末にかけて、英ＨＳＢＣ、米シティグループはそれぞれ四百十億ドル、四百九十億ドルのＳＩＶを、やむを得ず連結化すると発表。バランスシートの外に切り離したはずのリスクが銀行財務に戻り始めた。

不安を抱えたまま、年越しした〇八年は波乱の一年となった。三月のベアー・スターンズ危機、七月の米住宅金融公社の経営不安など危機の波は次第に高くなっていった。そして、九月の米リーマン・ブラザーズ破綻処理に、世界の市場関係者は震えた。リーマン破綻をきっかけに、世界中でドルの流動性が枯渇したのだ。金融機関は市場から資金を取れず、相次ぎ資金繰り難に陥り、各国政府は救済に動いた。金融機関の貸し渋りが実体経済を悪化させ、不良債権増の形で銀行財務に跳ね返る「金融不全」と「実体悪化」の負の共振も一段と深刻さを増した。金融機関の損失も、加速度的に拡大した。

米ブルームバーグによれば、〇七年第３四半期から〇八年第３四半期まで約一年の間に米国の金融機関（主要な銀行、証券、保険や住宅金融二公社）が計上した保有資産の評価損や売却損は累計六千七百億ドルで、一ドル＝一〇〇円換算で六十七兆円に上る。

欧州（二千八百億ドル）、アジア（三百億ドル）を加えると、世界の主要金融機関の累積損失は九千八百億ドルと、実績ベースで、バーナンキ議長が議会証言で言及した最大一千億ドルという〝試算〟の十倍に達した。

金融危機 主な出来事（2008年）

夏にかけて 米欧金融機関の損失が拡大
・米FRB、証券大手ベアー・スターンズを救済（3月）
・三井住友銀、英バークレイズへの出資を表明（6月）
・米、住宅公社支援法が成立（7月）
9月 米金融機関が相次ぎ経営不安、危機に突入
・米証券大手リーマン・ブラザーズが破綻
・米当局、保険大手AIGに緊急融資
・三菱UFJが米証券大手モルガン・スタンレーへ出資表明
・野村がリーマンのアジア・欧州事業の買収を発表
・米貯蓄金融大手ワシントン・ミューチュアルが破綻
10月 欧州に危機が飛び火、日本でも破綻発生
・米議会で銀行支援の金融安定法案が否決後に可決成立
・欧州の銀行も相次ぎ経営不安に
・米欧など10中銀が同時に利下げ
・米がシティグループなど主要銀への資本注入検討を表明
・大和生命が破綻
・日本も緊急市場安定化策を発表
・三菱UFJが資本拡充へ大型増資表明
・日銀が7年7カ月ぶりに利下げ
11月 金融危機封じへ世界の当局動く
・米当局、AIGに資本投入
・20カ国・地域首脳が集まり、米で金融サミット開催
・米政府、シティを追加資本注入と不良資産保証で救済
12月 危機が企業にも波及
・米自動車3社も経営不安で米政府に支援要請
・日本でも企業の資金繰りが悪化

例えば、〇八年秋、米銀大手ウェルズ・ファーゴに吸収された米銀大手ワコビア一行だけみても、いかに当時の予想が過小評価だったかが分かる。ワコビアが〇七年秋から約一年で計上した累積損失は九百七十億ドルに上った。一行だけで議長が示した数字に相当する損失処理を迫られたのだ。

米銀大手シティグループ六百七十億ドル、米保険大手アメリカン・インターナショナル・グループ(AIG)六百十億ドル——。米国の銀行、保険の巨人の損失も、けた外れの金額に膨れあがり、ともに政府やFRBの支援を受け、事実上の公的管理下に入った。同じく政府支援を受けた米連邦住宅貸付抵当公社(フレディマック)、米連邦住宅抵当公社(ファニーメイ)の米政府系住宅金融公社(GSE)二社もそれぞれ、五百八十億ドル、五百六十億ドルの損失を計上した。

米証券大手メリルリンチ、米西海岸地域に営業網を広げる米貯蓄金融機関大手ワシントン・ミューチュアルはそれぞれ五百六十億ドル、三百三十億ドルの損失を計上した。メリルは米銀大手バンク・オブ・アメリカの傘下に入り、長年貫いてきた独立路線の転換を迫られた。ワシントン・ミューチュアルは米銀大手JPモルガン・チェースに銀行部門を譲渡し、実質解体された。

救世主となった形のバンク・オブ・アメリカ、JPモルガン・チェースの累積損失もそれぞれ二百七十億ドル、二百十億ドルに達した。経営破綻したリーマン・ブラザーズの累積損失百六十億ドルがかすんでしまうほど、米国の主要な金融機関は損失まみれとなった。
スイスの大手銀ＵＢＳが四百九十億ドル、英大手銀ＨＳＢＣが三百三十億ドルの累積損失を計上するなど、米国勢だけでなく、欧州の金融機関にも激震が波及した。

日本よりは速く

十一月十四日、二十カ国・地域（Ｇ20）の首脳がワシントンに一堂に会し、緊急首脳会合（金融サミット）を開いた。九月の米大手証券リーマン・ブラザーズの破綻後、世界規模で広がった金融・経済の混乱に対し、各国が金融・財政の両面から政策を総動員して、危機回避に動くことで一致した。日米欧の先進国だけでなく、中国、インドなど新興国も参加する異例の首脳会合で、各国は危機感を共有した。

とはいえ、危機対応は綱渡りだ。

米国は十月、金融安定化法で七千億ドルの公的資金枠を創設。大手金融機関に資本を一斉注入しただけでなく、十一月にはシティグループに対して、二百七十億ドルの追加出資を実施すると同時に、三千億ドルを超える不良債権に対する債務保証を与え、個別救済した。

金融安定化法案をめぐっては、銀行救済への政治的な抵抗感などから、米下院が一度は否決する複雑な経緯をたどった。公的資金活用の目的ははじめは金融機関の不良資産の買い取りであったにもかかわらず、いつの間にか資本注入目的にすり替わった。金融機関救

金融サミットに参加した国・地域と国際機関

G20

G7
日本（麻生首相）
米国（ブッシュ大統領）
英国（ブラウン首相）
フランス（サルコジ大統領）
ドイツ（メルケル首相）
イタリア（ベルルスコーニ首相）
カナダ（ハーパー首相）

欧州連合（EU）

新興国

BRICs
ブラジル
ロシア
インド
中国

韓国
アルゼンチン
オーストラリア
インドネシア
メキシコ
南アフリカ
トルコ
サウジアラビア

国際機関
国際連合
国際通貨基金（IMF）
世界銀行
金融安定化フォーラム（FSF）

済だけでなく、自動車大手ゼネラル・モーターズ（ＧＭ）、クライスラーの年越え資金も、ここから捻出することになった。バブル崩壊から公的資金投入まで八年を要した九〇年代の日本の危機と比べると、政策対応のスピードが格段に速いのは間違いないが、米国などの政策対応を見ると、右に左にブレている。

金融機関の損失が今後、どこまで膨らむかも、なお読み切れない。

欧米の金融商品の残高から、潜在的損失がどの程度あるのかを示すデータがある。

一つは、国際通貨基金（ＩＭＦ）が十月に発表した報告書で、米国のローン・証券化商品で残高の六・一％、一兆四千五十億ドル（百四十兆円）の損失が発生する可能性があるとの試算を示した。もう一つは、イングランド銀行の統計で、英国・ユーロ圏の証券化商品の残高の一三・五％、一兆二千四十億ドル（百二十兆円）を潜在的な損失額とはじいている。この二つの数字を足しあわせると、欧米の潜在的な損失は、円換算で二百六十兆円に上る。

さらに、みずほ証券によれば、ＩＭＦやイングランド銀行が試算の前提として使っている損失率は、ＪＰモルガン・チェースなど民間金融機関が決算上、実際に使っている尺度に照らすと、まだ甘い。民間銀の保守的な査定に合わせて計算し直すと、潜在損失は米国で四百兆円、欧米合計で六百兆円近くに膨らむ。ファンド勢をのぞくと、金融機関の損失はこの金額の半分だとしても、三百兆円になる。世界の金融機関は百兆円をすでに処理しているものの、潜在損失の三分の一の処理を終えた段階にすぎない。

九〇―九九年の日本の不良債権処理損失は約七十五兆円で、国内総生産（ＧＤＰ）に対する比率は一五％にも上った。今回の米国の金融損失は、みずほ証券試算だと、ＧＤＰ比三割強と、日本の失われた十年をはるかにしのぐマグニチュードとなる。

金融サミットのテーマ

▽当面の財政・金融政策
・財政・金融の政策協調
・公的資金注入など安定化策の点検
▽金融市場の規制・監督
・格付け機関の監視強化
・ヘッジファンドの規制導入
・証券化商品の清算機関設立
▽国際金融システムの見直し
・IMF など国際機関の運営見直し
・新興国の発言権の拡大
・ドル基軸体制の持続

住宅問題がなぜ、未曾有の金融危機につながったのか――。著名投資家ジョージ・ソロス氏は著書『ソロスは警告する』のなかで、「サブプライム・バブルとは別の、さらに大きな『超バブル』が崩壊し始めた」と指摘している。八〇年代の金融自由化に乗って米大手証券やヘッジファンドは資本の三十倍、四十倍もの借入金を膨らませ、金融商品に投資して高収益を上げた。本来、慎重なはずの商業銀行も、リスクの高い証券ビジネスの比重を高めていた。

銀行に独自のリスク管理を認め、運用組織の非連結化も許容した金融監督当局の自己資本規制などの緩みも信用膨張に一役買った。政府救済を受けたシティの表面上の総資産は約二兆ドルと、円換算で二百兆円規模にもなる。それだけでも巨額だが、それとは別に一兆ドル強の非連結資産を抱えている。大半が住宅ローン、消費者ローンの証券化商品を運用する投資会社だ。

世界の潜在的な金融損失の試算

	残高	推定損失率(%)	損失
米ローン	12,370	14.0	1,738
米証券	10,840	24.3	2,633
米総合計	23,210	18.8	4,370
英証券	1,095	24.0	263
ユーロ証券	7,830	14.5	1,134
欧総合計	8,925	15.6	1,397
米欧総合計	32,135	17.9	5,767

(注) みずほ証券。単位：十億ドル

監督は二五%だけ

「金融取引の全容が見えない」。FRB幹部は数年前からこう嘆くようになった。それもそのはずだ。二〇〇六年には総与信の二五％しか監督権限が及ばなくなっていた。世界の金融資産残高は世界のＧＤＰの三倍――。住宅価格、商品相場を含め、あらゆる資産が膨張マネーに押し上げられた。金融は実体から大きく離れ、持続不能に陥った。

〇六年六月をピークとする米住宅価格下落は、すべての逆回転が始まる号砲だった。世界景気が同時不況に見舞われ、金融機関の損失はさらに膨らむ見通し。危機の出口はまだ見えない。

2 火の粉、日本にも

救世主

「ハチが刺した程度だ。日本の金融機関が傷むことは絶対にない」。福田康夫首相の突然の辞任を受けて自民党総裁選に立候補した与謝野馨経済財政担当相は、二〇〇八年九月十七日に島根県出雲市の演説でこう言い切った。

二日前、米証券大手のリーマン・ブラザーズが経営破綻したとのニュースが世界を駆け巡り、週明けの金融市場は大揺れとなった。その中で、与謝野経財相はリーマン破綻の日本への影響は小さいと大見えを切ったのだ。

米国の金融危機は確かに深刻さを増しているが、日本にとっては対岸の火事にすぎない――。そんな楽観論が、日本の政府当局者や金融関係者の間になお漂っていた。与謝野発言はその象徴だった。

信用力の低い個人向け住宅融資（サブプライムローン）など米国の証券化商品に関連して、日本の金融機関は〇八年三月期に合計で一兆円規模の損失を計上した。確かに巨額だが、存亡の危機に瀕した米国の投資銀行や、大西洋の反対側から金融危機の直撃を受けた欧州の金融機関に比べれば、損失の軽さは明らかだ。

手負いの米欧勢にとって、資金に余裕のある邦銀は危機の救世主とも目された。株主資本利益率（ROE）が二〇％以上と抜きんでた高収益を上げてきた米国の投資銀行に、日本のメガバンクは後塵を拝してきた。その米銀勢から、邦銀に対して資本増強の引き受けを要請する声がひっきりなしにかかった。

「これは最後のチャンスかもしれない」。九月十九日、三菱ＵＦＪフィナンシャル・グループの首脳は、米証券二位のモルガン・スタンレーから飛び込んできた支援要請に身を乗り出した。出資だけでなく、十兆円規模の融資枠設定も求めてきた。

三菱ＵＦＪは一兆円を上回る巨額の余資を抱えながら、「石橋をたたいても渡らない」

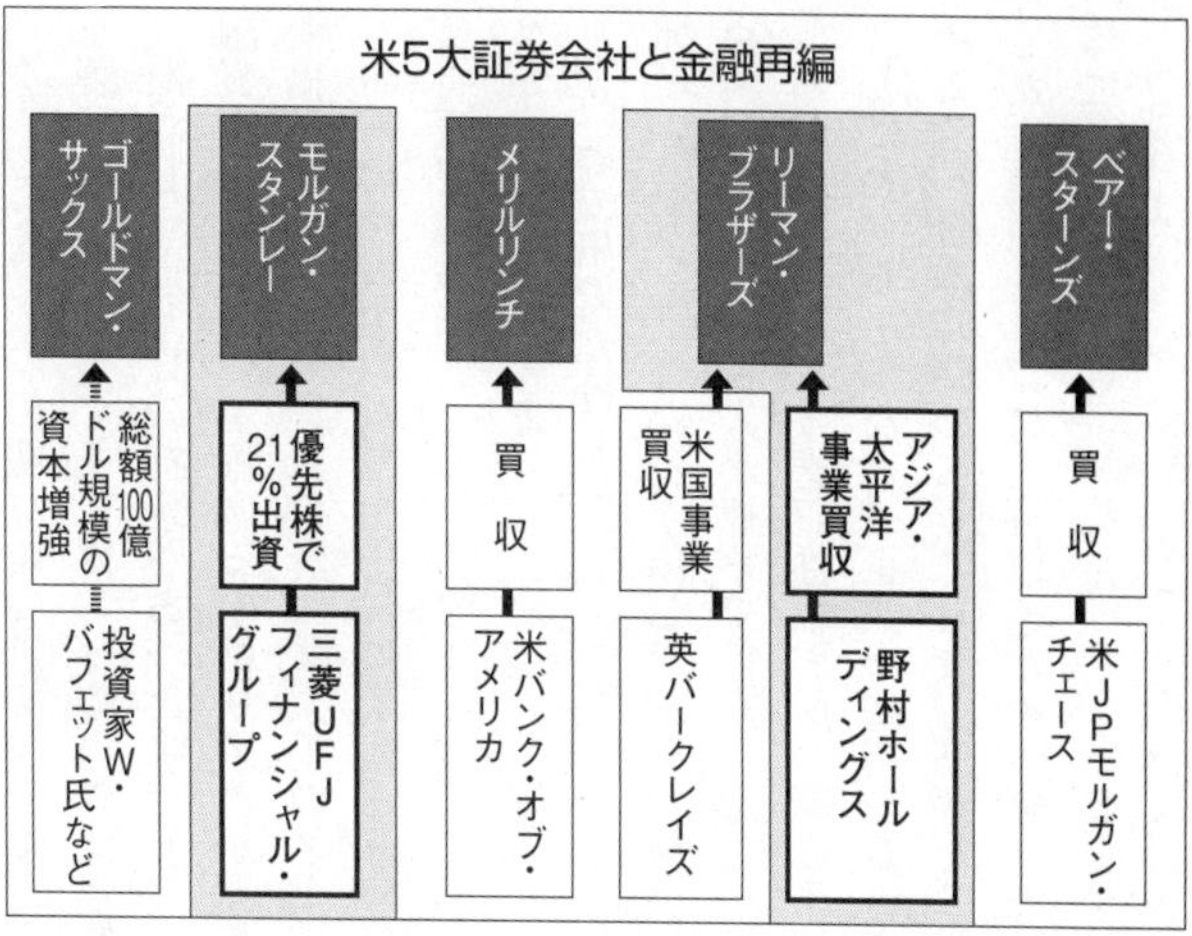

と他行から陰口をたたかれるほど、米国や欧州などへの投資に慎重だった。投資案件では、〇八年八月に約六五％出資している米有力地方銀行、ユニオンバンカル・コーポレーション（カリフォルニア州）の株式を買い増し、一〇〇％出資の完全子会社にすると表明したのが目立った程度だった。グループにとって最大の課題だった旧東京三菱銀行と旧ＵＦＪ銀行の国内システム統合を優先したい思惑もあった。

　だが三菱ＵＦＪも米有力投資銀との提携を模索していた。意中の相手はみずほコーポレート銀行も出資しているメリルリンチだったが、メリルは四日前にバンク・オブ・アメリカとの合併を発表した。三井住友銀行も米投資銀トップのゴールドマン・サックスとすでに資本提携済みだ。経営難に陥ったベアー・

スターンズは政府の関与を受けてJPモルガン・チェースが買収し、リーマンは破綻した。三菱UFJにとってモルガンへの出資は逃せない話だった。

ただし、十九日の打診があった時点で、上層部が出した回答は「ノー」だった。巨額の融資をこの時点で実施するのはリスクが大きすぎるとの判断だった。直後に局面は大きく変化する。モルガンは投資銀最大手のゴールドマン・サックスとともに、銀行持ち株会社への転換を表明し、二十一日に米連邦準備理事会（FRB）から承認を得た。中央銀行の監督下に入ることでFRBによる資金供給の支援も受けやすくなり、多額の融資枠を設定する必要はなくなる。

「改めて出資だけお願いしたい」。二十一日、モルガンから三菱UFJにもう一度要請の電話が入り、交渉が動き出した。持ち株会社の畔柳信雄社長や三菱東京UFJ銀行の永易克典頭取など、数人が極秘で折衝にあたった。

期限はニューヨーク証券取引所が開く米東部時間の二十二日朝だった。細かい条件は後回しにせざるを得ない。正式な基本合意書を締結することもなく、わずか三日間で出資が決まる。日本時間の二十二日夜、三菱UFJはモルガンに対する九十億ドルの出資を発表した。実現すれば持ち分法適用の対象となる二〇％を超す出資で、一気に大株主に躍り出ることになる。

「やっぱり三菱UFJか」。前の週にモルガンから水面下での出資要請を受けていたみずほコーポレート銀行の関係者は、ニュースを耳にしてこうつぶやいた。みずほコーポも斎藤宏頭取を筆頭にモルガンへの出資に応じるかどうかの協議を続けていた。「三菱ＵＦＪが動いている」との情報もつかんでいた。攻めに動くのか、自重するのか。瞬時の判断を迫られ、手を引いていた。

誤算

「邦銀が世界の舞台に踏み入った」。英フィナンシャル・タイムズは九月二十五日付の社説で、三菱ＵＦＪのモルガンに対する出資表明と、野村ホールディングスによるリーマンの欧州・アジア部門買収をこう評した。「日本の銀行は今、ウォール街の失敗を楽しんでいる。しかし、サメがはびこる投資銀行の世界に分け入る冒険で、彼らが苦悩するウォール街を優越できるかどうかははっきりしない」

日本勢にとって、リーマンの破綻は当初、世界での地盤沈下を挽回する千載一遇の好機に映った。バブル崩壊後の長期不況時に、信用力の落ちた邦銀は海外の金融市場からドル資金を調達するために「ジャパン・プレミアム」と呼ばれる上乗せ金利を払うことを余儀なくされた。米欧の銀行は当時の邦銀と立場が入れかわったかのように、金利上乗せを迫られるなど資金の調達に四苦八苦していた。

だが軽い優越感はほんのつかの間にすぎなかった。金融危機は想像を超える速さで広がり、それは日本の金融機関にもやがて猛烈な逆風となって吹き荒れたからだ。

「ドル資金の流動性はほぼ枯渇した」。九月二十九日の深夜、白川方明日銀総裁は臨時の金融政策決定会合を開催後の緊急記者会見で率直に語った。日銀はＦＲＢや欧州中央銀行（ＥＣＢ）、英イングランド銀行、スウェーデン中央銀行など世界の主要十中銀の連携によるドル資金の供給策を表明した。ＦＲＢからドル資金を調達して自国市場に供給する額を二倍以上の六千二百億ドルに増やし、〇九年四月までと期間も延長した。

金融市場に相互不信の連鎖が走っていた。二十九日の欧州金融市場で指標となっているロンドン銀行間取引金利（ＬＩＢＯＲ）のドル三カ月物や、ユーロ三カ月物の金利が急上昇した。取引相手の金融機関が資金繰りに窮して破綻するのではないかとの疑心暗鬼が広がり、銀行間市場におカネを出す人がほとんどいなくなったのだ。

三菱ＵＦＪの出資表明で信用補完を期待したかにみえたモルガン・スタンレーも、市場の不信の標的になった。モルガンの株価はその後もずるずると下げ、第一段階の普通株取得で設定した一株当たり約二五ドルから、一〇ドルを割り込んだ。

三菱ＵＦＪが計画通りに出資を実行すれば、当時で約三千億円の株のうち千八百億円が損失となる計算だった。モルガン株の減損処理で、三菱ＵＦＪもすぐさま赤字に転落しかねない状況になった。攻めの出資のつもりが、金融市場の荒波が正面から襲い、自らの足元もすくわれるおそれすらあった。「ミツビシは出資をやめるのでは」。株式市場では出所不明のこうしたうわさが幾度となく浮上し、三菱ＵＦＪは打ち消しに必死となった。

どうすればよいか……。苦悩の末に編み出したぎりぎりの打開策が、不安定な普通株でなく、株安の影響を受けにくい優先株による出資への全面切り替えだった。

米国で銀行が営業を休むコロンバスデーの十月十三日早朝。九十億ドル出資を確定する小切手が、予定より一日早く、三菱ＵＦＪからモルガンに渡った。

将来、優先株が普通株に転換されれば、三菱ＵＦＪは二一％の大株主となる。株式市場も好感した。米国の政府が金融安定化法に基づく不良債権買い取りの業務について説明したこともあり、ニューヨーク株式市場では十三日にダウ工業株三十種平均が九三六ドル高の九三八七ドルと、史上最大の上げ幅を記録した。モルガン株も前週末に比べて八〇％以上高い一八ドル台に急反発した。

市場に振り回された出資劇は、日本の金融機関が志した「反転攻勢」の難しさを浮き彫りにした。賭けが成功に終わるかどうかの評価は、まだ下せない。

暗転

十月十日、米国の首都ワシントンＤＣ。「日本の金融は本当に大丈夫なんだろうな。よく確認してくれ」。当地で開く七カ国（Ｇ７）財務相・中央銀行総裁会議に臨む直前、中川昭一財務・金融担当相は電話で東京の金融庁幹部に厳命した。

日本にも金融危機の余波が襲っていた。この日には金融市場混乱に伴う投資損失の拡大で、中堅生命保険会社の大和生命保険が債務超過に陥り、経営破綻した。今回の金融危機が発生してから日本で初めてとなる金融破綻への懸念も広がり、東京市場の日経平均株価は前日比八八一円も急落して、五年四カ月ぶりの安値をつけた。

「リスクのあるビジネスを長くやっていて、債務超過になる事態が予想されたと聞いている。金融システムの問題とは直接関係しない」と、中川財務・金融相は、大和生命破綻があくまで特殊なケースであると強調するのに躍起だった。前の日から米国に入り、初陣のG7会議で不良債権処理の日本としての経験を語ろうと意気込んだ中川氏だったが、事務方に漏らした危機感は、間もなく現実のものとなる。つるべ落としの株価が金融機関の経営を根元から揺さぶったためだ。

十月十六日の東京株式市場で日経平均株価は一〇〇〇円を超す下げとなり、下落幅は一一・四%と一九八七年十月二十日のブラックマンデー以来、史上二番目の大きさを記録した。終値は八四五八円と九〇〇〇円を大きく割り込んだ。米欧の主要国は前週末に次々と公的資金活用など金融安定化の対策をまとめ、株価はそれを好感して二日間で一三〇〇円以上も上げたが、効果は長続きしなかった。

ニューヨーク市場の株価が急落すると、東京も売り一色の展開となった。ヘッジファンドが顧客からの解約に備えた換金売りだけでなく、新規の空売りを仕掛けた。一バレル一四七・二七ドルの史上最高値を七月十一日につけた原油先物価格も投機資金の流出で大幅に下げ、十六日のニューヨーク市場では一年二カ月ぶりに一バレル七〇ドルを割り込み、ピークの半値以下まで落ち込んだ。

瞬時のうちに相場が大きく動く市場の「真空状態」は、なお続いた。二十四日、金曜日の外国為替市場では円相場がドルやユーロに対して急騰し、円は一時一ドル＝九〇円台と対ドルで約十三年ぶり、対ユーロでは一時一ユーロ＝一二〇円を突破する急激な動きとなった。一日の相場の振れ幅は対ドルで七円、対ユーロで一四円、対ポンドでは二〇円を超した。

低金利の円を借り、高金利の通貨に投資して利ざやを得ようとする円借り取引（キャリートレード）のうまみは完全に消えた。米国発の金融危機は欧州や新興国の経済も揺さぶり、相対的には市場が安定する円に投資マネーが集まるという逆転の構図が鮮明になった。急激な円高は輸出主導の日本経済にとって手痛い打撃となり、株価も急激に下げた。

翌週明けの二十七日朝。七カ国（G7）の財務相・中央銀行総裁は異例の警戒声明を出した。「最近の円の過度の変動並びにそれが経済および金融の安定に対して悪影響を与えうることを懸念する」。日本の財務省が各国に働きかけて実現した声明は円高を名指しした異例の内容だった。「円高懸念の共有」をうたった二〇〇〇年一月の東京G7会議の声明以来のことだった。

だが同日の株価は下げ止まらず、〇三年四月につけたバブル崩壊後の最安値、七六〇四円を下回った。翌二十八日の取引時間中に日経平均は二十六年ぶりに七〇〇〇円の大台も割り込む事態となった。その後に株価はいくぶん持ち直したが、為替や株式相場の大幅な修正は、米欧勢に比べれば盤石とみられた日本の銀行の経営基盤を揺るがすのに十分だった。

三つのメガバンクの慌てぶりは明らかだった。バブル崩壊後、株式の含み益に頼った経営が不安定であることは身をもって体験している。保有株式を減らす努力は続けたが、〇三年の株価反転以降は、含み益の拡大が一定の業績下支え効果を担っていたのも事実だ。ところが保有株の価格急落で、銀行の自己資本は一気に目減りした。このままでは貸し出しの余力が大幅に低下すると懸念したメガバンクは、一斉に自力増資に動く。

「これ以上リスク資産は増やせない」と三菱ＵＦＪ首脳は厳しい胸の内を明かした。九月以降の急速な株安で、三菱ＵＦＪの自己資本比率は十二月末時点で一ケタ台に落ち込む恐れがあった。国際的に優良行としてみなされるには一〇％台の自己資本比率を死守しなければならない。二十七日、三菱ＵＦＪは普通株と第三者割り当てによる優先株の発行で最大一兆円を増資すると発表した。

株式市場の需給環境が悪化するさなかに、一社だけで一兆円規模の資金を市場から吸い上げれば、新たな下げ要因になるのは間違いない。メガバンクの増資観測が日経平均の下落を主導する場面もあった。このため三菱ＵＦＪは株価に影響を及ぼす普通株の増資を「株式市場になるべく悪影響を及ぼさない」よう、向こう一年間と設定した。優先株での増資は普通株への転換ができないようにして、市況への配慮を明確にした。

そうした苦労の末でも、調達できたのは想定を大幅に下回る約七千九百億円にすぎなかった。自己資本比率の一〇%台を確保するメドはなんとか立ったものの、余裕のない財務の状況は続いている。

九月中間期の決算発表を目前に控えた十一月上旬、みずほコーポレート銀行の担当役員は連日、保険会社を飛び回っていた。みずほフィナンシャルグループが三千億円規模の資本増強で発行する優先出資証券の引き受けを、保険各社に依頼していたことが背景にある。

みずほは親密先である第一生命保険や明治安田生命保険、損害保険ジャパンに限らず、ほぼすべての有力保険会社を網羅した「オールジャパン」（みずほ関係者）の資本増強を余儀なくされた。三井住友フィナンシャルグループも同様に優先出資証券の発行を通じて四千億円規模の資本増強に踏み切ることを表明した。手元の余裕資金とにらめっこをしながら米銀への資本支援を思案したほんの二カ月前とは様変わりの状況になった。

三重苦

十一月中旬、メガバンクなどが発表した九月中間期の決算は惨憺たる内容だった。大手銀行グループ六行の連結純利益は前年同期を六割も下回り、四年ぶりの水準に低迷した。

「いいところが一つもなかった。全部だめ」「投資銀行宣言どころか〝投資損失宣言〟になっ

6大銀行グループの最終損益

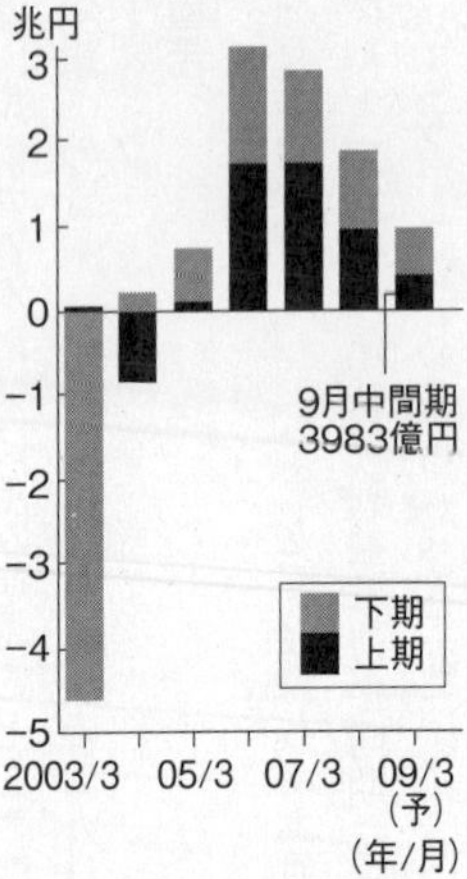

ちゃった」。みずほフィナンシャルグループの前田晃伸社長は決算発表の記者会見でこう吐露した。

金融機関が直面する経営環境はまさに三重苦といえる。景気悪化を受けた融資先企業の倒産や経営難、リーマン向け社債や証券化商品など投資の失敗、そして急激な株安の三つだ。その中でも世界的につるべ落としの状態である景気後退は深刻で、経営の先行きを視界不良にしている。

「三月まで正常先だった企業がいきなり民事再生法を申請するようなケースも少なくなかった」と、りそなホールディングスの細谷英二会長は振り返る。六月以降にスルガコーポレーションやゼファー、アーバンコーポレイションなどの不動産会社が次々と破綻したことが景気の変調を物語る。秋に差し掛かり、企業の経営難は建設、不動産だけでなく製造業やサービス業全般に広がりを増している。

三井住友フィナンシャルグループの北山禎介社長は「マイナス成長になると不良債権の処理損失は加速度的に増える」と説明した。貸出残高に対する不良債権処理損失の割合は、「平時」の〇・二―〇・三%程度から、九月中間期には〇・五―〇・六%程度に上昇した。これまでは収益の範囲内で吸収できたが、景気後退で不良債権の悪夢がよみがえりかねない雲行きになっている。

期間利益を上げても、自己資本額はそろって減少する展開は、不良債権問題を乗り切った邦銀勢の経営基盤が盤石でないことを証明している。貸し出し余力の低下も著しい。九月末時点の中小企業向け融資は六大銀行グループで半年前の三月に比べて約二兆六千億円も減った。政治は金融機関の慎重な融資姿勢に批判の矛先を向けつつある。

「地銀の融資残高は伸びている。数字を見て欲しい」。十一月下旬、横浜銀行の小川是頭取は全国地方銀行協会の記者会見で「貸し渋り」の問題について聞かれ、こう語気を強めた。

6大銀の不良債権処理損失と倒産の負債総額

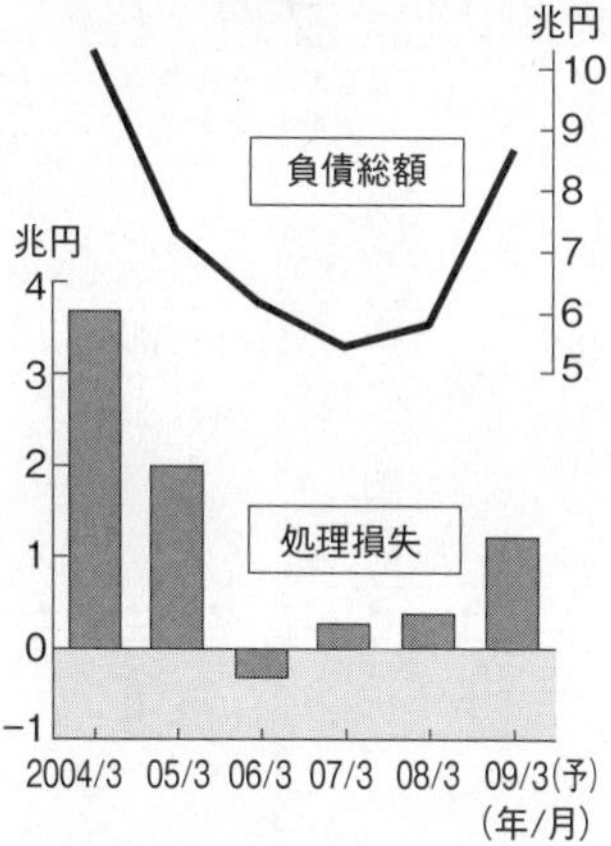

(注)負債総額は東京商工リサーチ、08年3月期までは年間、09年3月期は上期。損失のマイナスは戻り益

地域金融機関の業績悪化も著しい。株式を上場している地方銀行・グループは合計で八十七あるが、九月中間期には約三分の一にあたる二十七行が最終赤字に転落した。上場地銀合計の連結純利益は約千二百億円と前年同期に比べて七一％の大幅減となった。三重苦の構図は大手銀と同様だが、地域経済の悪化が業績に直結する地銀の悩み

主要金融機関の中核的自己資本比率

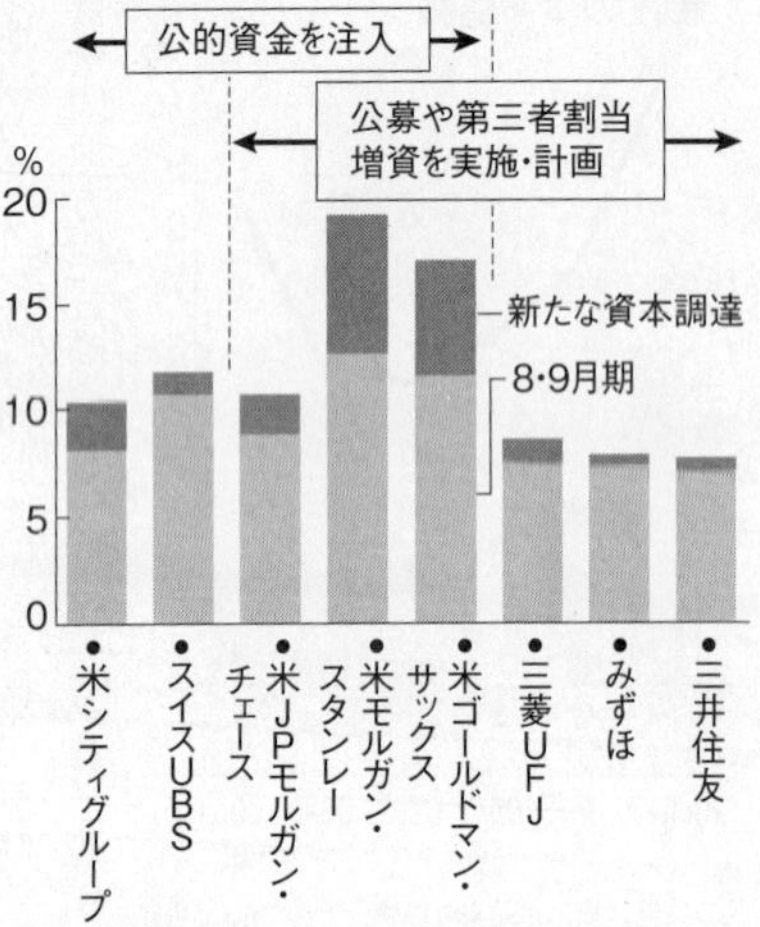

(注)自己資本比率はこのほかに株式含み益や劣後債などの「補完的項目」がある。

は深い。

政府・与党は三月に適用期限が切れた公的資金の予防的な資本注入を可能にする金融機能強化法を改正し、再び活用することを決めた。改正法は与野党の長い駆け引きの末、十二月にようやく成立した。資金枠も二兆円から十二兆円へと大幅に広げる方針で、〇九年三月期決算に向けて、金融機関からの注入申請を待つ。金融庁は貸し渋り批判の高まりを受け、「告発」を受けるホットラインを設けたり、金融検査などでの監視を強めたりする対応に追われている。

だが、中小企業だけでなく大企業も資金繰りへの厳しさが増している。金融機能強化法だけでは日本に迫る信用収縮の懸念をぬぐいきれないのは明らかだ。危機の火の粉が降りかかってきた日本の金融システム。視界不良の状況が続く。

第2章

塗り替わる金融勢力地図

「なぜリーマンだけが、支援の対象外だったのか」

二〇〇八年九月に経営破綻した米リーマン・ブラザーズのリチャード・ファルド元最高経営責任者（CEO）が十月六日の米下院公聴会で。公的救済を受けたベアー・スターンズやアメリカン・インターナショナル・グループ（AIG）との扱いの差は不公平と不満をぶつけた。

1 緊迫の十日間

証券大手リーマン・ブラザーズ破綻、同業のメリルリンチの銀行大手バンク・オブ・アメリカへの身売り、そして保険最大手アメリカン・インターナショナル・グループ（ＡＩＧ）の資金繰り不安――。二〇〇八年九月、米市場を見舞った激震は経済史上に残る「金融九月危機」だった。当局や金融機関トップが水面下で奔走した、緊迫の十日間を振り返る。

第一幕「存続か、退場か」

「韓国産業銀行（産銀）はリーマンへの出資に極めて慎重になるべきだ」

九月八日、ソウル。危機の幕を開けたのは韓国金融委員会の全光宇（チョン・クァンウ）委員長のこんな発言だった。米国の信用力の低い個人向け住宅融資（サブプライムローン）関連の巨額損失の穴を埋める資本の出し手を求めていたリーマン。中国や欧米の投資家との増資交渉が相次ぎ頓挫し、リーマンＯＢがトップを務める韓国政府系の産銀との交渉に最後の望みをかけていた。

2008年9月の主な動き

日（曜）	主な動き	NYダウ終値（前日比、ドル）
7（日）	住宅金融公社の救済策発表	
8（月）	韓国産業銀行、リーマン出資交渉に慎重姿勢	289.78
9（火）		−280.01
10（水）	リーマンが経営改善策を発表	38.19
11（木）	「米財務省、リーマン身売り仲介」との報道	164.79
12（金）	ニューヨーク連銀でリーマン問題協議	−11.72
13（土）	リーマン問題協議続行	
14（日）	リーマン買収交渉が決裂	
15（月）	リーマンが破綻。バンク・オブ・アメリカがメリルリンチ買収	−504.48
16（火）	ＡＩＧの救済策発表	141.51
17（水）	ＳＥＣ、空売り規制強化	−449.36
18（木）	６中銀、ドル資金供給で協調	410.03
19（金）	米、金融安定化策を発表	368.75

全委員長の発言は事実上、韓国当局が買収を許可しないと宣言したに等しい。前日に米政府が米連邦住宅抵当公社（ファニーメイ）と米連邦住宅貸付抵当公社（フレディマック）を公的管理に置き、一息ついた市場の雰囲気は一変した。「リーマン自主再建の望みは断たれた」と判断した投資家は、リーマン株の投げ売りを始める。株価は一三％下落し、一四・二ドルに。翌九日は七・八ドルと一気に半減した。

追いつめられたリーマンは十日、不良資産を別会社に切り離す経営改善策を急遽発表する。だが、肝心の資本調達については具体策を示せなかった。ゴールドマン・サックスのアナリストは「重大な不安が残る」と指摘。三十九億ドルの四半期赤字の見通しと合わせて逆に行き詰まりが際立つ格好となり、株価は続落した。

翌十一日夕、ウォール街に衝撃が走る。米紙が「米財務省、リーマンの身売りを仲介」と報道し、リーマンの自力再建がほぼ絶望的になったのだ。米連邦準備理事会（ＦＲＢ）がかかわった三月の証券大手ベアー・スターンズ危機と同じなら、極端な安値で売却されるはず。ところがベアーの時と異なり、「米政府は公的資金の活用を検討していない」と報じられ、買い手候補が難色を示すことが予想された。リーマン株は再び四〇％急落し、一時三ドル台をつけた。

このころから、投資家の株売りの矛先は、資本が不足気味の金融機関すべてに向かうようになる。この日、貯蓄金融機関（Ｓ＆Ｌ）最大手のワシントン・ミューチュアルが三〇％安。メリルリンチも狙い撃ちされ、一七％安と売りを浴びた。

利益を上げながら徐々に不良資産を償却し、市場の回復を待つ。そんな心づもりだった金融機関の時間軸は一変した。リーマンのように資本調達に失敗すれば、株式市場で激しい売りを浴びる。株価が下落するほど、新株発行で資本を集めることが難しくなる悪循環。市場は突如、不良資産を抱える金融機関に対し、「存続か、退場か」を迫り始めた。

第二幕「緊急会合」

このままでは大手金融機関の連鎖破綻の可能性すらある――。市場でそんな恐怖が現実味を増してきた二〇〇八年九月十二日夕、ポールソン財務長官がウォール街に姿を現した。金融機関トップをニューヨーク連邦準備銀行に招集。一九九八年のヘッジファンド大手、ロングターム・キャピタル・マネジメント（ＬＴＣＭ）の救済劇以来、十年ぶりとなる官民の緊急会合を開き、リーマン買収による破綻回避の可能性を協議した。

だが、官民は鋭く対立する。損失負担を避けたい金融機関側が公的資金の投入を求めるのに対し、当局は民間だけでの解決を主張。後に「（公的負担は）一度も考えなかった」と述べたポールソン長官も譲らなかった。不良資産と優良資産を分けて、別々に売却する案も出たが、やはり損失負担がネックになり立ち消えに。次第に「破綻処理」が現実の選択肢として浮上してきた。

会合二日目の十三日朝、協議の行方を決定づける事態が起きる。サブプライム損失の影響が比較的小さく、買い手候補の筆頭だったバンク・オブ・アメリカ（バンカメ）のケネス・ルイスＣＥＯが受けた一本の電話。相手はメリルのジョン・セインＣＥＯだった。セイン氏はルイス氏にリーマンではなく、メリルを買収しないかと持ちかけた。救済協議の難航ぶりを見て、リーマン破綻は避けられないと読んだセイン氏。市場の混乱を考えれば、業界四位のリーマンの次は三位で損失も多いメリルが株売りの標的になるのは必至と思えた。「我々にとって最良の取引は何かと考えた」と語るセイン氏は、連鎖破綻するより今のうちに会社を売却しようとの決意を固めていた。

「一生に一度のチャンスだ」。メリルの国際ネットワークや富裕層顧客に魅力を感じたルイスＣＥＯも申し出に乗った。資産査定の時間はわずか一日。メリルの資産内容に詳しい投資会社のJCフラワーズがアドバイザーとなって査定をまとめ、「リーマンからメリルへ」の電光石火のくら替えが実現した。

会合三日目の十四日、日曜日。ニューヨーク連銀本部には関係者を乗せた黒塗りの送迎車がひっきりなしに出入りし、リーマン破綻に向けた調整が加速する。午後に入ると、ウォール街のデリバティブ（金融派生商品）トレーダーは一斉に出社し、リーマン向け取引の清算を開始した。

マンハッタンの目抜き通り、ブロードウェー沿いに建つリーマン本社前。夜になり、私物を整理しに出社した社員が段ボール箱を抱えて次々と姿を現す。騒然とした雰囲気を感じ取った観光客が見物に集まる。社員の一人は「ベアーは救済されたのに、なぜ我々は……。不公平だ」とつぶやいた。

同日深夜から翌未明にかけ、バンカメはメリル買収を、リーマンは破産法申請の方針を相次ぎ発表した。

「グリード（欲望）だ」。十五日朝、バンカメのニューヨーク本部で記者会見にのぞんだルイスCEOはリーマン破綻の原因を問われてこう言い切った。過剰な借り入れを使い、身の丈に合わない利益を追求する投資銀の経営モデルの否定。隣に座ったセイン氏は「身売りは（九カ月前の就任時に）予想した結末ではなかった」とうつむくしかなかった。

第三幕「新たな波乱」

リーマンの破綻処理の調整作業を終え、ニューヨーク連銀のスタッフが家路につき始めた十四日夜、百メートルほど離れたウォール街の一角にあるＡＩＧ本社で、新たな波乱が持ち上がっていた。翌朝に発表予定だった四百億ドルの資金調達の計画が頓挫したのだ。計画は航空機リース事業など非中核部門の売却と増資を組み合わせるもので、複数の企業買収ファンドと交渉を進めていた。だがリーマンをめぐる協議が難航するなか、ＡＩＧの交渉も暗礁に乗り上げる。

リーマンを追い込んだ「増資失敗→株売り」の連鎖が、大手保険会社にも襲いかかる。ＡＩＧ株は十五日朝の寄り付きから急落。増資を条件に格付けを据え置いていた大手格付け会社は、相次ぎ格下げに踏みきり、再格下げの可能性も示した。

これがＡＩＧを窮地に追い込んだ。原因はＡＩＧの子会社が手掛けていた巨額のデリバティブ取引だ。金融機関に対し、融資の焦げ付きリスクを肩代わりする金融商品を販売していた。この商品はＡＩＧの高い信用力をバックにしており、格付けが下がれば、取引相手に信用を補完するため現金を担保として差し出す契約だった。

その額は数日間で数百億ドルとも言われ、資産を売却して捻出するには時間がない。本業の生命保険、損害保険部門は健全にもかかわらず、ＡＩＧは一挙に資金繰りに行き詰まった。

ニューヨーク州のパターソン知事の要請で、ＦＲＢはゴールドマンなど民間金融機関に共同で七百五十億ドルの融資枠設定を求める。だが実現に至らず、財務省とＦＲＢは助言役のモルガン・スタンレーとともに救済策の再考を迫られた。

「ＡＩＧにはあと一日しかない」。十六日昼。パターソン知事がテレビでＳＯＳを発したのを受け、ＡＩＧの株価は一時一ドル台に落ち込んだ。午後四時、ＦＲＢはついに折れ、八百五十億ドルのつなぎ融資を打診した。

リーマン問題の対応でいったんは公的支援の拒否を表明した財務省とＦＲＢだが、止まらない巨大金融機関の破綻リスクを前に、結局その姿勢を貫けなかった。この後まもなく、ポールソン財務長官は議会に総額七千億ドルの金融安定化法案を提出。米国は銀行、証券、ノンバンク、自動社大手と続く「救済の泥沼」へとはまりこんでゆく。

米金融機関の株価

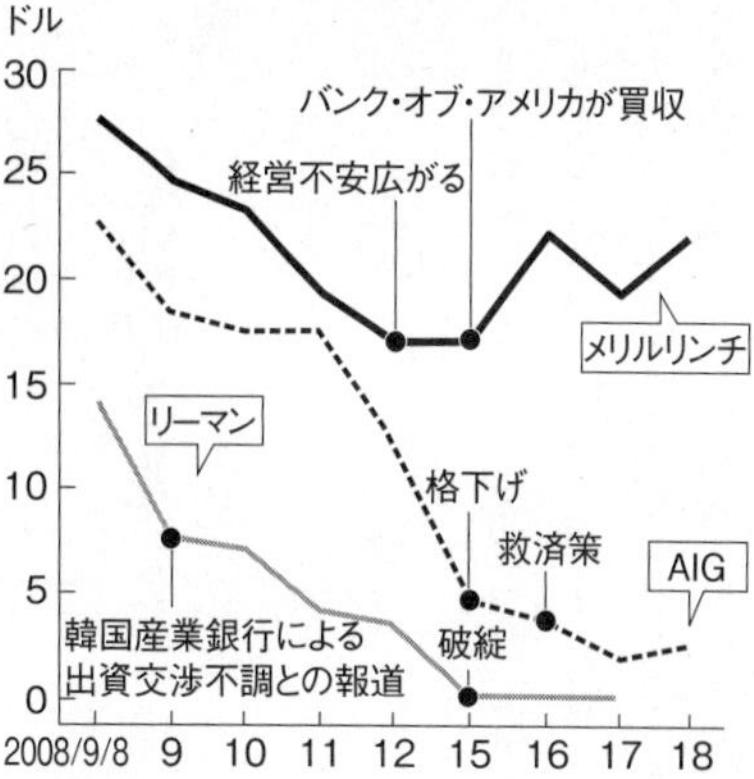

2 危機の予兆

はじまりは〇七年二月八日

二〇〇八年九月に世界を襲った金融危機の予兆は、一年半以上前にあった。二〇〇七年二月八日。ニューヨーク株式市場は四日ぶりに反落した。ダウ工業株三十種平均で二九ドルの小さな下げ幅だったが、後に米国発の金融危機を引き起こすマグマがうっすらと輪郭を表した商いでもあった。

株安の引き金は、前日の七日に英銀大手ＨＳＢＣが発表した業績の下方修正だった。米国の住宅ローン部門で多額の貸し倒れが発生。計上した引当金の額はアナリストの予想より二割も多かった。市場は個別の金融機関の経営悪化だけでなく、米国の住宅金融の難局を読み取った。

ＨＳＢＣはサブプライムローン事業を拡大するため、二〇〇三年に米国の住宅ローン会社を買収。米英の国境を越えた投資がサブプライムの焦げ付きで行き詰まった。

米議会でサブプライム問題に関する公聴会が開かれ始めたのもこのころだ。三月には金融関連の法案の審議で実権を握る民主党のドッド上院議員が、ローンの焦げ付きによって「二百万人以上が持ち家を失う恐れがある」と警告。貸し手の規制と借り手の保護を法律で手当てするべきだと訴えた。

当局の危機感はまだ薄かった。米連邦準備理事会（FRB）のバーナンキ議長は「米経済の先行きに対する不透明感がやや増した」と認める程度で、FRBの内部には「サブプライム問題の影響は限定的」との楽観論も根強くあった。FRBは景気の減速と物価の上昇の両方のリス

キーワード

サブプライムローン

クレジットカードの延滞履歴があるなど信用力が低い個人や低所得層を対象にした米国の住宅ローン。通常の融資に比べて審査基準が甘い代わりに金利が高い。当初2年程度は低金利だが、途中で大幅に金利が上がるのが特徴。

住宅価格の上昇を背景に、資金が余り気味だった金融機関が積極的に手掛けけた。担保となる住宅の価格上昇が止まり、2007年ごろから返済に行き詰まる個人が急増した。サブプライムローン債権を組み込んだ証券化商品の価格も大きく下がり、保有する金融機関やファンドに多額の損失が発生。幅広い国の金融機関に影響が及び、世界の金融市場に混乱が広がった。

クを見極めながら、政策金利の据え置きを続けた。

金融当局に緊張感が走ったのは夏になってからだ。火の手は欧州から上がった。まずドイツの中堅銀行であるIKB産業銀行の経営危機が七月末、表面化した。傘下のファンドが高利回りを求めてサブプライム関連の証券化商品に投資していたが、市況の悪化で巨額の損失の計上が避けられなくなった。

「サブプライムは危ない」。世界の市場に共通認識ができると、あっという間に火種が散らばった。

仏銀大手BNPパリバは八月九日、傘下の三つのファンドについて応募と償還をともに凍結すると発表した。IKBと同様にファンドが投資していたサブプライム関連の証券化商品の価値が急落し、投資家の換金要請に応じられなくなったためだ。「パリバ・ショック」に当局は慌てた。銀行間で資金をやりとりする金融市場が急激に機能しなくなり、経営を不安視された銀行はいくら高い金利を提示しても、資金を借りられなくなる恐れに直面した。事態を重く見た欧州中央銀行（ECB）は同日、大量の資金の緊急供給を発表。日本銀行やFRBも追随した。

世界的な同時株安は収まらず、FRBは十七日、臨時の米連邦公開市場委員会（FOMC）を開いて公定歩合を緊急に〇・五％引き下げた。

それでも衝撃は続いた。九月に入ると英国のノーザン・ロック銀行で取り付け騒ぎが発生した。店舗に預金者が長い列をつくった光景をテレビが繰り返し放映すると、不安心理を鎮めるためダーリング英財務相は急遽ノーザン・ロックの預金を全額保護する方針を表明した。相前後して中国の大手銀行やスイスのＵＢＳなどが損失の拡大を発表した。

ベアー・スターンズ、モノライン失速

二〇〇八年に入ると、サブプライム問題の本丸である米国で市場を揺さぶる金融機関が次々と現れた。筆頭はサブプライムローンを組み込んだ証券化商品の運用に失敗した証券大手のベアー・スターンズだ。一月初め、ジェームズ・ケインＣＥＯが辞任し、アラン・シュワルツ社長が昇格する人事を決定。新しい経営陣で業績の立て直しを期したが、市場は余裕を与えなかった。三月には格付け会社による格下げや株価の急落により資金繰りに行き詰まって、経営危機に陥った。

ＦＲＢは市場が休みの三月十六日の日曜日、公定歩合の緊急引き下げを決めた。同時に銀行大手ＪＰモルガン・チェースによるベアー・スターンズの買収を組み合わせた二百九十億ドルに上る緊急融資も発動。一九二三年に創業し八十五年の歴史を持つ金融機関は自力での生き残りを果たせず、大掛かりな救済劇の主役となった。

ベアー救済の前後には「モノライン」と呼ばれる金融保証会社の経営不振のうわさが広がった。モノラインは証券の元利払いを保証する業務に特化した会社の通称だ。サブプラ

イム関連の証券化商品に安易な保証を与えたことにより経営が傾くとの連想を招いた。大手のアムバックやＭＢＩＡなどの株価が急落。一時は飛ぶ鳥を落とす勢いで世界を席巻した米国の金融を支えてきたのは、証券化をはじめとする複雑な金融技術だった。金融システムの心臓部にまで不安が飛び火したことで、サブプライム関連以外のローン担保証券や地方債などの市場も打撃を受けた。

モノライン危機は米国の金融監督の限界も浮き彫りにした。モノラインは保険会社に分類され、監督の権限は州にある。一方でモノラインの経営危機の余波は金融システム全体に及び、財務省やＦＲＢが監視せざるを得ない。長い間、政府と州の守備範囲の再調整が必要と言われながら放置してきたツケが回り、モノラインの監督がおろそかになった面もある。

七月にはカリフォルニア州を地盤とする地方銀行インディマック・バンコープが破綻した。インディマックは住宅ローンで業務を拡大してきたが、住宅バブル崩壊のあおりで焦げ付きが急増。経営不安に言及した上院議員の発言で預金が流出するアクシデントにも見舞われた。

英国のノーザン・ロックと同様にインディマックの店舗には破綻後、預金者が長い列をつくり、メディアは映像や写真で大きく報じた。米連邦預金保険公社（ＦＤＩＣ）は業務を引き継ぐ金融機関を探したが、すぐに見つからなかったことも預金者の不安心理に拍車をかけた。

「国民は深呼吸して、預金が政府によって守られていることを分かって欲しい」。ブッシュ大統領は七月十五日の記者会見で「商業銀行に預金をしているなら十万ドルまで保証されている」などと述べ、自ら預金保険制度の範囲を説明しながら冷静な対応を呼び掛けた。ただ、当時すでに米政府が監督する米連邦住宅抵当公社（ファニーメイ）や米連邦住宅貸付抵当公社（フレディマック）の経営も傾き、大統領も含めて当局者の信頼は地に落ちつつあった。

ベアー・スターンズ、モノライン、インディマック、ファニーメイ。まるで月替わりのメニューのように、主役の名前が変わりながら金融危機は伝染した。米当局はモグラたたきのような場当たり的な対応を繰り返しながら安定化に必死となってきた。しかし、それはほんの源流であり、序盤にすぎなかった。九月にはもっと大きな波が待っていた。

3 米政府の誤算――塗り替わる金融地図

どこでどう読み違えたのか

米国は金融危機の深刻さをどう読み違えたのか。ブッシュ政権の経済政策の司令塔であるポールソン財務長官の言動を振り返れば、誤算の連続が浮かび上がる。

二〇〇八年二月に東京で開かれた七カ国（G7）財務相・中央銀行総裁会議。その直前、ポールソン財務長官はワシントンの執務室で日本経済新聞社との単独会見に応じた。「私は何度も日本を訪れ、小泉純一郎元首相の改革を目の当たりにした」と語る長官にバブル崩壊後の金融危機から苦しみながら抜け出した日本から得られる教訓を問うと、「金融機関の損失の明確化と資本調達の重要性だ。日本経済が転換点を迎えられることができた一つのカギに竹中平蔵元金融相の働きがある」と指摘した。「小泉」と「竹中」。会見中に出てきた日本人の名前は構造改革を推進した二人だけだった。

日本は公的資金による資本注入を重ね、金融機関の経営の健全化に国が力を貸した。公的資金の枠組みが米国でも必要なのではと尋ねたとき、それまで余裕たっぷりに答えていた長官は表情を硬くして首を振った。「米国の金融機関は素早く損失を明らかにして、資本増強に動いている。政府が関与するべき国もあるだろうが、米国には当てはまらない」。民間の自助努力に任せる考えを示し、公的資金の投入案を明確に否定した。

半年もたたないうちに長官は持論の撤回を余儀なくされる。まず七月に経営難に見舞われた米連邦住宅抵当公社（ファニーメイ）と米連邦住宅貸付抵当公社（フレディマック）に公的資金を投入できる枠組みが必要だと表明。九月七日には二つの公社に対して、実際に資本注入に踏み切る方針を明らかにした。

次の節目は九月十二日。証券大手リーマン・ブラザーズの対応策を民間金融機関の代表と話し合うため、長官はニューヨークに飛んだ。米紙ワシントン・ポストによると、空港に降り立ったポールソン長官は着替えを一着しか用意していなかった。関係者は「金融界の実力者に簡単なメッセージを伝えるつもりだった」という。

しかし、実際の滞在は十五日まで延びた。リーマンの再建を巡る調整が政府の甘い期待とは裏腹に難航したためだ。長官はリーマンに公的資金を使うことを拒み、民間金融機関による買収などの決着を要求。官民は最後まで折り合えずにリーマンは十五日、破綻した。

ぶれる方針、つのる不信感

公的資金を使わない方針はわずか一日で崩れる。

「混乱の拡大を防ぐための措置を支持する」。長官はリーマンが破綻した翌日の十六日、FRBが保険最大手AIGに最大八百五十億ドルの融資を決めたことについて歓迎する声明を発表した。政府はAIGの株式を取得できる権利を持つ代わりに管理下に置いた。長官はリーマンに対し「税金を使うのが適当だと考えたことは一度もない」と大見えを切った次の日に、市場から「次の標的」と狙われたAIGをあっさりと救った。正反対の決着に当局の対応がぶれた印象を持った市場は不信感を増幅。「リーマン・ショック」で世界の株価は急落し、米国発の金融危機は現実化した。

長官が公的資金を積極的に活用する姿勢に転じると、民間ではなりふり構わず生き残りに望みをつなぐ動きが広がった。証券大手として堅実と見られていたゴールドマン・サックスとモルガン・スタンレーは二十一日、銀行持ち株会社への移行を表明。銀行になれば預金という安定的な資金源を得られるうえ、FRBによる資金供給や政府による支援を受けやすくなると期待したためだった。その結果、投資銀行と呼ばれたゴールドマン、モルガン、メリル、リーマン、ベアーの大手五社はすべて証券専業の看板を下ろすことになった。

急場の対応を評価する声も上がっていた。九月末にニューヨークで日本経済新聞社など

（出所）日本経済新聞 2008年12月16日特集

との会見に応じたビル・クリントン元大統領はゴールドマンなどの銀行業への転換について「収益は小さくなるが、安定する。米国の金融業は欧州に近づいた」との判断を示した。「やるべきことをやらなければ、信用が完全に崩壊し、銀行の破綻が広がり、大企業が損失を被る」。元大統領は政府、議会、民間の金融界が非常時に手を携えるべきだと熱っぽく訴えた。

一方、リーマン破綻で手厳しい市場の反応にさらされたポールソン長官は金融

米金融機関への公的支援（08年）

	ベアー・スターンズ（3/16）	住宅金融公社（9/7）	リーマン・ブラザーズ（9/15）	AIG（9/16）	AIG（11/10）	シティグループ（11/23）
規模	最大290億ドル	最大2000億ドル	なし	最大850ドル（10/8に378億ドル追加）	総額1525億ドルに支援額を拡大	200億ドル
内容	買い手のJPモルガン・チェースに特別融資（損失補填契約付き）	優先株購入枠（融資、資産買い取り、79.9％の普通株取得権利も）	破綻	2年間の緊急融資（79.9％の株取得権利も）	400億ドルを資本注入。525億ドルの不良資産買い取り。600億ドルを融資（期間5年）	10月の250億ドルの資本注入に加えて200億ドル注入。さらに70億ドルの優先株を政府が取得。不良資産3060億ドルを政府が保証
当局の説明	デリバティブ取引多く、突然の破綻を回避	住宅市場底割れ防ぐ。海外投資家の信任維持	緊急融資制度もあり、市場混乱の可能性小さく	金融取引の中核。経済・家計への影響防ぐ	金融システム上、重要な会社。秩序立った資産売却を支援	景気回復に必要な金融市場の安定を支援
株主責任	身売り価格は1株10ドル	無配、株主価値の希薄化	普通株はほぼ無価値に（16日株価は0.3ドル）	無配の可能性、株主価値の希薄化		普通株の配当は1セント以下

システムの底割れを防ぐ枠組みの整備に突き進んだ。米政府は九月下旬、不良資産の買い取りを柱とする総額七千億ドルの公的資金の投入法案を作成。米下院が一度は否決するきわどい道のりを経て、十月三日に法律が成立した。

その後、政府は公的資金の用途を資本注入に転換。不良資産を買い取る枠組みは価格を決めるのが難しく、機能しにくいと判断したためだ。政府の豹変に「我々は違った星にいるのか」（民主党のクシニチ下院議員）と議会から批判が噴出した。それでも押し切り、ゴールドマンやモルガンなどに一斉に公的資金が入った。十一月下旬には銀行大手シティグループが追加注入を受けた。

ほぼ同時並行でリーマンには野村ホールディングス、モルガンには三菱ＵＦＪフィナンシャル・グループがそれぞれ部門買収や出資でかかわるなど、日本勢を含めた金融の勢力図の塗り替えが実現した。シティは米国の産業史上、最大級となる五万三千人の人員削減を計画。ウォール街だけでなく米国の金融業全体が干上がりつつある窮状が鮮明となった。

「ほかに選択肢はなかった。誤りもなかった」。ポールソン長官はリーマンの破綻やＡＩＧの救済をめぐり、いずれも不可避だったと強調する。ただ、公的資金の投入をめぐるメンツと判断の揺れが、米国発の金融危機を深くした面は見逃せない。ウォール街は失業者があふれ、焼け野原のような惨状をさらした。信用収縮にも歯止めがなかなかかからない中、長官の強弁はむなしく響く。

米銀の経営は厳しく

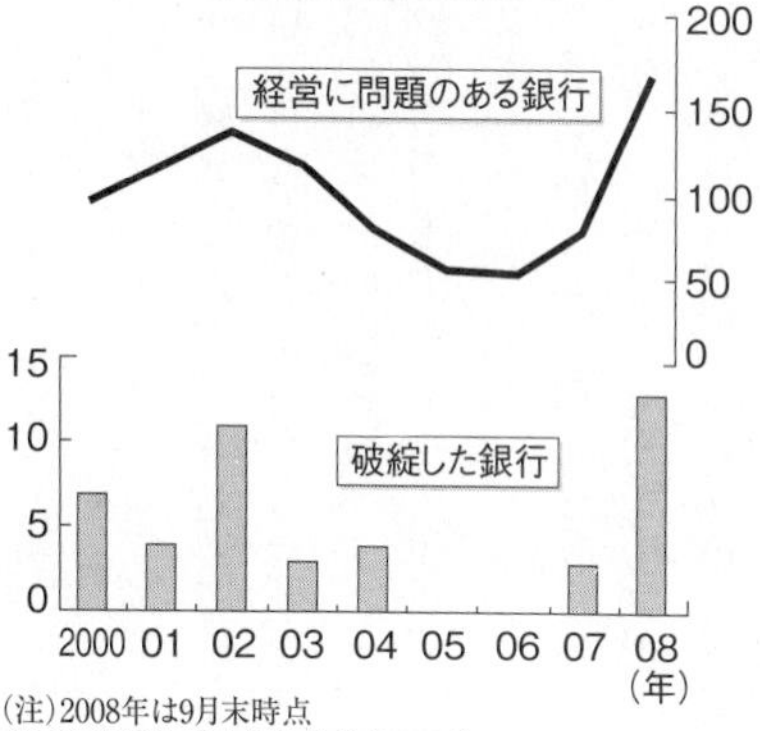

(注)2008年は9月末時点
(出所)米連邦預金保険公社(FDIC)

つまずく「ポールソン人事」

ポールソン氏は二〇〇六年にゴールドマンのCEOから財務長官に転じた後、腹心の二人を金融界の中枢に送り込んでいた。〇七年十一月にニューヨーク証券取引所からメリルのCEOに転じたジョン・セイン氏と、〇八年七月に財務次官から銀行大手ワコビアのCEOに迎え入れられたロバート・スティール氏だ。ゴールドマン出身の二人は大手金融機関の復活の望みを託されたが、メリルはバンカメ、ワコビアは同業のウェルズ・ファーゴへの身売りを迫られた。

セイン氏は高額報酬を批判する声に配慮し、〇八年冬のボーナスの受け取りを辞退した。スティール氏はシティグループとの合併を模索しながら土壇場になってウェルズ・ファーゴに乗り換え、経営判断の揺れに疑問符がついた。ゴールドマン出身で財務長官に就き、シティグループのトップに転身したロバート・ルービン氏も含めて、彼らにやり手のインベストメント・バンカーとしての面影はもうない。

財務省内にも長官との皮肉な巡り合わせで世論の袋だたきにあった人物がいる。インド系米国人のニール・カシュカリ財務次官補だ。一九七三年生まれの若手官僚。ゴールドマンの幹部としてサンフランシスコで働き、金融工学の専門家として活躍した。長官から公的資金を差配する担当として抜擢された。

十一月中旬の下院公聴会。民主党のカミングス議員はカシュカリ氏と向き合って両手を広げた。「ＡＩＧは五億三百万ドルのボーナスを一方で払っておきながら、納税者から千五百四十億ドルものお金を受け入れている。あなたはどう感じているのか」。野太い声でまくし立てる勢いに議場は静まり返った。

カミングス氏はたたみかけた。「私の友人はマクドナルドで食事をするのがやっとだが（公的資金をもらっている金融機関にいる人が）百五十ドルの料理をレストランで食べている。こんな光景は絶対に間違っている」。切れ者で鳴り、普段は能弁なカシュカリ氏も「不満は分かります」と応じるのが精いっぱいだった。

カシュカリ氏は当初、住宅ローンの流通市場を改革する特命を帯びて財務省に入った。住宅ローンなどの資産を担保にした「カバードボンド」という新型の債券発行を計画。欧州の例も参考に銀行を発行先として商品性を詰めていた矢先に、公的資金の対応に追われることになった。

想定外の局面が続いた一連の「ポールソン人事」のつまずきも津波のような金融危機の爪跡を象徴している。

4 行き過ぎた投資銀行

七十年の歴史に幕

金融危機では、資本市場の担い手である米投資銀行の行き過ぎた経営モデルも明らかになった。市場にあぶり出される形で経営の弱点が表面化、市場の波乱に拍車をかけることになった。

投資銀行（インベストメント・バンク）と呼ばれる大手証券会社の一角、リーマン・ブラザーズが連邦破産法一一条の適用を申請したのは二〇〇八年九月十五日。だが、それは津波の始まりでしかなかった。

同じ日、メリルリンチは米銀バンク・オブ・アメリカへの傘下入りに追い込まれた。翌週には、ゴールドマン・サックスとモルガン・スタンレーがそろって銀行持ち株会社に移行。三月に政府の支援を得て救済されたベアー・スターンズを合わせると、「米五大投資銀行」のすべてが、わずか六カ月間で投資銀行専業の看板を下ろしたのだ。

投資銀行の原点は一九三五年にさかのぼる。ニューヨークのウォール街にモルガン・スタンレーが開業した年だ。奇しくもリーマンが破綻したのと同じ九月だった。

背景には重要な制度改革がある。一九三三年に成立、銀行と証券との兼営を禁じたグラス・スティーガル法である。二九年の株式大暴落で始まった大恐慌の反省から生まれた法律。預金者を守るために、銀行の経営を市場変動のリスクから切り離し、政府が財務内容の健全性に目を光らせるのが目的の一つだった。

この改革を受けて、米金融界を牛耳っていたモルガン財閥は商業銀行として生きていく決断を下した。証券業は切り離され、モルガンの数人の共同経営者は投資銀行モルガン・スタンレーを立ち上げた。投資銀行はそれ以前から存在したが、預金を集めて貸し出す商業銀行に対し、証券業を営む投資銀行が業務として明確に確立したのはこの時点と言われている。

レバレッジ体質への道

転機が来たのは四十年後の七五年五月だった。顧客からの株式の注文を市場に取り次いで得られる株式委託手数料の自由化。ウォール街で「メーデー」と言われた歴史的な改革である。手数料率は下がり、高い固定手数料の下で安定的な収入を得ていた投資銀行の経営は揺らいだ。生き残るために新たな収益源を探さざるを得なくなった。

たどり着いたのが、自らのバランスシートを使う経営モデルだ。資金を借り入れ、有望な資産に投じて利益を稼ぐ。少ない元手（資本）で大きく投資して利益率を極大化する「レバレッジ（テコ）」と呼ぶ手法は、資本市場を活気づけ、収益の牽引役に育った。

象徴的な会社が、八〇年代に債券市場を牛耳ったソロモン・ブラザーズである。同社は、顧客の売り買いを自分でいったん受け止め、ほかの顧客に売却することで値ざやを取る手法を確立した。豊富な自己資金が不可欠な手法だ。債券市場の拡大と相まって荒稼ぎした結果、トップは「ウォール街の帝王」との異名を取り、ライバルは追随した。

だが、このようなレバレッジ体質への転換こそが、今に至る危機の伏線になった。バランスシートの拡大で負債が膨らみ、財務体質がもろくなったのだ。資本の何倍の資産を持っているかを示す「レバレッジ・レシオ」。破綻したリーマンでみると、二〇〇三年末に二十三倍だったのが〇七年末には三十倍まで拡大していた。つまり自己資本の二十九倍に及ぶ負債を抱えていたことになる。

投資銀行はなぜ、レバレッジに歯止めをかけられなかったのか。疑問を解くにはまず、安定志向の商業銀行に比べてあまりにも強烈な、投資銀行独特の文化を理解する必要がある。収益のためにはリスクを喜んで取る果敢な風土だ。グラス・スティーガル法は、金融機関から投資銀行という機能だけでなく、風土も切り出したわけだ。

八〇年代、全盛期のソロモンに債券トレーダーとして在籍していた作家のマイケル・ルイス氏は、ベストセラーになったノンフィクション『ライアーズ・ポーカー』で、商業銀行と投資銀行に務める人々の違いについて、絶妙な解説をした。

「妻とステーション・ワゴンと二人の子供、それに六時に帰宅するとスリッパを加えてきてくれる犬が一匹……」。品行方正で鳴らす商業銀行の人間の生活だ。対する投資銀行家はどうか。

「犬を飼うとすれば猛犬を選ぶだろう。赤いスポーツカーを二台所有したとしても、さらにもう二台欲しがるだろう」

「アニマル・スピリッツ」。リスクを好み、ときに行き過ぎる投資銀行の風土は、良くも悪くもこう呼ばれている。事実、投資銀行は今回のバブル崩壊以前にも、数々のバブルの主役になってきた。改めて検証すると、投資銀行の経営そのものに、アニマル・スピリッツの行き過ぎを放置する仕組みが埋め込まれていたことが分かる。

バブルへの一線を越えた理由

ある花形バンカーのウォール街人生を振り返ってみよう。ケン・モエリス氏。同氏ほど貴重な経歴を持つ投資銀行家は、ウォール街でも珍しいからだ。

八一年のドレクセル・バーナム・ランベールを振り出しに、九〇年にはドナルドソン・ラフキン・アンド・ジェンレット（DLJ）、二〇〇一年にはUBSに移った。

重要なのは、モエリス氏が在籍した三社は、いずれも米国の現代バブル史に欠かせない投資銀行だった点である。

ドレクセルは「ジャンク債の帝王」と呼ばれたマイケル・ミルケン氏が率いた投資銀行。八〇年代初めにジャンク債を開発し、ブームとその崩壊の主役を演じた。

DLJは株式調査の草分けだった。しかし、アナリストの投資判断はやがて企業の実態以上に強気一色となった。株式公開の引き受けや、M&Aの助言業務を拡大したい法人営業部門からの圧力である。高い株価は株式公開や、株式交換を使った企業買収の実現に追い風だからだ。この風潮は、九〇年代末のIT（情報技術）バブルを招いた。

そして欧州の巨大金融機関、UBS。外資の参入を長年拒んできたウォール街に買収をはじめとする果敢な拡大戦略で挑んだが、サブプライム・バブルの崩壊で巨額の損失を負った。

ジャンク債、アナリスト、サブプライムローン。バブルを演出した道具には共通項がある。最初は役に立っていた点だ。ジャンク債は信用度の低い企業に資金調達の道を開いた。アナリストは投資家の判断を助け、サブプライムは低所得者の住宅取得を支えた。

投資銀行の人々がバブルへの一線を越えた理由は何か。すべての現場を見たモエリス氏は、歴史の証人でもある。

「ウォール街には手っ取り早く金持ちになりたい人が大勢集まった。連中は、金融の仕事が好きというわけではない」。同氏が感じたバブル期共通の空気だ。そこには金融を通じて人々の生活水準を高めるといった職業意識はない。カネへの執着こそが、実需を踏み越えて暴走する動機だった。投資銀行は、人材を採用する時点で危うい動機を排除できなかった。

それだけではない。投資銀行には、アニマル・スピリッツにブレーキをかけるどころか、後押しする報酬制度もあった。モエリス氏は明かす。「質ではなく量を問う成果主義が問題の多くを生んだ」。顧客が満足したかどうかではなく、無理にでも大きな取引を決めて収益を上げれば、その分報酬も膨らむ仕組みだ。

ならば、顧客の満足度を無視して規模だけを追うような報酬制度ができあがったのはなぜか。モエリス氏はこう続けた。「投資銀行は巨大で複雑な金融機関に変貌した。人材を管理する唯一の方法は、予算を設定し、評価することだった」。

米国の投資銀行で働く社員の数は、ITバブル崩壊が一段落した〇三年の七十五万人から増加に転じ、〇八年前半には八十七万人に達した。大量の社員を効率的に動かすために量、つまり予算をつくり、達成に応じて報いる仕組みがウォール街に広がったのだ。

顧客の意思決定を左右するのはもちろん投資銀行の予算ではなく、それぞれの経営環境だ。投資銀行家にのしかかる量的なノルマは、実需を無視して大型取引に走る危険性をはらんでいた。

「顧客の戦略は、我々のボーナスの時期と関係ない」。こう信じるモエリス氏は〇七年、UBSを去り、企業の財務助言や企業買収を手掛ける百六十人の投資銀行を立ち上げた。報酬は取引の規模ではなく顧客の満足度で決め、予算も設定しない。「モエリス社」。自らの名前を冠する社名には、巨大金融機関の歯車だったがゆえに、行き過ぎたアニマル・スピリッツを黙認するしかなかったという自戒も込めている。

強気の戦略の二つの誤算

アニマル・スピリッツを背景に、レバレッジ経営を推し進めた投資銀行。だが、強気の戦略には誤算があった。まず、証券市場の見通しだ。

「資本市場の伸びは、GDPの伸びを上回る。市場を舞台とする我々は成長産業なのだ」。リーマン・ブラザーズの経営陣がかつて頻繁に口にした言葉である。市場が拡大する例え話に好んで使ったのは、証券化という技術革新だった。「昔は資金量のある日本企業が米国の巨大な不動産を丸ごと買った。だが、今や証券化で資産を小分けすれば誰でも買える時代だ」。

同社は内部で経営戦略を立てる際、世界のGDPと市場の成長率を比較した資料を使っていた。GDPの伸びより市場の伸びが大きければ、投資銀行は確かに成長産業だ。コンサルタント会社のマッキンゼーの試算によれば、一九八〇年には世界のGDPと同じ規模だった金融資産が、二〇〇六年にはGDPの三・五倍にまで拡大していた。

だが、驚異的な伸びの裏にはバブルもあった。リーマンの経営陣が言うように、市場の拡大を支えたのは資産の証券化に代表されるデリバティブ。だが、そこには危うさが隠れていた。問題になったのは、価格が実態以上に上昇した住宅を裏付けとする証券化商品。市場は膨らんでいたが、いずれはじける運命にあった。

もう一つの誤算は、投資銀行の経営モデルに潜む構造的な問題、資金調達の不安定さだ。投資銀行のレバレッジを支えたのは、短期金融市場からの借り入れだった。投資銀行は短期の資金を調達し、証券、さらには不動産など、長期的な投資に充てていた。短期金融市場は流動性が高く、逃げ足が速い。投資を売却して負債を返済しようにも簡単に売却できず、すぐに資金繰りが行き詰まる弱点を抱えていた。

大手金融機関などのプロで構成する短期金融市場は、通常は簡単に動揺しない。だが、サブプライム・ショックはそのような常識を覆す力を持っていた。まず〇八年三月、ベアー・スターンズの経営が瞬く間に行き詰まった。

ルービニ氏の予言

この一件が投資銀行の経営の抜本的な見直しにまで及ぶと見通した一人が、ニューヨーク大教授のノリエル・ルービニ氏だ。「投資銀行の勝ち組とされるゴールドマン・サックスでさえも、二年以内に身売りか、相応の対応を迫られる」。これが同氏の読みだった。

ベアーの危機を受けて、ＦＲＢは本来業務の商業銀行向けだけでなく、大手投資銀行へも公定歩合での貸し出しに踏み切った。短期市場からの資金調達難を補うためだ。この措置は金融不安を和らげた半面、投資銀行はつぶれないという市場規律の緩みを生んだ。「モラルハザード（倫理の欠如）を避けるために、政府はいずれ自己資本比率などで商業銀行と平等の規制を課すだろう。レバレッジで稼ぐ投資銀行のビジネスモデルは成り立たなくなる」。ルービニ氏は語った。

〇五年の段階で金融危機を予測し、楽観論への徹底的な反論で「ドクター・ドゥーム（破滅）」の異名を得たルービニ氏。しかし、事態は同氏の悲観論も越えるスピードで進んだ。〇八年九月、リーマン破綻の余波で株価が急落、信用不安に直面したゴールドマン・サックスは、ライバルのモルガン・スタンレーとともに銀行持ち株会社への移行を決めた。不安定な短期市場だけでなく、預金という比較的安定的な資金を確保するというメッセージを市場に送るためだった。短期金融市場の止まらない動揺や、急落を重ねる自社の株価──市場からの圧力は、規制を待たずに経営の変革を迫ったのだ。

大手投資銀行が看板を下ろしても、投資銀行という業務は残る。オバマ政権による抜本的な規制改革は、大恐慌以来の金融規制の枠組みをつくり替えることも視野に入れると見られる。将来にわたって業務の行方を左右するのは間違いない。

だが、すでにはっきりしていることがある。レバレッジ経営の是正が避けられないことだ。米投資銀行の資産総額は〇七年末で六兆ドルを超え、わずか五年間で二倍以上に膨らんだ。今待ち受けるのは、大量の解雇などの痛みを伴う大掛かりなUターンである。

5 欧州にも飛び火

火の手はノーザン・ロックから

欧州で金融危機に火がついたのは二〇〇七年九月だった。英国各地で突如、「ノーザン・ロック」の看板を掲げた銀行の支店の前に長蛇の列ができた。経営難のうわさが広がり、預金をおろしに顧客が殺到したのだ。

欧州中央銀行（ＥＣＢ）は銀行間の信用不安を収めるため、八月から短期金融市場に大量の資金を供給していた。だが、取り付け騒ぎが起きたことで、信用不安が機関投資家などの「プロ」が取引する短期金融市場から一般預金者に広がったことが明るみに出た。

英イングランド銀行（中銀）はすぐに緊急資金支援に乗り出し、英政府も預金を全額保護する方針を表明した。政府・中銀の対応策で店頭での混乱はひとまず収まったが、それ以来、欧州も徐々に信用不安の渦に巻き込まれることになる。

まず危機が延焼したのは、同じ英国の不動産金融会社だった。

「憶測の内容には全く根拠がない」。九月下旬、英住宅金融最大手のHBOSはこんなコメントを出さざるを得ない状況にまで追い込まれた。資金繰りに詰まって経営破綻するとの観測が流れ、株価が急落していた。

発火点が米国のサブプライムローンだったことの連想から「不動産関連会社への資金の出し手が消えた」(欧州系銀行)。英国では住宅価格の下落が始まり、「欧州版サブプライム」への不安も強まっていた。

HBOSは資産売却や増資策を打ち出し、信認回復に努めた。だが、リスクに敏感になった投資家の疑心暗鬼が解けることはなく、一年後の〇八年九月に英大手銀ロイズTSBによる買収が決まることになる。

火の粉はユーロ圏へ

欧州内で最初に英国が金融危機の波にのまれたのは、金融センターである「シティー」の存在が大きい。GDPの一割を稼ぎ出すという金融立国ぶりが信用不安の局面ではもろさとなった。これに対し、ドーバー海峡を挟んだ対岸のユーロ圏に火の粉が及ぶのは、〇八年下半期になってからだ。

〇七年十二月、日本経済新聞の取材に応じたシュタインブリュック独財務相は「危機を完全に切り抜けたわけではないと思っているが、英国を除く欧州大陸では危機管理はこ

ヨーロッパでも金融機関の再編が進む

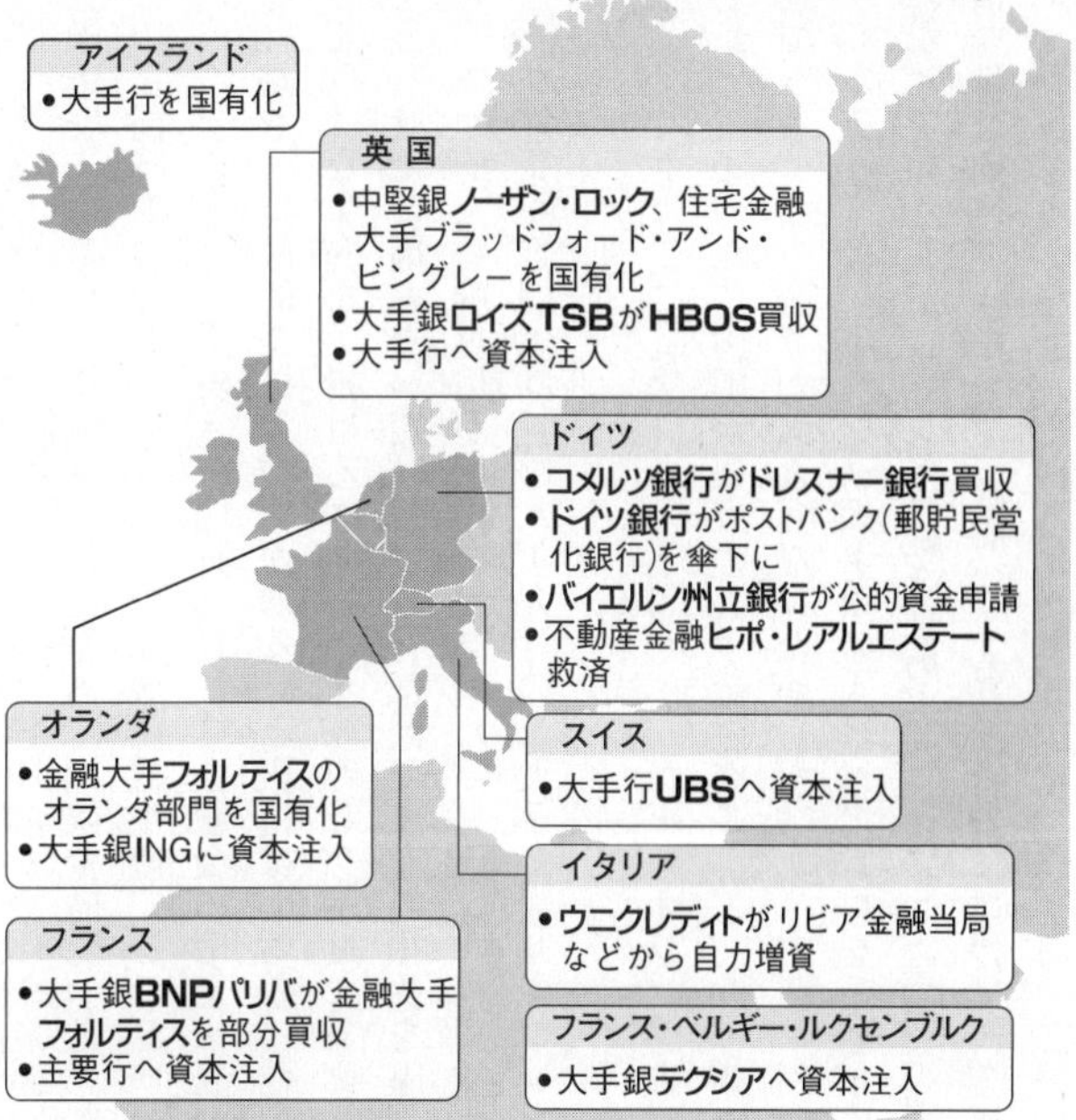
アイスランド
•大手行を国有化
英国
•中堅銀ノーザン・ロック、住宅金融大手ブラッドフォード・アンド・ビングレーを国有化
•大手銀ロイズTSBがHBOS買収
•大手行へ資本注入
ドイツ
•コメルツ銀行がドレスナー銀行買収
•ドイツ銀行がポストバンク(郵貯民営化銀行)を傘下に
•バイエルン州立銀行が公的資金申請
•不動産金融ヒポ・レアルエステート救済
オランダ
•金融大手フォルティスのオランダ部門を国有化
•大手銀INGに資本注入
スイス
•大手行UBSへ資本注入
イタリア
•ウニクレディトがリビア金融当局などから自力増資
フランス
•大手銀BNPパリバが金融大手フォルティスを部分買収
•主要行へ資本注入
フランス・ベルギー・ルクセンブルク
•大手銀デクシアへ資本注入

(出所) 日本経済新聞 2008年12月16日特集

れまでのところうまくいっている。(今回は)いわゆる金融危機ではない。大きなリスクがあるため過小評価すべきではないが、神経質になる必要もない」と語っていた。

　理由は三つある。一つ目はユーロ圏の金融市場の規模が英米に比べて小さく、しばらくの間は目立った混乱が見られなかったこと。ECBが大量のユーロ建て資金を供給しているうちに信用不安が払拭できると金融当局は考えていたフシがある。

金融不安による実体経済への打撃も当時は限定的だった。英国で取り付け騒ぎが起きていたのと同時期の〇七年七―九月期の域内総生産（GDP）は二％台後半の伸び。その勢いは〇八年になっても続き、四月九日に株主総会の壇上に立った独ダイムラー社のツェッチェ社長も「持続的な拡大戦略がある」と表情は明るかった。

さまざまな業務を手掛けるユニバーサルバンク制度に立脚していることも金融危機の波及を遅らせた要因となった。投資銀行部門で生じた損失を堅調な商業銀行部門で穴埋めできる――。そんな胸算用が域内にはあった。

そんな悠長な雰囲気は、〇八年九月の米大手証券リーマン・ブラザーズの経営破綻で一変する。

「大変なことになった」。九月下旬、ベルギー・オランダの両国政府と中央銀行の首脳がひそかに集まった。両国が拠点の大手金融グループ、フォルティスが金融市場から資金が調達できなくなる公算が大きくなったからだ。

フォルティスは、オランダ大手銀のABNアムロを〇七年に買収したことが経営上の重荷になっていた。リーマンの破綻を目の当たりにした民間金融機関はリスクに敏感になり、救済合併は期待できない。「政府による救済以外に道はない」。これが会合の結論だった。

ルクセンブルクを加えたベネルクス三国は、総額百十二億ユーロの公的資金を注入することを決断。ベルギーのルテルム首相は緊急記者会見を開いて、政府が全面的に経営を支援することを打ち出し、金融危機の幕引きを図った。

だが、そのころには信用不安は簡単には押さえ込めないほど高まっていた。フォルティスの政府救済のニュースが流れても短期金融市場に資金の出し手は現れず、三カ月物のロンドン銀行間取引金利（ドル建て）は、四％を超える高水準で推移し続けた。

「市場は方向性を失っている」とＥＣＢ理事会メンバーのウェリンク・オランダ銀行総裁はロイター通信に語った。「銀行への不信感が高まって、業界全体が大変なことになる」。英系銀行首脳も投資家への説明のために訪れたフランクフルトでこう周囲に漏らした。

火の手は一挙に拡大

金融関係者の心配は現実のものとなる。フォルティスを救済したばかりのベルギーでは、今度は大手銀デクシアの経営不安が表面化。ベルギー政府はフランスなどとともに公的資金の投入に動くことになる。比較的安定したほかのユーロ圏各国でも金融機関の経営危機説が飛び交い、金融業界は一気に騒然とした雰囲気に包まれた。

十月上旬、ベルリン中心部にある重厚な連邦財務省の建物に黒塗りの車が次々と横付けされた。降り立ったのはドイツ連邦銀行（中銀）、連邦金融監督庁などの首脳ら。資金繰り難に陥った不動産金融大手のヒポ・レアルエステートの救済策を協議するためだった。

ヒポ・レアルエステートは不動産向けの長期融資を手掛けているが、必要な資金の一部は短期金融市場で調達していた。運用と調達に期間のズレがあるなかでアイルランド法人が巨額損失を抱えているとの憶測が広まり、資金繰りが行き詰まった。

同じころイタリアの銀行最大手、ウニクレディトは緊急役員会を開いていた。五時間以上にも及んだ会議の結論は「六十六億ユーロの資本増強」。損失を抱えた欧州の銀行にも危機の火の手が一斉に及んだ。

実は欧州で傷を負った銀行には特徴がある。資金調達を預金ではなく短期金融市場に頼っていた金融機関が資金調達難に陥ったほか、高収益を求めて海外展開を急いだ銀行がリスクの高い金融商品に手を出して損失計上を余儀なくされた。

例えばドイツでは不動産バブルの傷が浅いため、国内融資が主体の中小金融機関は比較的健全だった一方、海外市場での資産運用を手掛ける州立銀行は相次いで経営が傾いた。十月に独政府が導入した金融市場安定化法に基づいて公的資金を活用した資本増強を最初に申請したのも、バイエルン州立銀行だった。

独大手銀のコメルツ銀行の業績にも、そうした傾向が現れている。〇八年七―九月期決算で最終損益は二億八千五百万ユーロの赤字だったが、損失の約半分が破綻したリーマンと経済危機に陥ったアイスランドでの投資に関連していた。個人・企業を柱とした商業銀行部門は堅調に推移したが、市場や不動産部門の不振が響いた。

「規制の甘いユーロ圏外で投資したのが誤りだった」との指摘が中央銀行筋から漏れる。それゆえ独仏を中心とするユーロ圏各国は、英米に市場規制の強化を要求。十一月に米ワシントンで開かれた二十カ国・地域（G20）緊急首脳会合（金融サミット）に出席したメルケル独首相は同行記者団に「あらゆる市場と商品、それに関係者が、きちんと規制され、監視されることが重要だ」と強調した。

いつまで勝ち組でいられるか

銀行株が低迷しているなかで経営体力に余力のある金融機関にとっては、合併・買収（M&A）の絶好の時期となる。

ドイツのミュンヘン再保険は十二月二十二日、米政府の支援を受けて経営再建中の保険大手AIGの子会社のハートフォード・スチーム・ボイラー（HSB）グループを買収すると発表した。

買収額は七億四千二百万ドル。HSBは産業機械などの保険業務を手掛けており、「金融危機でも需要が底堅いと判断」（ミュンヘン再保険の広報担当者）して、米国事業を強化する。一方、フランスではBNPパリバがフォルティスの銀行部門買収に名乗りを上げた。

だが、こうした金融機関もいつまで健全性を保っているかは不透明だ。ユーロ圏は〇九年にマイナス成長に転じる見通しで、企業業績が急激に悪化すれば金融危機の直撃を受けた市場部門だけでなく、底堅かった商業銀行部門でも不良債権処理を迫られる可能性がある。

その兆候はすでに出始めている。金融危機の金融市場で生まれた疑心暗鬼が企業に波及して実体経済が悪化。それが金融市場の不安心理を呼び起こすという「悪循環に陥っている」（オーストリア国立銀行のノボトニー総裁）からだ。

「このままだとまずい。支援してほしい」。十一月十七日夕、独ベルリンの首相官邸で独自動車メーカー、オペルの経営陣は訴えた。

親会社である米ゼネラル・モーターズ（GM）の経営不振が伝えられ、金融機関や取引先が一斉に資金を引き揚げにかかっていた。資金繰りが危ない――。破綻を意識した経営陣はメルケル独首相に窮状を説明し、救いを求めた。

すでにドイツの金融機関に不振会社を支援する余裕はない。大手のコメルツ銀行は投資銀行業務で損失を抱えたドレスナー銀行の買収作業に追われ、最大手のドイツ銀行も〇八年の通期決算が最終赤字に沈む見通しとなった。

独政府は減税や補助金、信用保証などあの手この手で産業支援に乗り出す考えだが、独与党幹部はため息をつく。「闇がどこまで続いているのかは誰もわからない」。こんな状況になるとは少し前まで、欧州の誰もが思っていなかったに違いない。

第3章

政策の迷走　危機を増幅

「（リーマン救済に）税金を使うのが適当と考えたことは一度もない」

米リーマン・ブラザーズが破綻した二〇〇八年九月十五日、ポールソン米財務長官が記者会見で「（ベアー・スターンズを支援した）三月とは状況が全く違う」と指摘、米連邦準備理事会（ＦＲＢ）の資金供給拡大など市場対策が進み救済は不要と主張した。

1 米、後手に回った政策対応

金融危機の震源となった米国の政策対応は常に後手に回り、迷走を続けた。「市場の失敗」に「政府の失敗」が加わって危機を増幅させた過程を現地報道なども踏まえて検証した。

自滅と楽観

「公的資金は使わない」。二〇〇八年九月九日。韓国産業銀行による出資交渉が頓挫したとの報道を受けて米証券大手リーマン・ブラザーズの株価が急落するなか、ポールソン米財務長官は複数の金融機関首脳らに電話でこう明言した。翌日にはその意向をバーナンキ米連邦準備理事会（FRB）議長やガイトナー・ニューヨーク連邦準備銀行総裁にも伝えた。長官には、市場の動揺は徐々に収まるだろうという自信があった。

経営難に陥った二つの住宅公社、米連邦住宅抵当公社（ファニーメイ）と米連邦住宅貸付抵当公社（フレディマック）の救済を発表したのは二日前の日曜日だった。合計二千億ドル分の優先株購入枠を設定し両公社を政府管理下に置くという内容だ。

危機に揺れた政策対応

個別対応	包括策	米国の追加対応	規制強化へ
英ノーザン・ロック実質破綻 ↓ 米ベアー・スターンズ救済 ↓ 米住宅公社救済 ↓ 米リーマン・ブラザーズ破綻 ↓ 米ＡＩＧ救済 ↓ 欧州銀、相次ぎ国有化	米下院、金融安定化法案を否決→修正のうえ可決・成立 米欧が安定化策を整備(資本注入、銀行間取引保証、預金保護強化) 主要国の中央銀行が協調(利下げ、資金供給、ドル融通)	不良資産の買い取り先送り→シティグループの不良債権保証→ＦＲＢが住宅ローン買い取り 資本注入の対象拡大→保険、ノンバンク、自動車も要請 ＡＩＧに追加支援	枠組みがG8からG20へ 規制当局の国際連携強化 金融商品の開示拡大 格付け会社へ監督強化 景気刺激へ財政出動 ＩＭＦ・世銀の機能強化

両公社は民間金融機関が貸し出す住宅ローンを買い取ったり保証を付けたりすることで、一般の住宅取得者がローンを借りやすくする役目を担っている。発行・保証する住宅ローン債権は二社合計で約五兆ドル。米住宅市場の屋台骨を支える巨大金融機関の救済に、金融市場関係者はいったんは胸をなで下ろした。

市場が閉まっている週末の間に問題金融機関の処理や救済を手早く決める「サンデー・スペシャル」。三月の米証券ベアー・スターンズの処理（ＪＰモルガン・チェースによる合併）以来、この言葉はポールソン長官の〃剛腕〃をたたえる代名詞となっていた。一週間後に最悪な形での「サンデー・スペシャル」が待っていようとは、長官自身も予想していなかったに違いない。

米証券四位のリーマンは不動産投資や証券化ビジネスへの傾斜で知られた、一八五〇年設立の老舗。

綿花取引から始まり、その後は債権引き受けなど伝統的な投資銀行業務が主力だったが、ゴールドマン・サックスなど業界上位に対抗するため、ここ数年で身の丈を超えたリスクを抱え込むようになった。信用力の低い個人向け住宅融資（サブプライムローン）関連の損失が大きく、市場は「資本不足」との観測を強めていた。

焦ったリーマンは十日、予定を約一週間早めて六―八月期決算の概要を発表（最終赤字が三十九億ドルに拡大）。同時に資産売却などの経営改善策を示したが、最大の関心事である資本増強策には踏み込まずじまい。株価は前日の四五％安に続いてこの日も七％下げた。だがこの時点ではまだ、「経営危機に陥っても最後は政府か同業他社が救済する」という期待が市場に漂っていた。

一方、公的救済はベアーと住宅公社二社で終わりにしたい、というのがポールソン長官の考えだった。ベアー救済後にＦＲＢが証券会社向けの資金供給制度などを整備し、リーマンが破綻してもほかの金融機関が連鎖危機に陥ることはないと楽観していたからだ。

十一月に大統領選を控え、公的資金を使ったウォール街救済には議会の反発が強いとの読みもあった。際限のない個別企業救済は経営者のモラルハザード（倫理の欠如）を招くという懸念もあった。いずれにしろ、当面は議会承認のいらないＦＲＢの利下げや資金供給でしのぎたいというのが長官の本音だった。

十二日金曜日、午後六時。リーマン株が三ドル台半ばまで売り込まれたのを受け、ＦＲ

B傘下のニューヨーク連邦準備銀行はウォール街に近い本部に金融大手のトップを召集する。参加したのはガイトナー総裁のほか、ポールソン長官、証券二位モルガン・スタンレーのジョン・マック最高経営責任者（CEO）、同三位メリルリンチのジョン・セインCEOら。同連銀で官民が緊急会合を開くのは、ロシア通貨危機で経営難に陥った米ヘッジファンドのロングターム・キャピタル・マネジメント（LTCM）の救済策を話し合った一九九八年以来、十年ぶりだ。

「取引は不成立だ」

会議は週末を通して続いた。アジア市場が動き始める米東部時間十四日夜までに決着を付ける必要がある。だが、リーマンの分割買収など民間での問題解決を迫ったポールソン長官と、損失肩代わりなどの公的支援を救済買収の条件と考えていた大手銀の話し合いはすれ違った。有力な買い手候補だった米銀バンク・オブ・アメリカは、土壇場で買収相手をメリルリンチに切り替えた。もう一つの候補だった英銀バークレイズも手を引いた。

「ウィー・ドント・ハブ・ア・ディール（取引は不成立だ）」。ポールソン長官の一言でリーマンの命運は尽きた。日付が十五日に変わったころ、リーマンは米連邦破産法一一条（日本の民事再生法に相当）の適用を申請し経営破綻した。マンハッタンの目抜き通りに面したリーマン本社からは、社員らが続々と自分の荷物を運び出していた。

代償は大きかった。「米政府は有力金融機関をつぶさない」との見込みが外れたアジアや欧米の市場は週明け十五日、大混乱に陥った。日本や韓国、中国は休場だったが、インドの株価指数は三・四％安。英国株は三・九％安、米ダウ工業株三十種平均も五〇四ドル（四・四％）下げた。ポールソン長官は同日の記者会見で「（リーマン救済に）税金を使うのが適当と考えたことは一度もない」と言い切った。長官の予想を裏切り、市場はショックを吸収できなかった。

これで一気に窮地へ追い込まれたのが米保険最大手アメリカン・インターナショナル・グループ（ＡＩＧ）だ。株価は十五日だけで六割下落し、五ドルを割り込んだ。格付け会社による相次ぐ格下げも追い打ちをかけた。他の金融機関と同様、サブプライムローン関連など多額の不良資産を抱えて資金繰りが行き詰まっていた。

米政府は当初、ＡＩＧも救うつもりはなかった。十二―十四日の官民緊急会合ではリーマンだけでなくＡＩＧについても民間救済を促している。ＦＲＢも一度は緊急融資の要請を突き放した。十四日の時点では投資ファンドによる支援がまとまる可能性が残されていたほか、ポールソン長官も古巣のゴールドマンなどに救済を打診していた。

だが皮肉にも、政府が〝初志貫徹〟してリーマンを破綻に導いたことが民間主導のＡＩＧ再建を難しくした。十五日の市場混乱はＡＩＧの保有資産価格を一段と押し下げ、破綻回避に必要な資金は四百億ドルから八百億ドルへと膨れ上がった。支援を検討していた民間は引いていった。

ガイトナー総裁はAIGの破綻が金融システムに与える影響について情報収集を始めた。次々に報告が上がった。国民が預金感覚でお金を預けるマネー・マーケット・ファンド（MMF）が元本割れする。四千億ドル超もの金融派生商品の契約を通じて、世界中の金融機関が甚大な損失を被る――。

「変心」と言われようとも猶予はなかった。FRBによる八百五十億ドルのつなぎ融資と、八〇％近い政府出資を柱とする救済内容が記された三ページの書類がAIGに届いたのは十六日午後四時。AIGの緊急取締役会が始まる午後五時の十分前、ロバート・ウィルムスタッドCEOあてにポールソン長官、ガイトナー総裁の二人から電話が入った。ガイトナー総裁は言った。「これは最初で最後の提案だ。それから一つ条件がある。あなたにはCEOを辞めてもらう」。

取締役会でウィルムスタッドCEOは役員らにつぶやいた。「我々は最悪な選択を迫られている。あす破綻するか、救済策を受け入れるかだ」。取締役会が救済策受け入れを決めたのは夜七時五十分だった。

ポールソン長官とバーナンキFRB議長は直ちに議会有力者への事情説明に向かった。緊急の会議にあわてて駆け込んできた議員の中には、パーティーを抜け出してきたのか、タキシード姿の人もいた。

迷走する金融安定化法案

「もう限界だ。議会に支援を要請しよう」。十七日夜、バーナンキFRB議長は、執務室からの電話でポールソン長官を説得した。これ以上の個別救済はFRBの権限を越える。その場しのぎの対応ではなく、政府が議会の承認を得て大規模な公的資金を投入すべきだ——。

ポールソン長官は十八日朝、ついに公的資金活用を含む包括的な金融安定化法案を議会に提出することを決意する。個別救済であれば「金融システムを守るための緊急避難」と言い張ることもできる。だが法律を作るとなれば、政府による民間不介入を原則とするブッシュ政権にとって大きな方針転換だ。

根回しの時間は乏しく、事実上の見切り発車だった。ポールソン長官は同日午後、バーナンキ議長と慌ただしく議会指導部のもとへ調整に向かい、翌十九日には内容の大枠を記者発表。二十日に電子メールで議会へ送った原案は、作業時間の短さを反映するようにわずか三ページだった。

記者発表された内容は、①公的資金を使った不良資産の買い取り、②MMFの払い戻し保証に政府基金を活用、③金融機関株式の空売りの全面禁止——が柱。目玉は金融機関が保有するサブプライムローン関連の証券化商品など不良資産の買い取りだ。値下がりの激しい不良資産を金融機関から切り離し、損失拡大の芽を摘まない限り、市場の信頼は取り戻せない。そのための公的資金枠は最大七千億ドルと決まった。

法案には最終的に、時価会計の停止権限を米証券取引委員会（SEC）に与えるという金融機関の損失先送りにつながりかねない「非常手段」まで盛り込まれた。

議会工作と並行して、関係者は直ちに発動可能な対策を探った。FRB、日本銀行など日米欧の主要六中央銀行は十八日、総額一千八百億ドルのドル資金を協調して市場に供給すると発表。SECも同日から、株式を所有しないまま売り注文を出す「空売り」への規制を拡大した。ポールソン長官は経済への介入を嫌うブッシュ大統領を説得し、金融安定化策の必要性を認めさせた。

だが、国内総生産（GDP）の五％もの税金を不良資産買い取りに投じる原案は案の定、議会の激しい抵抗を招いた。

法案をめぐり議会内で激論が続いていた二十五日。ナンシー・ペロシ下院議長（民主党）を訪ねたポールソン長官は、中世の騎士のようにひざまずいて支持とりまとめを懇願した。「あなたがカトリック信者だとは知らなかったわ」。ペロシ議長はユダヤ系のポールソン長官に皮肉たっぷりに言い放ち、続けた。「法案に反対しているのは私ではなく共和党ですからね」。

同じ日、預金量が全米六位で米貯蓄金融機関（S&L）最大手のワシントン・ミューチ

金融安定化法案の採決結果（米下院）

	(9/29)			
	賛成	反対	有効投票計	議席数
民主党	140	95	235	235
共和党	65	133	198	199
計	205	228	433	434（定数435,欠員1）

修正 ➡

	(10/3)			
	賛成	反対	有効投票計	議席数
民主党	172	63	235	235
共和党	91	108	199	199
計	263	171	434	434（定数435,欠員1）

ユアルが経営破綻した。大統領選・議会選を一カ月あまり後に控え、党利党略が法案をもみくちゃにしていくなかでも、現実の危機は着々と進行していた。

二十八日未明には、議会指導部と政府が法案の内容修正で大筋合意したと伝わった。しかし二十九日の下院採決でどんでん返しが待っていた。ブッシュ政権の母体の共和党から大量の造反者が出て、賛成二〇五、反対二二八で否決されたのだ。ニューヨーク株式市場ではダウ工業株三十種平均が七七七ドル安と過去最大の下げを記録した。

採決は「大きな政府」を容認するはずの民主党からも反対票が出るなど複雑な様相を呈した。これには米議会特有の構造が絡んでいる。

米下院は二年ごとに全議席（定数四百三十五）を改選し、小選挙区制で争う。「党議拘束」の習慣はなく、議員個々人の判断が尊重される。サブプライムローンの焦げ付きが多いカリフォルニア州などを除いて多くの地方有権者は、党派を問わずウォール街の高給取り救済に税金が使われることに我慢ならず、選挙が近い議員もその意向を無視できなかった。ペロシ議長はじめ議会指導部はそうした流れの強さを見誤り、結果的に市場の動揺を増幅させた。

大統領選を争う共和党のマケイン候補も翻弄された一人だ。二十六日に予定された民主党のオバマ候補とのテレビ討論会の延期を呼びかけてまで法案成立に注力する姿勢をみせたが、共和党をまとめきれなかった。結局、金融危機への対応の失敗がマケイン候補の命運を制することになる。

法案は結局、金融とは関係のない個別業界への減税措置などバラマキ色の強い修正を加え、十月三日によ

キーワード

米金融安定化法

正式には「2008年緊急経済安定化法」。米政府は当初、個別の金融機関への支援で対応しようとしたが、金融機関が相次いで破綻したため、抜本策を打ち出す必要に迫られた。最大7000億ドルの公的資金を活用できる仕組み。金融機関の損失拡大を食い止めるため不良資産を買い取ることが柱だったが、市場の混乱が深刻化するにつれ、金融機関への資本注入に軸足を移した。

「巨額の税金によるウォール街救済」と一般市民の反発が強く、いったんは米下院で否決された。その後、預金者保護の拡大、議員が求める個人・企業向け減税の拡充などの条項を盛り込んだ修正案を策定。ようやく成立にこぎつけた。

うやく可決・成立した。

漂流する目的

不良資産買い取りが主眼だった金融安定化法（正式名称・二〇〇八年緊急経済安定化法）の目的は、成立直後から漂流し始める。十月八日、ポールソン長官は記者会見で唐突に「安定化法を使って金融機関に資本注入できる」との見解を表明した。「財務長官が必要と認めた場合はいかなる金融商品でも購入できる」という目立たない例外規定を、金融機関の株式取得に当てはめる裏技だった。

背中を押したのは海外の動きだ。危機が波及した欧州各国が自国金融機関の保護に前のめりになっていた。十月上旬までにベルギー、オランダ、ルク

米金融安定化法の概要

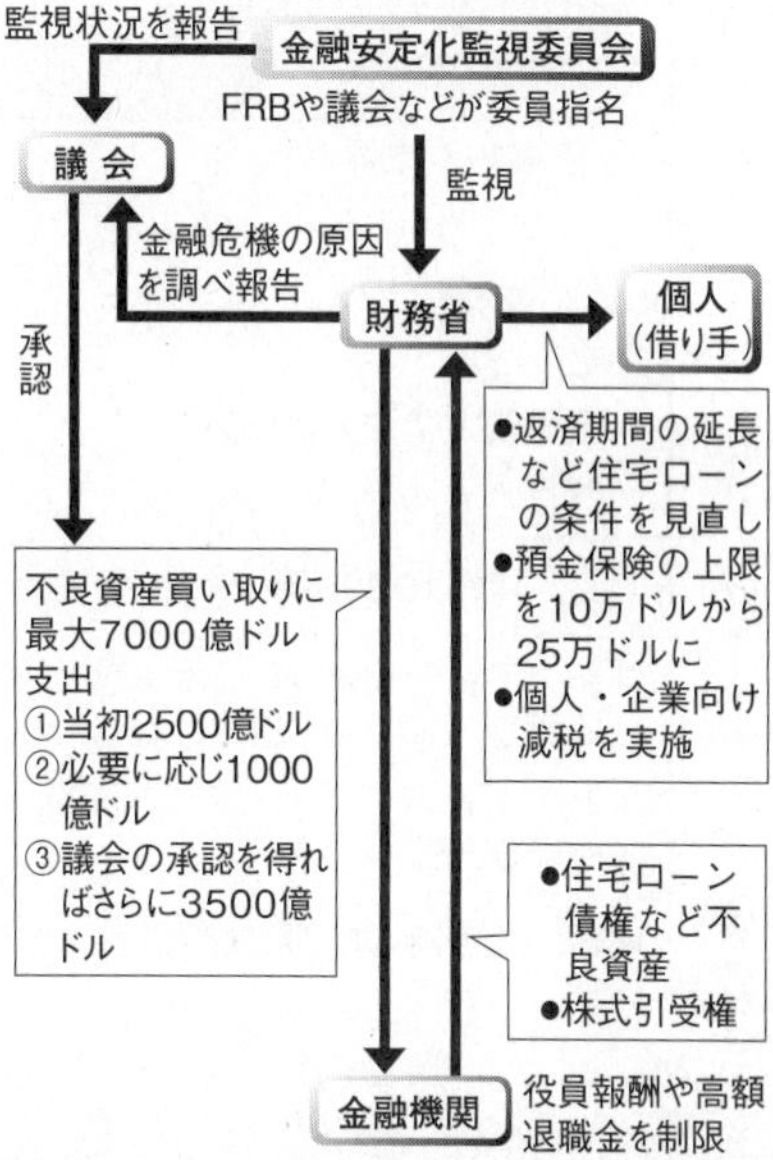

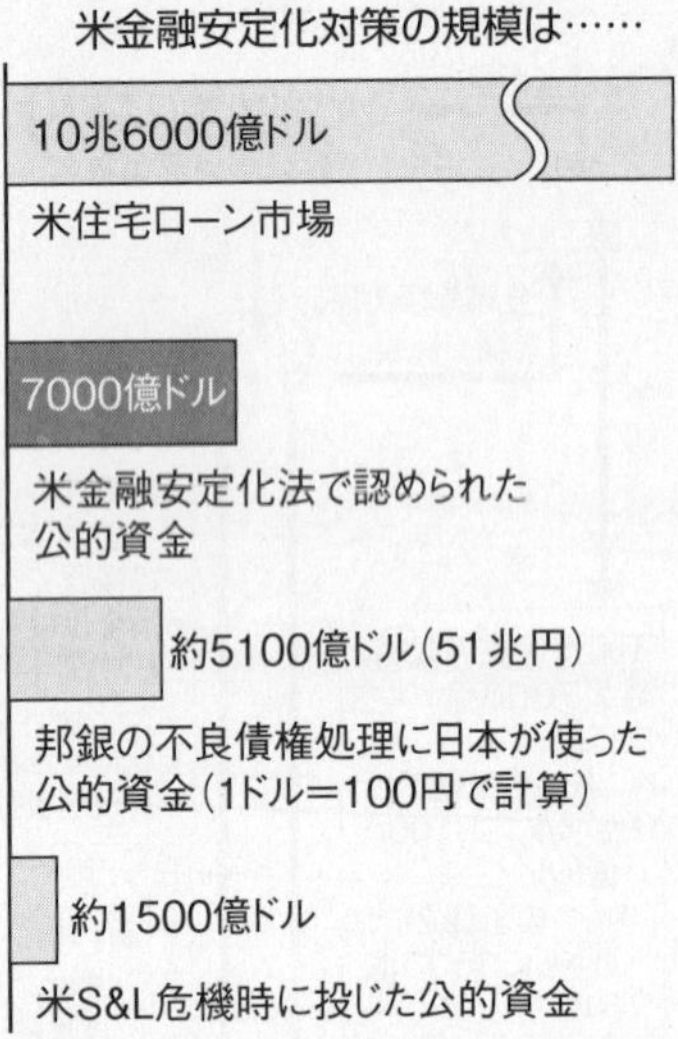

センブルク、アイスランド、英国などが自国銀行への資本注入や国有化に動き、フランス、ドイツ、イタリアも続いた。預金の全額保護や銀行間取引を政府が保証する動きも広がった。このままでは米銀から欧州へ預金が流出するのが確実だった。

欧州金融の動揺を嫌気し、六日のニューヨーク市場ではダウ工業株三十種平均が約四年ぶりに一万ドルの節目を割り込んだ。八日にＦＲＢ、欧州中央銀行（ＥＣＢ）など世界の十中央銀行が同時利下げに踏み切った後も下げ止まらず、十日には一時八〇〇〇ドルを下回った。市場が壊れつつあった。

十日にワシントンで開かれた主要七カ国（Ｇ７）財務相・中央銀行総裁会議は主要金融機関の破綻回避へ「断固たる行動」をとることで合意。ユーロ圏十五カ国は、十二日にパリで開いた緊急首脳会合で、資本注入や銀行間取引の政府保証を「共同行動計画」に盛り込んだ。米国の外堀は埋まった。

十三日午後三時、ワシントンの財務長官会議室。用件を知らされないまま集まった金融大手九社の経営者を前に、ガイトナー総裁が資本注入額を読み上げる。「シティグループ二百五十億ドル、ゴールドマン・サックス百億ドル……」。出席者からは「なぜ注入が必要なのか」「経営陣はどんな制約を受けるのか」との質問も出たが、ポールソン長官は有無を言わさなかった。「あとで資本が必要になっても、政府はそれほど優しくない」。事実上の〝強制注入〟だった。真っ先に合意文書に署名したのは、最も資金繰りが苦しいとみられたモルガン・スタンレーのマックCEO。最後の一人がサインしたとき、外は暗くなっていた。

ポールソン長官はこれに先立つ八日、米連邦預金保険公社（FDIC）のベアー総裁を執務室に呼び、FDICによる銀行債務の保証拡大を打診。条件付きながら了解を得た。

慌ただしく整えた各種の施策をブッシュ大統領が発表したのは十四日。①金融安定化法に基づく七千億ドルの公的資金枠のうち二千五百億ドルを資本注入に充当、②うち一千二百五十億ドルは大手九行に先行注入、③FDICが銀行間取引などを保証、④無利子の決済性預金を〇九年末までFDICが全額保護、⑤FRBが企業の資金調達に使われるコマーシャルペーパー（CP）を購入――が柱だ。

資本注入に充てる二千五百億ドルという金額は、金融安定化法で定めた七千億ドルの資金枠のうち議会が財務長官への即時拠出を認めた金額の上限。当初使える枠をすべて資本注入に振り向けるという決定は、政府が所期の目的である不良資産買い取りを事実上放棄したことを意味した。

ポールソン長官はもともとは公的資金による資本注入には慎重な立場で、大恐慌や日本の経験から早期注入が必要と訴えていたバーナンキ議長らとは温度差があった。金融機関が自力増資の努力を怠る、株式希薄化で投資家が離散する、といった副作用を気にしたためだ。だが長官の信念は再び外部環境に押し切られる形で変節を迫られた。中途半端に市場介入を避けようとする態度は、結果的に米政府の行動が後手に回る一因と

バンク・オブ・ニューヨーク・メロン 30 億ドル
ステート・ストリート 20 億ドル
（12 月 31 日までに合計 215 金融機関）

▶システム上、重要な不振金融機関向け制度（Systemically Significant Failing Institutions ＝ SSFI）

【目　的】
金融システム上、重要な金融機関の破綻による金融市場の混乱を防ぐ

【実　績】
AIG　400 億ドル（資本注入）

▶自動車産業融資制度（Automotive Industry Financing Program ＝ AIFP）

【目　的】
金融市場の安定性へのシステミックリスクを引き起こし、米国経済に悪影響を与える恐れのある自動車産業の深刻な混乱を防ぐ

【実　績】
GMAC　50 億ドル（資本注入）
ゼネラル・モーターズ（GM）　計 104 億ドル（融資）
クライスラー　40 億ドル（融資）

▶特定投資制度（Targeted Investment Program ＝ TIP）

【目　的】
深刻な市場混乱、同種の金融機関の財務内容悪化、幅広い金融市場への悪影響、さらに経済全体への打撃につながるような金融機関の信認喪失を防ぐ

【実　績】
シティグループ　200 億ドル（11 月 23 日発表の追加支援、資本注入）

なった。

二十三日、米下院の監視・政府改革委員会での公聴会にアラン・グリーンスパンFRB前議長の姿があった。「今回の金融危機は百年に一度の津波だ」。証券化商品を活用したサブプライムローンの膨張について金融監督上の不備があったのではないかとの議員の問いかけに「金融機関の自己利益の追求が株主や株主資本を最大限守ることになると思いこんだ点で過ちを犯した」と絞り出した。米住宅ブームがピークにあった〇六年一月まで約十八年半FRB議長を務めたグリーンスパン氏の、あまりにも遅い敗北宣言だった。

米金融安定化法に基づく制度（09年1月7日の米議会向け第四次報告まで）

▶資本注入制度（Capital Purchase Program = CPP）

【目　的】

米国の企業・消費者への融資を増やす能力を高め、米経済を支援するため、米金融機関の資本を増強する

【概　要(当初計画、のち拡充)】

・最大2500億ドル
・議決権のない上位優先株を購入
・中核的自己資本(Tier 1)に算入可能
・一つの金融機関への注入額はリスクウエート資産の1%以上、3%未満。最高で250億ドル
・08年11月14日で申し込みを締め切り、08年末までに購入
・配当は当初5年間は年率5%、以後9%。金融機関は3年目以降、買い戻し可能
・3年間は普通株の増配禁止
・役員報酬に制限

【実　績】

・10月28日 大手9行
シティグループ250億ドル
JPモルガン・チェース250億ドル
ウェルズ・ファーゴ250億ドル
バンク・オブ・アメリカ150億ドル
ゴールドマン・サックス100億ドル
モルガン・スタンレー100億ドル
メリルリンチ100億ドル

一度緩んだ財布のひもは元に戻らない。その後は際限のない公的支援拡大が待っていた。二千五百億ドルの資本注入枠のうち、大手九行への割り当て分を除く一千二百五十億ドルの〝分捕り合戦〟である。十月二十七日までに少なくとも十六の米地方銀行が米財務省に資本注入を申請し、承認を受けた。

ずれる焦点

十一月十日には政府・FRBがAIGへの支援額を約一千五百億ドルに積み増すと発表。つなぎ融資の金利条件を緩めたほか、保険会社で初の資本注入を実施した。十月八日にFRBが発表した追加融資に次ぎ、二度目の支援拡大だ。

金融危機の焦点は、金融システムそのものから、貸し渋りを通じた実体経済の悪化に移り始めていた。十日には米家電量販店二位のサーキット・シティーが米連邦破産法一一条の適用を申請し、破綻した。個人消費低迷で販売不振に陥ったほか、信用収縮でメーカーから支払い条件を厳しくされたことが致命傷になった。

十二日にポールソン長官は、資本注入対象をクレジットカード会社や自動車ローン会社などノンバンクにも広げると表明した。ノンバンクは米国の個人向け金融で大きなシェアを握る。しかし預金を持たないことから事業資金の調達を市場に頼っており、資金繰りが悪化していた。資本を与えなければノンバンクは個人からの資金回収を強め、個人消費を底割れさせてしまう恐れがあった。ノンバンクへの資本注入を実際に承認したのは一カ月半後の十二月二十三日。銀行持ち株会社に転換したクレジットカード大手アメリカン・エキスプレス（アメックス）と金融大手ＣＩＴグループが対象だった。二十四日には自動車大手ゼネラル・モーターズ（ＧＭ）の関連会社で自動車ローンなどを手掛けるＧＭＡＣの銀行持ち株会社化が承認され、五日後に五十億ドルの資本注入を受けた。

AIG追加支援策の仕組み

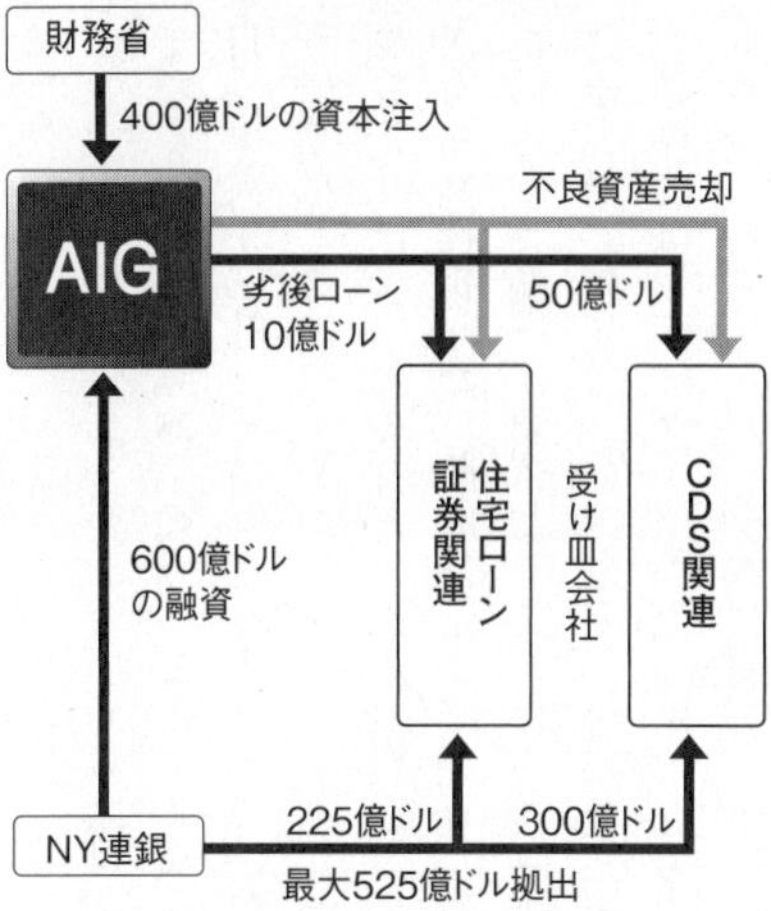

企業の自助努力の動きはほぼ消えうせた。わずかな例外は、財務が健全な一部の優良企業だけだった。ゴールドマンは九月二十四日、百億ドルの自力増資をすると発表。その半分は著名投資家ウォーレン・バフェット氏が率いる投資会社バークシャー・ハザウェイが引き受けた。ゼネラル・エレクトリック（ＧＥ）も十月一日にバークシャーを含め計百五十億ドルの増資を発表。同三日には大手銀ウェルズ・ファーゴがシティグループとの争奪戦を制して大手銀ワコビアの買収を

決めた。

しかし金融危機が深まった十月中旬以降は、こうした動きもみられなくなった。金融界だけでなく産業界も「お上頼み」モードに突入した。十一月中旬には製造業であるGMなど米自動車大手三社（ビッグスリー）までが公的救済に名乗りを上げた。モラルハザードという言葉はどこかへ消えてしまったようだった。

金融安定化法の当初の柱だった不良資産買い取りは、価格算定の難しさや財務省内の人員不足もあり挫折した。政府にとって誤算だったのは、買い取りの棚上げが問題先送りと受け止められ金融株が急落したことだ。ニューヨーク株式市場のダウ工業株三十種平均は十一月十九日、終値で八〇〇〇ドルを割り込んだ。

今度の標的はシティグループだった。五万人の人員削減計画もむなしく二十一日の株価が三ドル台に落ち込んだシティに対し、政府は二十三日、追加資本注入と三千億ドル超の不良資産への政府保証を決めた。支援額を二回積み増したAIGのケースと同様、第一次の救済が「目分量」にすぎなかったことを露呈した。

こじれるビッグスリー問題

〇八年の年末にかけては、ビッグスリーの救済問題がこじれにこじれた。特にGMとクライスラーは運転資金が年内にも枯渇しかねず、連邦破産法の適用すら視野に入っていた。

自動車産業の生む雇用は直接雇用分だけで百万人。破綻すれば経済への影響が大きい。

民主党が政府と調整してまとめた救済法案は、立法化ずみの環境対応車生産向けの低利融資を当面のつなぎ融資に転用する内容。十二月十日夜に下院を通過したものの、翌十一日に上院共和党の反対で協議が決裂。事実上の廃案になった。九月末の金融安定化法案の頓挫を再現するかのような展開だった。

議会の支持が得られない以上、政府としては、できれば避けたかった金融安定化法の資金枠を使うしかなくなった。十二月十九日にブッシュ大統領がGM、クライスラーへの最大百七十四億ドルのつなぎ融資を発表した。政府・議会の対応はまたも二転三転し、市場は混乱。政策担当者が「学習能力」に欠ける様をあらわにした。

ビッグスリーの経営危機は、日本メーカーなどと比べて高い労働コストや、省エネ小型車の開発遅れといった構造問題に根っこがある。金融危機は経営悪化の速度を速めたにすぎない。当面の資金繰りをしのいでも、破綻の危機から脱したとはいえない。

政府の遅々とした政策対応は、FRBへの膨大なツケ回しを招いた。FRBはリーマンショックの直後から、金融機関の資金繰りを支えるため国内外でドル資金を潤沢に供給。十月七日には、企業の短期資金の調達手段であるCPを購入する新制度を導入すると表明。十一月二十五日には、個人向けの信用収縮を和らげる狙いで住宅ローン担保証券（MBS）の買い入れなど最大八千億ドルの追加金融対策も発表した。政府による七千億ドルの金融安定化法では対応できない規模の支援を肩代わりした格好で、金融機関だけでなく企業、個人の資金繰り支援にまで踏み込んだ。

十二月十六日には、政策金利であるフェデラルファンド（FF）金利の誘導目標を〇・〇―〇・二五％に引き下げ、事実上のゼロ金利政策に踏み切った。さらにバランスシート（貸借対照表）を拡大することで市場に資金を供給する「量的緩和」も一段と進めると宣言。MBSの購入増額のほか、長期国債の買い入れ検討を明らかにした。長期金利やそれに連動する住宅ローン金利を低めに誘導し、景気を下支えする意向を鮮明にした。

「大恐慌学者」として知られるバーナンキFRB議長の面目躍如といったところだが、通貨の番人が個人の借金まで丸抱えする行為は、基軸通貨ドルの信認を低下させるリスクと表裏一体だ。

焦点は財政出動へ

リーマン破綻から三カ月余りたった十二月末。金融機関の連鎖破綻懸念と救済ラッシュは一段落し、世界の株価や外国為替市場もひとまず落ち着きを取り戻した。政策対応の焦点は金融システム崩壊を防ぐための資金供給、資本注入といった「応急処置」から、世界同時の景気後退を最小限に食い止めるための「財政出動」へと移ってきた。

十一月十四―十五日にワシントンで開いた日米欧と中国、インドなど新興国の二十カ国・

地域（G20）による緊急首脳会合（金融サミット）は、金融安定化に向け「あらゆる追加的措置をとる」との首脳宣言を採択。適切な金融政策と景気刺激の財政政策を組み合わせた協調行動をとる方針を明記した。

サミット参加国・地域は中国の四兆元（約五十七兆円）を筆頭に、会合前の時点ですでに合計百兆円超の景気対策を公表。サミット直後にも英国や欧州連合（EU）、イタリア、フランス、オーストラリアなどが追加または新規の景気対策を発表した。しかし、その顔ぶれの中に米国はなかった。

危機の震源である米国は、他国に先駆けて二月に戻し減税（所得税還付）を中心とする一千六百八十億ドルの景気対策を実施済みだったが、個人消費を底上げする効果は限定的で、すぐに息切れした。秋以降に深まった金融危機には全く無力だった。第二次の景気刺激策が求められているものの、政権が移行期にあることが、迅速な策定・実行の障害になった。

自ら行動で示したバーナンキFRB議長は議会証言などの機会があるごとに、政府・議会に財政出動による景気刺激策や住宅ローンの借り換え促進策などの政策対応を求めた。しかし任期切れが迫ったブッシュ政権の動きは鈍かった。

十一月四日の大統領選に勝利したオバマ次期大統領も、迅速に動いたとは言い難い。ガイトナー財務長官、サマーズ国家経済会議（NEC）委員長など経済閣僚を十一月下旬という異例の早さで発表した一方で、大型景気対策の詳細公表は〇九年一月上旬にずれ込んだ。不人気なブッシュ政権の任期中の政策に関与するのを避け、一月二十日の就任と同時に動けるタイミングを見計らったと見られるが、無用な空白期間をつくってしまった感は否めない。

米景気循環の「山」と「谷」を判定する機関である全米経済研究所（NBER）は〇八年十二月一日、米経済が〇七年十二月から景気後退（リセッション）に入ったと正式に宣言した。〇九年に入っても米経済指標は悪化が止まっておらず、景気後退の期間は戦後最長の十六カ月を超えるシナリオが現実味を増している。

2 欧州主導、個別救済から包括策へ

素早い英国の対応

二〇〇八年九月半ば、米証券リーマン・ブラザーズ破綻直後に取引が止まった欧州の銀行間市場。ベルギー・オランダの金融大手フォルティス、英住宅金融大手ブラッドフォード・アンド・ビングレー（B&B）……。資金繰りに窮した銀行が次々と瀬戸際に追い込

まれた。

各国政府は土壇場で破綻を回避しようと、公的資金を使う救済策づくりに追いまくられた。流れが変わったのは十月八日。英国が「泥縄の個別救済では流れを止められない」と見切りをつけ、全銀行を対象にした包括策へと舵を切った。

包括策は公的資金による銀行の資本増強、資金繰り支援、流動性確保の三本柱で総額は四千億ポンド。資本注入の総額は五百億ポンド。このうち二百五十億ポンドは大手八行向け。外国銀行の英現地法人も含め希望行向けに二百五十億ポンドの追加枠を用意した。

資金繰り支援として銀行が発行する中短期債に二千五百億ポンドの政府保証枠を設けた。こうした公的資金の投入は、配当の削減や銀行トップの報酬カットを条件にした。流動性対策は英中銀の資金供給枠を二千億ポンドと従来の二倍に拡大し、資金供給基準も緩和した。

「必要なことは何でもやる」。ブラウン英首相が英下院で対策の意義を力説していた八日正午、歩調を合わせるように米欧中央銀行は緊急で協調利下げを発表した。

英中銀は連日、財務省と銀行危機対策を協議しながら、協調利下げの件は直前まで政府に明かさず、報告を聞いた財務省・官邸は驚いたという。だが、ブラウン首相は議会に対し何食わぬ顔で「各国中央銀行も危機対応で利下げを決めた」と述べて国際連携ぶりをアピール。「これで十分かどうか不透明だが、政府・中銀の危機対策の覚悟は強い」と金融関係者は受け止めた。

英国の展開は早かった。ダーリング財務相はブラウン首相、キング中銀総裁と基本方針で合意してから数日後の十月七日夕方に詰めの作業に着手。財務省で対策チームとインド料理の出前をとりながら打ち合わせをし、午後十時過ぎに召集した大手英銀幹部のほか政府に助言するUBSなどの投資銀行家が合流し、最後の協議。大枠が固まり、財務相が隣の公邸に引き揚げたのは日付が変わった午前二時頃だった。

協議の焦点は「公的資本注入」の対象と条件だった。金融不安解消には大規模な注入が必要。しかし政府介入を避けたい民間銀行は強制的な大規模注入に反対した。

民間側も一枚板ではなくロイヤル・バンク・オブ・スコットランド（RBS）など自己資本が不足する銀行は「緩やかな条件での全行一斉注入」を望む一方、HSBCなどは一斉注入に反対。結局、政府が各行に一定の自己資本積み増しを求め、不足分を政府が注入する方式に落ち着き、RBSなど大手三行の部分国有化がほぼ確実に。現実の投入額は三行合計で三百七十億ポンドと当初枠を超え、RBSの政府の株式保有比率は五割を突破した。

二つの火種

ドイツ＝八百億ユーロ、フランス＝四百億ユーロ、スペイン＝最大五百億ユーロ、オランダ＝二百億ユーロ……。英国の後を追うように欧州各国は公的資本注入を柱とする包括策を決め、オランダのING、スイスのUBSなど国際展開する金融機関に次々と公的資本を注入した。

公的資金の使途は、当初不良資産買い取りにとどめようとした米国と異なり、資本注入を即決した。銀行から不良資産を切り離す資産買い取りは抜本策と言えるが、買い取り価格算定など手続きに時間がかかり目前の危機に間に合わないと判断したからだ。銀行救済に反発する国民感情が高まっていた米国も欧州に追随した。

「太平洋の向こう側ほどせっぱ詰まった状況ではない」（欧州委員会）。リーマン破綻直後の九月下旬、半ば対岸の火事のように米国を眺めていた欧州各国が一変したのには背に腹は変えられない事情があった。大西洋に浮かぶアイスランドとアイルランド。小さな島国で始まった危機が燎原の火のごとく各国に押し寄せていたのだ。

「預金が下ろせない」。預金者にパニックが起こったのは、皮肉にも地銀ノーザン・ロックの破綻で預金取り付けが起こった前年の失敗を教訓にしていたはずの英国。十月六日、アイスランド政府が国内二位のランズバンキ銀行を国有化して同銀が英国内で展開するインターネット銀行アイスセーブの口座を凍結したことが引き金となった。

預金者の不安を解消しようと英政府は八日にはテロリスト対策法を適用し、ランズバンキ銀行の英国内資産を凍結すると発表。これにアイスランド側が「我々をテロリスト扱いするのか」と猛抗議し、英国側が「アイスランドは英国民の預金を保証しない」（ダーリング財務相）とアイスランドへの法的措置を一時ほのめかすなど、両国が非難を応酬する外交問題に発展した。

両国は一九五〇―七〇年代にタラの漁業権をめぐって砲撃など武力衝突を繰り返した紛争の過去がある。それだけに一時は「タラ戦争」の二の舞になるとささやかれた。

もう一つの火種はアイルランド。九月末に国内六銀行の預金の全額保護を欧州内で真っ先に表明し、数日後に法制化。保護対象から外れた英国やデンマークの「外銀」からアイルランドの銀行に預金が流入し、外銀勢は資金調達に窮した。

あわてた外銀勢は自国政府に駆け込み、英国など他の欧州各国はアイルランドの措置を「自分の庭先だけを掃き清める行為」（仏高官）と非難。欧州連合（EU）の欧州委員会は外国銀行を差別しEU競争法（独占禁止法）上の問題が生じる恐れがあると牽制した。

事態収拾のためアイルランドは預金保護の対象を外国銀行に拡大。アイルランドを非難した英独仏も首相が口答で全額保護方針を表明した。預金の国外流出を恐れる欧州各国が預金を国内につなぎ止めようと国の信用力を競う結果となった。米国も中小企業の決済性預金（当座預金など）に限ってだが、全額保護を打ち出した。

国境を越える危機への対応

欧州は多くの銀行が国境をまたいで複数の国で事業展開しており、銀行の〝国籍〟で公的支援ルールに差が生じれば市場は混乱する。国の経済規模に比べ銀行の資産規模が大きい小国は、公的資金投入が膨らむと銀行を支える国の返済能力に対する市場の瀬踏みが始まるリスクもくすぶる。

「ＥＵ加盟国は連携して金融監督に当たるはずだったが、ふたを開けるとお粗末だった」と渡辺博史・国際協力銀行ＣＥＯ（元財務官）は指摘する。米国発の金融危機なのに〇七年以降に金融機関が抱えた評価損の三六％は欧州勢。中・東欧やアジアの新興国で事業を積極的に拡大した欧州銀は市場での資金調達に依存し、預金に対する貸出比率が一・二五と米銀（〇・九三）より高まっていた。これが市場直撃型の危機で仇となった。

米銀の融資態度は急速に厳しくなった

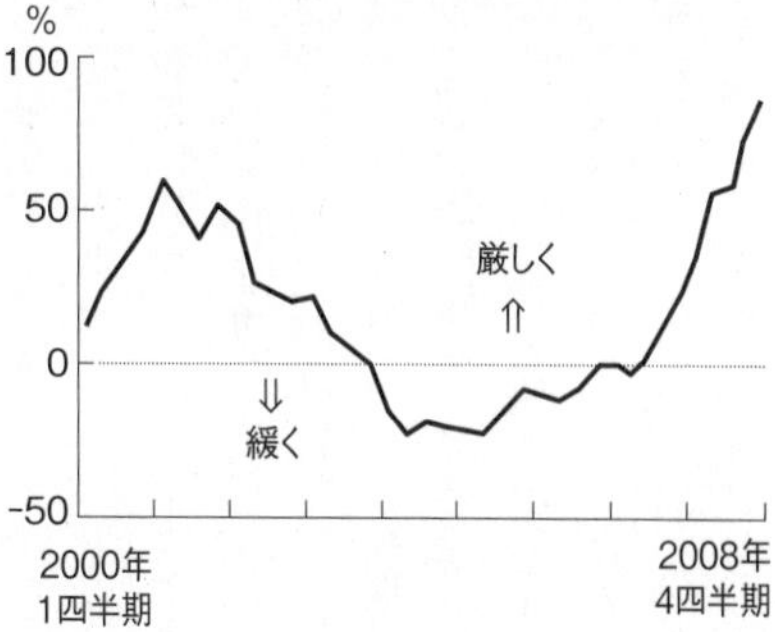

（注）「厳しくした」割合から「緩くした」割合を引いた値
　　　大・中企業向け
（出所）FRB

　国境を越える金融危機にどう取り組むか。「全欧州がまとまって立ち向かう」（サルコジ仏大統領）「グローバル危機にグローバル対応を」（ブラウン英首相）とトップの掛け声は勇ましいものの、現実は心もとない。ＥＵで共通基金を設ける構想が検討に入る前に頓挫。ドイツが欧州全域で銀行監督を強化すべきと主張すると、隣国ポーランドが慎重姿勢を示すなど足並みはそろわない。

代わりに奮闘したのが中央銀行だ。

「我々は米国より早く資金供給手段を多様化した」。〇八年十二月の欧州中央銀行の定例の記者会見。「金融危機対応で米国より遅れる恐れがあるのでは」と聞かれたトリシェ総裁は、こう胸を張った。流動性対策は各国政府が乗り出す以前、米金融不安が欧州銀行のドル資金調達問題として欧州に飛び火した〇七年夏から各国で中銀が知恵を絞ってきた。

代表的なのは、市場で買い手がつかなくなった住宅ローン担保証券など高リスク証券を資金供給の担保として受け入れ、銀行に資金を調達する手法。直接金融が発達した米国は、企業が発行するCPの買い取りにまで踏み込んだ。いずれも与信リスクをとれない民間銀行に代わって中銀がリスクを引き受ける。

こうした各国中銀の資金供給の効果で、リーマン破綻後に急上昇したロンドン銀行間取引金利（LIBOR）は〇八年十一月には低下。民間銀行は期間一年未満の足元の資金は余剰になった。

しかし中長期の資金調達のメドがたたない民間銀行は、不安心理から企業の設備投資や住宅融資といった中長期与信は拡大できない。このため各国政府は、銀行の社債など期間三―五年の債務を政府が保証する追加支援に踏み込んだ。民間銀行を政府が国の信用で支え危機をしのぐ非常手段。最終的に支援銀行が破綻すれば、損失は納税者が被る。

すでに民間銀行から様々な証券を担保に受け入れた各国中銀のバランスシートは急膨張。民間銀行は中銀の資金供給という「アメ」にますます依存し、中銀は「最後の貸し手というより市場で唯一の貸し手に近い状態になっている」（運用会社ニュー・アセット・マネジメントのエコノミスト、サイモン・ウォード氏）。リスクを勘案して成長分野に資金を配分する民間の信用仲介機能は弱ったまま。中銀が政策金利を下げても銀行の企業や個人向け融資の回復につながらないジレンマに直面している。

3 バーナンキの十五カ月――アクティビストの憂鬱

米国史上初のゼロ金利

時計の針は定刻の午後二時十五分を大幅に回っていた。二〇〇八年十二月十六日、FRBの連邦公開市場委員会（FOMC）二日目。ようやく届いた「事実上のゼロ金利」「量的緩和を導入」のニュースに、世界の市場関係者は「予想を上回る歴史的な超金融緩和」

と驚いた。

ニューヨーク株式市場では、ダウ工業株三十種平均が一時三九四ドル高まで大幅反発。日米金利の逆転を受け円相場も一時一ドル＝八八円六三銭まで上昇した。〇七年九月に利下げに転じてからわずか一年三カ月。深化する危機に背中を押される形で、米FRBの金融政策は未到の領域に入った。

サブプライム問題で金融市場の動揺が始まった〇七年夏以降、バーナンキ議長率いるFRBは、マクロ（利下げなどの金融政策運営）とミクロ（金融機関救済など金融システム安定化策）の両面から危機回避の主役として奔走してきた。

利下げに転じる直前の〇七年八月、バーナンキ議長は不気味な言葉を漏らしている。「過去数カ月、数四半期の経済指標は景気や物価の先行きを予測するのにあまり役立たなくなった」。統計が異常値を示し始めたのは、経済活動のベースとなる金融の信用収縮が始まったからではないか。脳裏によぎる危機の予感を振り払うかのように、利下げに転じた後の動きは速かった。

〇七年九月に年五・二五％だった政策金利の誘導目標の引き下げは、一カ月半に一回のペース。〇八年一月には九日で二回、合計一・二五％の利下げを断行。秋には欧州中央銀行（ECB）との協調利下げにまで踏み込んでいる。ゼロ金利導入までの十五カ月で利下げは合計十回に及んだ。

だが、利下げによるマクロからの景気刺激は、信用収縮が急速に進んでいた金融市場の正常化には力不足だった。〇八年三月、銀行大手JPモルガン・チェースによる証券大手ベアー・スターンズ救済買収で、FRBはベアーの資産から生じる損失リスクを負担することを確約した。

FRBにとっては屈辱的なディール（取引）だった。ベアーは預金を取り扱わないうえ、FRBの規制も受けない。金融システムの外側の存在とみなしてきたからだが、ベアーが破綻すれば金融システムは大混乱に陥る。金融システム危機を放置できない以上、現実にはFRBは最後には救済に応じざるを得ない。こんなFRBの弱みを見透かしたJPモルガンに押し切られる形で、FRBは損失リスクの分担に踏み込んだ。

「アクティビスト・ベン」

ルビコン川を渡った――。FRBは金融機関の資金繰りを支援する制度を相次ぎ創設する。証券会社向けの公定歩合での貸出制度、国債の臨時貸し出し……。金融機関の経営破綻が、金融システム全体の危機につながるのを防ぐ狙いだった。

アクティビスト（行動派）・ベン。危機回避に向けマクロ・ミクロ両面から黙々と、自説に基づく大胆な政策を打ち出すベン・バーナンキ議長に、市場はこんな異名をつけた。通貨の番人である中央銀行は無制限にドルを印刷できる。政府からの独立が法律的に保証されているため、状況の変化にも素早く対応することが可能だ。

異論は多い。「誠実な仲介者という立場に終止符が打たれた」。かつての同僚であるラインハートFRB前金融政策局長は、公的支援を含む金融機関救済に踏み出した古巣を厳しく批判した。公的救済を期待して、野放図な経営が横行するモラルハザード（倫理の欠如）を懸念したためだ。だが米政府はFRB頼みの副作用をあえて見過ごし、アクティビスト・ベンにすべてを任せたいと願っていた。公的資金（財政資金）投入に伴う議会との折衝などは難航が確実だったためだ。

FRBのバランスシートが、アクティビスト・ベンの姿をはっきり映し出す。〇八年八月末時点のFRBの総資産（九千八十九億ドル）のうち最も安全な米国債は四千七百九十六億ドル。総資産に占める国債の比率は過去一年間で約九〇％から五三％に急低下した。金融危機に対応し特別融資やリスクの高い資産担保証券の購入を増やすほど、中央銀行の資産の質は劣化していった。

それでも、危機到来を防げるとバーナンキ議長が確信していたわけではない。「嵐は去っていない」。〇八年八月二十二日。ワイオミング州で開かれた恒例のコンファレンスで講演した議長は金融市場に警告した。各国の中銀からは株価が急落する住宅公社の経営改善を求める声が届いていた。再建が疑問視されている証券大手リーマン・ブラザーズ、経営不安説が根強い保険大手AIG……。金融市場では、銀行間取引の金利が高止まりし、事態の切迫を告げていた。

九月十八日夜。バーナンキ議長は米議会でペロシ下院議長（民主党）ら議会指導部と向き合っていた。ポールソン財務長官、コックス米証券取引委員会（SEC）委員長らとともに、民主、共和両党幹部に公的資金投入の必要性を訴えるためだった。

三日前の十五日にはリーマンが破綻。金融危機が大津波のように押し寄せていた。公的資金導入を渋ってきたポールソン財務長官も議会に要請することを承諾した。議会指導部との会談後、バーナンキ議長は「前向きな会合だった」とだけ漏らし米議会を後にした。

バーナンキ議長の胸中を財務省関係者はこんな風に解説する。「危機が現実に起きて初めて公的資金による本格的な健全化策が動き出した。FRBが危機回避へ奔走しない方が抜本策に早く移行できたのではないかという思いもあるだろう。だが危機感を議員が共有できなければ、公的資金の導入は無理。民主主義では不可避の現実だ」。

七千億ドルの公的資金を盛り込んだ金融安定化法が成立するのは十月三日。これを機に、危機対策の主役はFRBから財務省に移る。公的資金の出番が早かったのか、遅かったのか。確かなのは金融危機が内外の実体経済に波及し、グローバルな危機に発展するのを防げなかったことだ。

安定化法成立の翌十一月、米国では雇用者数が五十八万人減る一方、住宅着工は前年比一八・九％減少。米経済の体温を示すマクロ経済統計は軒並み「史上最悪」の数字が並んだ。

資金繰りに窮した米ビッグスリー（自動車大手三社）は政府に資金支援を要請。シティグループは二度目の資本注入を迫られた。

金融の悪化が経済の失速につながり、さらなる金融の悪化を呼ぶ負の連鎖が進行。気が付けばデフレ不況の悪夢はすぐそこまで忍び寄っていた。財務省が打ち出す公的資金注入などの金融安定化策と並行し、ＦＲＢは危機対策の兵站線をさらに広げる方向に舵を切る。

企業の短期資金の調達手段であるＣＰ市場で取引が成立しなくなると、ＣＰの買い取り制度を創設。住宅ローン、自動車ローンなどの個人向け金融市場で信用収縮が深刻と聞けば、ローン担保証券を購入する資金供給策を検討。試行錯誤の末に行き着いたのが、事実上のゼロ金利と量的緩和策の導入だった。

膨張するＦＲＢのバランスシート

○八年十二月末時点のＦＲＢの総資産は、二兆二千六百五十九億ドル。リーマン・ブラザーズ破綻を機に金融危機に陥った「暗黒の九月」からわずか四カ月足らずで、二・三倍に膨らんだ。中銀の健全性を示す国債の保有比率は二一％にまで低下している。量的緩和導入に伴う大量の金融商品の買い入れにより、資産規模はさらに膨らみ質の劣化も進む。それでも、ＦＲＢは前に進まざるを得ない。

米連邦準備理事会（FRB）の金融緩和

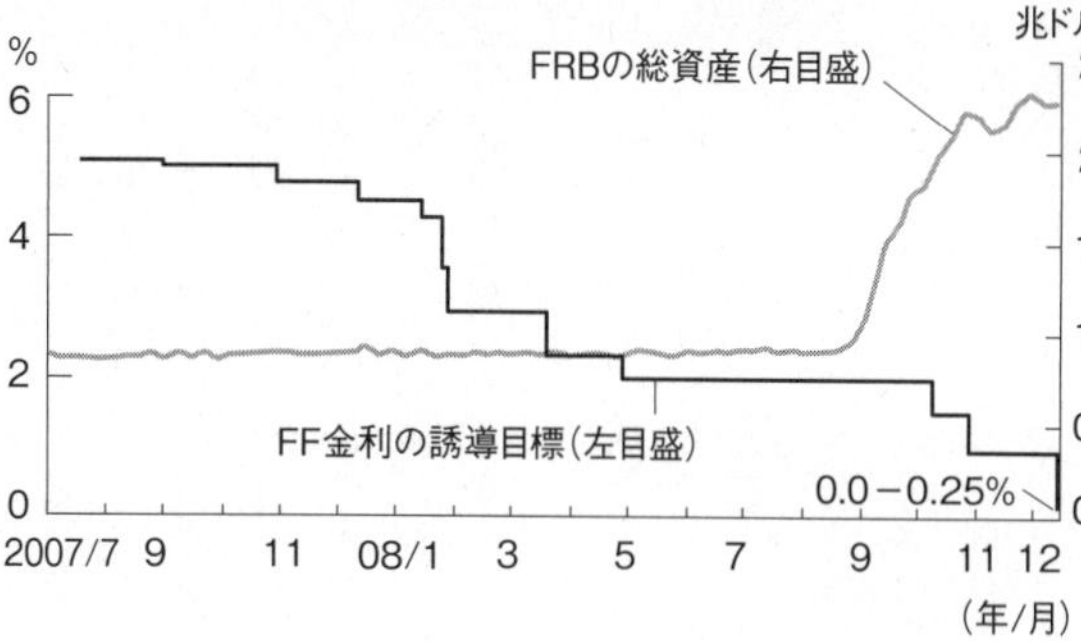

米国の家計が抱える借金はざっと十三兆九千億ドル。○八年九月末に初めて減少（○・八％）に転じたものの五年前の一・五倍の水準。住宅価格の上昇をテコに消費を増やしてきた家計のバランスシート調整はこれから本番を迎える。量的緩和を通じたＦＲＢのバランスシート膨張は、民間部門の資産・負債圧縮に伴う痛みを緩和する面がある。

大恐慌時代の研究で頭角を現したバーナンキ氏は時に「ヘリコプター・ベン」もしくは「ケチャップ・ベン」と揶揄されたことがある。デフレ阻止には「いざとなればヘリコプターでお金をばらまけばいい」と言及。「（ヘリコプターでばらまけないなら）ケチャップ（＝実物資産）でも買えばいい」と語ったことがあるためだ。

「ゼロ金利時に金融政策が採りうる手段は」。ＦＲＢ理事時代の○四年、バーナンキ氏はこんな題名の研究論文を同僚と共同で執筆。「中央銀行による大量の資産購入（による資金供給）は、対象となる資産価格や利回りに影響を与えることができる」と結論付けている。デフレ不況回避に向け「アクティビスト」であることこそが自らの役割と腹をくくっているかに見えるのは、長年かけて築き上げてきた自説に対する確固たる自負があるからだろう。

利下げ開始から〇八年十二月末のゼロ金利導入まで十五カ月。バーナンキ議長のアクティビストぶりが鈍った時期がある。原油などの商品価格が急騰。全米のガソリン価格が一ガロン＝四ドルを超し、インフレ懸念が急速に強まっ

FRB のバランスシートを高水準で維持。多額の政府機関債と住宅ローン担保証券を購入。長期国債の買い入れ検討

【個別金融機関の救済】

・ベアー・スターンズ（08 年 3 月 16 日）
不良資産の受け皿会社に 290 億ドル資金供給

・住宅金融公社（08 年 9 月 7 日）
債券を買い入れ

・AIG（08 年 9 月 16 日）
最大 850 億ドル融資。10 月 8 日、378 億ドル追加融資。11 月 10 日、不良資産買い取りへ最大 525 億ドル融資。融資 600 億ドル

【通貨スワップ協定】

・欧州中銀、スイス中央銀行と通貨スワップ協定、ドル資金を供給（07 年 12 月 12 日）

・日銀、英中銀、カナダ中銀と通貨スワップ協定。欧州中銀、スイス中銀含め 6 中銀協調で総額 1800 億ドルのドル資金を自国市場で供給（08 年 9 月 18 日）

・のちオーストラリア、スウェーデン、デンマーク、ノルウェー、ニュージーランド、ブラジル、メキシコ、韓国、シンガポールの中銀と通貨スワップ協定を締結

【銀行持ち株会社化の承認】

・ゴールドマン・サックス、モルガン・スタンレー（08 年 9 月 21 日）

・アメリカン・エキスプレス（08 年 11 月 10 日）

・CIT グループ（08 年 12 月 22 日）

・GMAC（08 年 12 月 24 日）

た〇八年の初夏だ。前年比で平均三・五％程度の物価上昇率を記録していた六月。バーナンキ議長はハーバード大学で講演し「望ましい物価水準よりかなり高い」と指摘。企業や家計の物価見通しを示すインフレ期待が上昇していることについて「強く懸念している」と語った。インフレ懸念からFRBが利下げを休止した期間は同年四月から半年近くになる。

アクティビスト・ベンの本当の試練は、量的緩和策に伴う大量の資金供給が長期化しインフレ懸念が台頭する時な

FRBの金融政策（07年夏以降）

【金融緩和】

・07年9月18日、4年3カ月ぶり金融緩和（FF金利の誘導目標を5.25％から0.5％引き下げ）

・08年12月16日、ゼロ金利・量的緩和を決定（FF金利の誘導目標を0.0－0.25％　に引き下げ）

【資金供給手段の拡大】

・ターム入札制度（TAF、07年12月12日）
銀行に対し、金利を入札する形で、国債など各種証券を担保に資金供給。通常のオペより長い期間の資金を供給

・タームレポ（08年3月7日）
プライマリー・ディーラー（米政府証券公認ディーラー）に対し、公開市場操作で適格担保と引き換えに資金を融通

・ターム証券貸出制度（TSLF、08年3月11日）
プライマリー・ディーラーに対し、住宅ローン担保証券を含む高格付け債を担保に国債を供給

・プライマリー・ディーラー信用制度（PDCF、08年3月16日）
ベアー・スターンズ救済を受け、プライマリー・ディーラーに公的歩合で資金供給

・CPファンディング制度（CPFF、08年10月7日）
3カ月物CPを特別目的会社を通じて買い取り

・最大8000億ドルの資金供給（08年11月25日）
住宅公社の債権を1000億ドル、住宅ローン担保証券を5000億ドル買い取り。自動車ローン、カードローン、小企業向けローンなどを裏付けにした資産担保証券を担保に2000億ドル融資

・ゼロ金利・量的緩和を決定（08年12月16日）

のかもしれない。金融危機でデフレ懸念が台頭している時はお金をばらまけばいい。必ずインフレになるのだから、デフレ退治は可能というのがバーナンキ流だ。だが経済危機が続くなかでインフレが進行し始めたらどうするのか。未踏の領域に踏み出したバーナンキ議長にとって量的緩和を終わらせる出口に到達するまでの時間との戦いも待っている。

4 転機のサミット――自由から規制へ

G20――主役交代の予感

二〇〇八年十一月にワシントンで開いた二十カ国・地域（G20）による緊急首脳会合（金融サミット）は、国際政治の転換点だった――。十年後、二十年後の世界の人々は、そう歴史を振り返るかもしれない。

金融危機後のグローバル経済の新しい規律を定め、貿易や金融の秩序を管理・維持する役割は、世界の中で誰が担うのか。米国を中心とする先進国から、中国やブラジルなど新興国へ。〇八年の金融サミットは、国際社会の「主役」の交代を予感させる初の大舞台だったことは間違いない。政権末期のブッシュ米大統領を囲んで集まった各国の首脳らにも、その思いは共通していた。

「もはや先進国だけでは世界経済の問題は解決できない」。金融サミットに臨んだブラジルのルラ大統領は、世界各国の記者団を前にこう豪語してみせた。「G20参加国を除いて、どんな政治的、経済的な決定を下しても何も意味がない」

ブラジルは金融サミット前の十一月初めに、サンパウロでG20財務相・中央銀行総裁会議を主催した。首脳レベルの金融サミットの開催に向けた準備会合の意味合いが強い重要な会議である。

ルラ大統領は、ここでも先進国の指導力の衰えを批判する鮮やかな弁舌と、日米欧に負けない行動力を世界に印象づけた。その好例は、サンパウロでのG20会合の機会をとらえて初めて開いた「BRICs財務相会合」だろう。BRICs（ブリックス）とはブラジル、ロシア、インド、中国の四カ国の新興経済大国を指す。議長国のブラジルは四カ国の初会合を「G4」と称し、日米欧の先進国で構成する「G7」との対比を協調した。

G4共同声明は「新興市場国は世界経済で中心的な役割を果たしている」と指摘。さらに現行の国際金融体制の要である国際通貨基金（IMF）と世界銀行の改革について「先進国と途上国の間で今まで以上に公平、かつ参加の均衡が取れるように改革すべきだ」と主張し、これらの国際機関の運営で新興国の権限を大幅に拡大するよう求めた。

ＢＲＩＣｓとは、もともとは米国の投資銀行ゴールドマン・サックスが作った造語である。中・長期的に高い経済成長が期待できる有望市場として四カ国に注目した、発音の歯切れのよい呼び名だった。だが、経済力にとどまらず、四カ国がグループとして政治的な影響力もつかもうとする意図が表れ始めている。それは「Ｇ４」を作ってみせたブラジルのしたたかな動きの中にもうかがえる。

本番の十一月の金融サミットでは、インドのシン首相もブラジルに口調を合わせた。日米欧の先進国が中心のＧ８体制について「時代の要請を満たすには十分ではない」と断言。一方、ロシアのメドベージェフ大統領は、国際金融システムの改革は、Ｇ７やＧ８ではなく、Ｇ20の場で議論すべきだと提案した。

ロシアはＧ８にもＧ20にも参加する立場だが、あえてブラジルなど新興国の側に寄った姿勢を示したことになる。日米欧が今後は十分な指導力を発揮できないと読んだうえで、経済外交の舵を微妙に新興国との共同歩調の路線に転換したと解釈することもできる。

だが、新興四カ国の中で最も強烈に世界に存在感を印象づけたのは、中国だった。サミット開催の直前に、北京の中国政府は総額四兆元（約五十七兆円）にも上る内需の喚起策を発表。需要が落ち込む日米欧に代わって世界を恐慌から救う〝救世主〟を自ら演じて見せた。

中国政府が挙げた公共投資の対象は、中低所得者向けの住宅、農村インフラ、鉄道など交通インフラの整備のほか、医療、教育事業の拡充、環境対策、ハイテク産業の振興など。さらに四川省の大地震の震災復興事業や所得が低い農村部の振興策、税制改革による減税措置、商業銀行の融資規制の緩和も加え、合わせて十分野の総合的な内需刺激策とした。

日米欧の各国政府は、こうした中国の政策について金融サミットの前に相談や根回しを受けていたわけではない。中国は先進国から強制されたわけでも、要請されたわけでもない。中国独自の判断で、世界経済を案じ、世界のために中国が取るべき対策を講じた――という形をつくって見せたわけだ。

「中国は国際金融市場の安定化において重要な責務を担った」。新華社通信が報じた胡錦濤主席の自信満々の発言が、中国の自負を裏付けている。世界銀行も中国政府による内需拡大、景気刺激策がGDPの伸びに貢献することを認めた。世銀は〇八年十一月末に発表した「中国経済季報」の中で、二〇〇九年の中国の成長率を七・五％前後と予測している。ゼロ％もしくはマイナス成長が見込まれる先進国と比べれば、中国が「頼りがいがある存在」に見えるのは当然かもしれない。

もはや一枚岩ではない

では、歴史的な国際会議の内幕はどうなのか。金融サミットに事務方として参加した日本政府の幹部は会議の実態をこう解説する。

「G20が新しい枠組みだといっても、それは名前ばかりだ。実際に会議の中で機能しているのは日米欧だけ。共同宣言や行動計画などの文書を練り上げる作業は、ほとんどG7の官僚が徹夜でこなした。新興国の政府は金融に関する政策の知識もノウハウもなく、先進国の議論についてこられなかった」

実態は確かにそうなのかもしれない。とはいえ、今のグローバル経済の現実を見れば、「主役」だった日米欧の力の相対的な衰えは明らかだ。世界の経済成長への先進国の寄与度は全体の約三分の一まで落ちている。

実際に世界経済を引っ張っているのは新興国と途上国。先進国がもたついている一方で、新興国の需要は着実に伸びている。これは間違いのない事実だ。現時点での官僚の事務処理の能力や国際金融の技量の有無は、長い目で見れば大きな問題ではないだろう。日本政府の幹部の指摘は間違いではないが、新興国の側から見れば、単なる「ぼやき」に聞こえるかもしれない。

その先進国も、もはや一枚岩とはいえない。金融サミットでは米国主導で運営してきた国際金融の枠組みに対し、欧州各国がはっきりと疑義を示した。G7の結束は大きく乱れている。欧州勢はヘッジファンドや格付け機関への監督強化を主張。政府による市場への介入や管理を強める方向で議論の進展を求めた。

欧州勢の先頭に立つ改革派の急先鋒は、フランスのサルコジ大統領だ。「もうドルは基軸通貨ではない」と公言したのは序の口。「二十世紀につくった制度を、そのまま二十一世紀に持ち込むことはできない」と、ブレトンウッズ体制の見直し論に一気に火をつけた。

第二次大戦後の国際金融の秩序を定めたブレトンウッズ体制は一九四五年に発足した。その中心にIMFと世界銀行がある。市場原理と自由競争を重んじるブレトンウッズ体制の下で、世界経済は過去六十年間なんとか秩序を保ってきた。だが、今回の証券化市場の暴走と金融危機を未然に防げなかったのも事実だ。

〇八年末に来日したフランス財務省の元高官が、こんな印象深い言葉を残している。「フランスの銀行はつぶれません。なぜなら、政府の指導体制が万全だからです」。言葉の端々に、市場任せではなく政府介入によって運営する経済システムへの自信がみなぎっていた。

フランスは金融危機に際して、大手銀行に一斉に公的資金を注入し、銀行の資本劣化に先手を打った。この元高官は解説する。「先制的な政府の行動こそが重要だ。公的資金を注ぎ込むからといって、銀行を国有化するわけではない。ただし、資本を受け取った以上、銀行には融資を伸ばしてもらう。もし政府が迅速に動かなければ、銀行は融資の抑制に走り、信用収縮が止まらなくなる」

政府の役割を重視するフランス。そのフランスが率いる欧州勢の主張に押される形で、金融サミットの議論では先進国の間で米欧の溝が浮き彫りとなった。米国はドルの基軸通貨の地位を守りたいが、自信が揺らいでいる。何よりも国内の需要が落ち込み、自動車大手ビッグスリーの経営まで破綻しかねない状況だ。米国は先が読めない状態に陥っている。これでは「国際金融の指導力を云々する資格がない」と言われても仕方がない。弱った米国に代わって欧州は単一通貨ユーロの地位を高めようと狙うのは当然だろう。だが、その欧州も域内景気が失速寸前だ。

自由放任の市場原理主義では立ち行かない。かといって政府による規制を強めすぎれば、経済そのものの活力を損ないかねない。先進国と新興国。そして、先進国内の米国と欧州。さまざまな対立軸が表面化しつつある。〇九年四月にロンドンで開く次回金融サミットを目指し、各国の水面下の攻防は既に始まっている。

【米当局の政策対応（2008年）】

1月4日　FRB、資金供給拡大

▼07年12月に導入した入札方式の資金供給制度（TAF）の資金供給規模を拡大

1月18日　景気対策の骨格発表

▼規模は最大で1500億ドル

▼個人向けの戻し減税と企業向けの優遇税制

1月22日　FRB、0.75%利下げ

▼臨時の連邦公開市場委員会（FOMC）を開催

▼FF金利の誘導目標を年3.5%に引き下げ

1月24日　政府・下院、景気対策で合意

▼総額1500億ドル。1000億ドルの個人減税・給付と500億ドルの企業減税

▼単身者最大600ドル、夫婦世帯最大1200ドルの所得税還付

▼貧困層は単身者に300ドル、夫婦世帯に600ドルを給付

▼年内に実施する設備投資を税制面で支援

▼住宅公社が買い取る住宅ローン債権の限度額を62万5000ドルに拡大

1月30日　FRB、0.5%利下げ

▼FF金利の誘導目標を年3.0%に引き下げ

2月9日　G7共同声明「世界経済に下方リスク」（東京）

▼世界はより不確実な環境に直面。7カ国の成長は減速

▼経済安定へ個別・共同で適切な行動

▼金融機関は金融商品の損失を認識し資本増強を

2月12日　官民で住宅の借り手救済策

▼米政府と金融六社、借り手救済策を発表

▼住宅ローンの支払いを90日以上延滞している借り手を対象に、住宅物件の差し押さえを最大30日間停止

2月13日　景気対策法が成立

3月11日　米欧5中銀、資金供給拡大

▼FRB、ECB、英、スイス、カナダ中銀が参加

▼FRBが最大2000億ドルを供給

▼プライマリー・ディーラーに対し住宅ローン担保証券（MBS）などと引き替えに国債を貸し出し

▼FRBからECB・スイス中銀へのドル資金供給枠拡大

3月14日　ベアー・スターンズ救済

▼ＪＰモルガン・チェースがニューヨーク連銀から公定歩合で資金を借り、ベアーに融資

3月16日　FRB、公定歩合0.25%下げ

▼FRB、プライマリー・ディーラー向け貸し出し創設。証券会社に住宅ローン担保証券などを担保に公定歩合で融資

▼FRB、ベアー・スターンズに最大300億ドルを緊急融資

▼JPモルガン・チェースがベアー買収を発表

3月18日　FRB、0.75%利下げ

▼FF金利の誘導目標を年2.25%に引き下げ

3月24日 ベアーの不良資産を分離

▼ニューヨーク連銀が290億ドル、JPモルガン・チェースが10億ドル出資し、受け皿会社を設立

▼ベアーの不良資産300億ドルを買い取り

3月31日　金融行政改革案を公表

▼FRBの権限拡大。証券会社などの監督を検討

▼証券取引委員会（SEC）と商品先物取引委員会（CFTC）の統合

▼貯蓄機関監督庁（OTS）を廃止し通貨監督庁（OCC）に吸収

▼住宅ローン不正監視へ委員会

▼州の保険監督に国も関与

▼大統領直属の作業部会の機能強化

4月11日　G7共同声明「金融安定へ協調行動」（ワシントン）

▼国際金融市場の混乱は想定より長引いている

▼中央銀行の協調を歓迎

4月30日　FRB、0.25%利下げ

▼FF金利の誘導目標を年2.0%に引き下げ

5月2日　米欧、資金供給を拡大

▼FRBからECB、スイス中銀へのドル資金融通枠を拡大

▼ FRB、入札方式の資金供給制度（TAF）の資金供給額拡大

▼ＦＲＢ、ターム証券貸出制度（TSLF）の受け入れ担保拡大。資産担保証券（ABS）も認める

7月7日　FRB と SEC、投資銀行監視を提唱

▼不正な資金洗浄の防止、証券の取り次ぎ、決済業務などが対象

▼経営、財務状態、資金繰りを監視

7月8日　FRB、投資銀行の破綻制度提唱

▼バーナンキ議長が講演で混乱回避へ破綻処理の法整備促す

▼受け皿銀行、FRB の支援策の検討表明

7月13日　住宅金融公社支援で財務省、FRB が緊急声明

▼資金繰り支援のため、財務省の融資枠を一時的に拡大

▼財務省が必要なら両社の株式を購入

▼ FRB はニューヨーク連銀に対し、公定歩合での融資権限を付与

7月21日　空売り規制を強化

▼住宅金融公社含む 19 金融機関株が対象

▼現物株を手当てしないまま売り切る手法を禁止

▼コックス米証券取引委員長「全銘柄に拡大」（7月24日表明）

7月30日　住宅公社支援法が成立

▼米住宅公社を支援

緊急融資と公的資金による資本注入の枠組みを整備。発動は財務長官に一任

▼米住宅公社の監督強化

経営の健全性を厳しく点検する新たな監督機関を設立

▼ 3000 億ドルの債務保証

米連邦住宅局（FHA）を通じ、低利の住宅ローンへの借り換えを促進

▼初めての住宅購入を支援

ローンの一部について税金を払い戻す優遇制度を創設

▼州への助成

差し押さえに直面した物件の買い取りや修繕に 40 億ドへの補助金を計上

9月7日　住宅公社を政府管理に

▼両社を一時政府管理下に置く
▼優先株の政府購入枠を設定。総枠は各公社1000億ドル
▼2010年以降、保有資産を圧縮。直近の3分の1に
▼経営者は退任
▼既存の普通株と優先株は無配
▼資金調達安定へ政府が融資。住宅ローン担保証券を政府が購入

9月14日　FRB、資金供給制度を拡充
▼プライマリー・ディーラー信用制度（PDCF）の担保拡大
米国債など投資適格債だけでなく株式も対象に公定歩合で資金供給
▼ターム証券貸出制度（TSLF）の担保拡大
資金供給枠を1750億ドルから2000億ドルに拡大
入札回数を増加。適格担保を拡大

9月15日　FRB、700億ドル供給
▼2回に分け、同時テロ直後に匹敵する大量供給
▼ECBも300億ユーロ供給
▼イングランド銀行も50億ポンド供給
▼日銀も16日に2兆5000億円供給

9月16日　AIG救済
▼FRBが最大850億ドル融資
融資期間は24カ月。AIGの全資産を担保に
（10月8日に378億ドルの追加融資）
▼政府はAIG株の79.9%の購入権を取得
▼政府は普通株、優先株への配当支払いに拒否権を保有

9月17日　空売り規制強化発表
▼18日から空売り規制の対象を全銘柄に拡大
▼売買約定後の決済日までに株式調達

9月18日　6中銀、ドル資金供給で協調
▼米国、日本、ユーロ圏、英国、スイス、カナダの中銀が協調
▼FRBと総額1800億ドルの通貨スワップ協定
▼自国市場でドル資金を供給

9月19日　金融安定化策を一部先行実施

▼空売り規制強化
799金融機関株が対象。空売りを全面禁止
▼MMFの保護
払い戻しを保証へ最大500億ドルの政府基金
▼住宅公社による住宅ローン担保証券の買い取り拡大
▼FRB、公定歩合貸出を拡大
▼不良資産買い取り表明

9月22日　G7緊急共同声明
▼主要7カ国財務相・中央銀行総裁が電話協議
▼米国による公的資金を使った不良資産買い取り措置を強く歓迎
▼流動性のある安定した市場に投資家を呼び戻すことの重要性を認識
▼財務省、中央銀行および規制当局の緊密な協力の継続を約束
▼個別にあるいは共同して国際金融システムの安定確保に必要なあらゆる措置をとる用意

9月24日　FRB、ドル供給協定を拡大
▼オーストラリア、スウェーデン、デンマーク、ノルウェーの中銀と通貨スワップ協定

9月28日　米政府・下院、金融安定化法案で大筋合意
▼最大7000億ドルで不良資産を買い取り
▼資産買取を利用する金融機関への税優遇停止。役員報酬制限
▼SECに時価会計停止を判断する権限

9月29日　10カ国中銀、ドル資金供給を拡大
▼FRBからドル資金を調達して自国に供給する額を2900億ドルから6200億ドルに拡大
▼FRB、3カ月物の入札式の資金供給制度（TAF）の供給額拡大

9月29日　米下院、金融安定化法案を否決

10月1日　米上院、金融安定化法案の修正案を可決

10月3日　米下院、金融安定化法案の修正案を可決・成立
▼不良資産買い取り制度（Troubled Asset Relief Program =TARP）創設
▼最大7000億ドル。まず2500億ドルを拠出。大統領判断で1000

億ドルを追加。残り 3500 億ドルは議会承認が必要
▼対象資産は 08 年 3 月 14 日までに組成されたローン、証券化商品など。財務省と FRB が対象を拡大可能
▼買い取り価格などを監視する委員会を設置。議会にも監督権限を持つ委員会設置
▼政府は損失回避へ金融機関の株式引受権を取得。5 年後に政府が損失を抱えている場合、追徴課税をする権限
▼対象金融機関の経営者報酬や退職金を制限
▼財務省は買い取った住宅ローンの返済条件を見直す
▼ MMF 支援へ 500 億ドルの基金創設
▼ FRB が準備預金に利子をつける
▼時価会計の一時停止
▼破綻時の預金保証上限額を 10 万ドルから 25 万ドルに引き上げ
▼ 10 年間で総額 1100 億ドルの個人・企業向け減税。中堅所得層の税優遇を延長。代替エネルギー促進へ税優遇策。研究・開発減税を延長

10 月 6 日　FRB、資金供給を拡大
▼ 1 、3 カ月物の入札式の資金供給制度（TAF）を増額
▼金融機関が預ける準備預金に金利付与

10 月 7 日　FRB、CP 購入へ新制度
▼ドル建て 3 カ月物 CP などを特別目的会社（SPC）を通じて購入
▼財務省がニューヨーク連銀に特別の預金
▼ 09 年 4 月末までの臨時措置

10 月 8 日　米欧六中銀が協調利下げ
▼米国、ユーロ圏、英国、カナダ、スウェーデン、スイスが 0.5% 利下げ。FRB、FF 金利の誘導目標を年 1.5%に引き下げ
▼中国、香港、アラブ首長国連邦（UAE）、クウェートも同日利下げ

10 月 8 日　米、資本注入実施を示唆
▼ポールソン財務長官「金融安定化法は資本注入の権限を財務省に与えた」

10 月 10 日　G7 が 5 つの行動計画（ワシントン）

▼７カ国（G7）財務相・中央銀行総裁会議が行動計画を発表
①重要な金融機関の破綻回避へ断固たる行動
②金融機関の流動性と調達資金を確保
③公的資金で資本増強
④預金保険制度を強化
⑤住宅ローン担保証券など証券化商品の流通市場を再開
▼マクロ経済政策上の手段活用。IMF の役割支持。金融システムを改革

10 月 14 日　米、金融危機対策を発表
▼最大 2500 億ドルの公的資金で資本注入。優先株を購入
▼年内に実施。まず大手 9 行に
▼金融機関の経営者に報酬制限
▼連邦預金保険公社（FDIC）は銀行間取引を保証する制度導入
▼中小企業が利用する決済用預金を 2009 年まで全額保護
▼ FRB は CP を購入

10 月 28 日　米財務省、資本注入を初めて実施
▼大手 9 行に総額 1250 億ドル

10 月 29 日 FRB、新興国支援を強化
▼韓国、ブラジル、メキシコ、シンガポールの中銀と協定
▼各国通貨と交換で総額 1200 億ドルのドル資金を供給
▼ IMF、3 カ月の短期融資制度を新設。出資額の 5 倍まで融資

10 月 29 日　FRB、0.5%利下げ
▼ FF 金利の誘導目標を年 1.0%に引き下げ
▼中国、ノルウェーも同日利下げ

11 月 10 日　AIG に追加支援
▼優先株取得で 400 億ドルを資本注入
▼ 525 億ドルの不良資産買い取り
ニューヨーク連銀が二つの受け皿会社を設立。住宅関連の証券化商品と金融派生商品の不良資産を移す。連銀が最大 525 億ドルを貸し出す
▼融資 600 億ドル
期間五年。金利は大幅軽減

11月11日　住宅ローンの借り手保護
▼月々の返済額を所得の38%以下に
住宅公社の住宅ローンが対象。金利引き下げ、返済期間延長、元金の支払い猶予
11月12日　不良資産買い取り見送り
▼ポールソン財務長官「最優先課題は資本増強」
▼資本注入の対象拡大
自動車、消費者ローンなどを提供するノンバンクに拡大
11月15日　金融サミット（ワシントン）
▼G20緊急首脳会合が首脳宣言
▼金融・経済安定化
あらゆる追加的措置を実施。金融政策の重要性認識。内需刺激の財政政策の活用。新興国や途上国の資金調達を支援。IMF・世銀の資金基盤の確保
▼金融市場改革の原則
規制当局間の国際連携強化。複雑な金融商品の開示拡大。格付け会社への強力な監督。IMFなどの改革推進
▼国際会計基準の見直し。信用デリバティブの透明性向上
▼成長を阻害する過剰規制回避。今後1年は貿易に対する新障壁を設けない
11月23日　シティグループ救済
▼公的資金で200億ドルを追加注入
▼不良資産3060億ドルについて政府が保証。巨額の損失が出た場合に政府は大半を負担
▼政府保証の手数料として優先株70億ドルを発行し、政府が引き受け
▼今後3年間は配当を抑制。役員報酬を制限
11月25日　FRB、最大8000億ドルの金融対策
▼住宅公社の債権を1000億ドル、住宅ローン担保証券を5000億ドル買い取り
▼自動車ローン、カードローン、小企業向けローンなどを裏付けにした資産担保証券（ABS）を担保に2000億ドル融資

12月16日　FRB、ゼロ金利・量的緩和を決定

▼FF金利の誘導目標を年0.0－0.25%に引き下げ

▼FF金利はしばらくの間、低水準に

▼FRBのバランスシートを高水準で維持

▼多額の政府機関債と住宅ローン担保証券を購入

▼長期国債の買い入れ検討

▼家計と中小企業の資金調達を支援

米国の金融危機対策（08年12月16日時点）

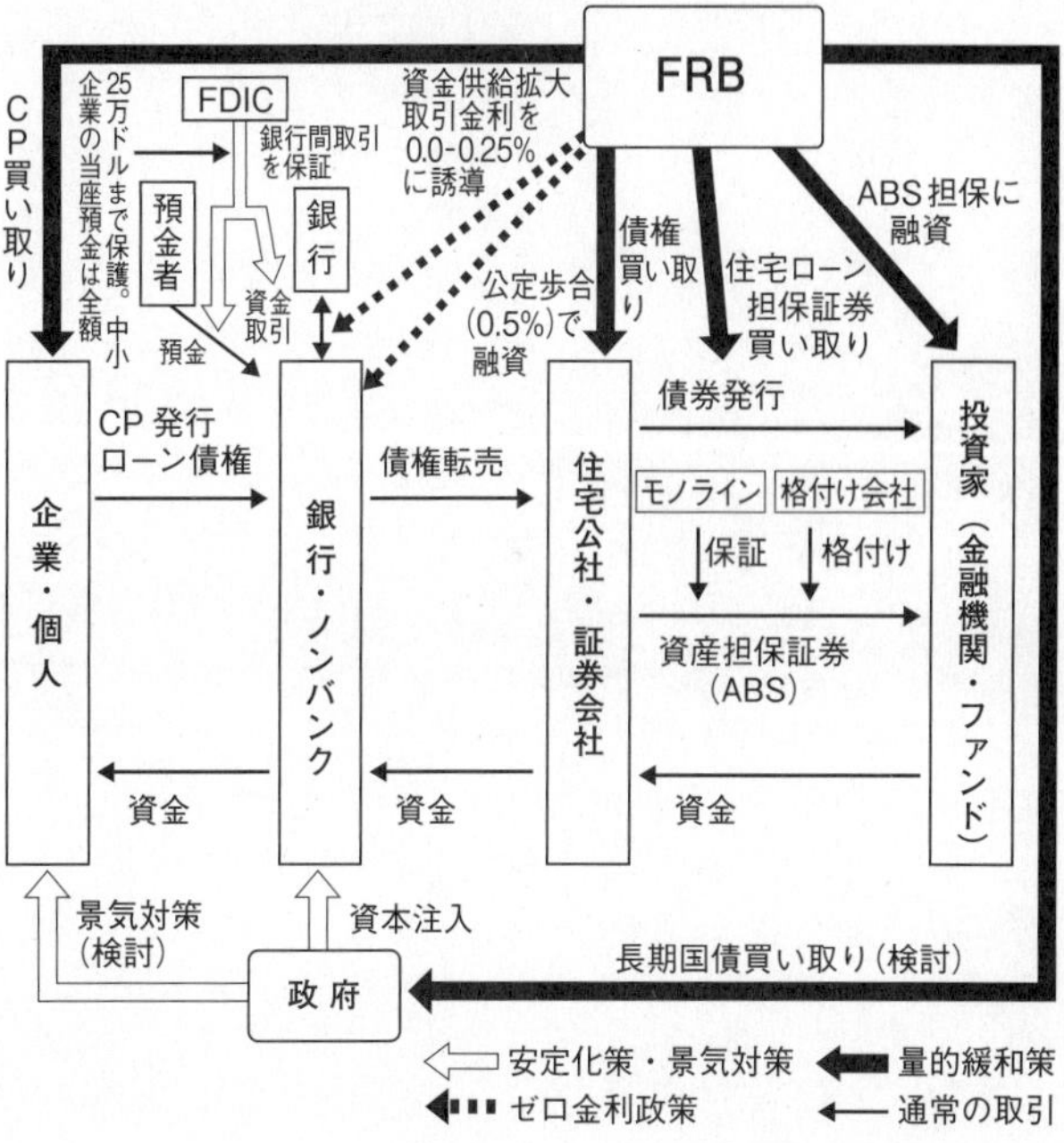

第4章

危機の源流
破綻の芽は随所に

「時代遅れの規制と甘いリスク管理」

二〇〇八年十一月十三日、金融サミットを控えブッシュ米大統領がニューヨークで講演。金融危機の原因について世界的な余剰マネー流入によって引き起こされた住宅バブルの崩壊に加え、監督体制の不備などで「金融機関が借り入れを増やし過ぎた」と述べた。

1 マエストロの誤算――超低金利政策の功罪

金融危機は突発的に起きたわけではない。低金利政策、規制緩和、金融技術の発達などが相互に関連し合って危機のマグマを膨らませた。経済を活性化させ、世界的な高成長を演出したが、行き過ぎを止めることは誰もできなかった。

「私は過ちを犯した」

米連邦準備理事会（FRB）議長を約十八年半にわたって務めたアラン・グリーンスパン氏。マエストロ（巨匠）と呼ばれ、歴代の米大統領が経済運営の頼みの綱とした男の輝かしい功績が、金融危機で色あせようとしている。

額のしわが一段と深く刻まれた。〇八年十月二十三日、米下院監視・政府改革委員会で開いた金融危機についての公聴会。金融危機を「百年に一度の津波」と指摘。「信用力の低い個人向け住宅融資（サブプライムローン）の証券化商品に内外の投資家から過剰な需要が集まったことが問題の核心」と釈明した。しかし議員の執拗な責任追及に、ついにかすれた声で絞り出した。「私は過ちを犯した」

市場との巧みな対話で世界経済を安定成長へと導き、数々の危機を乗り越えてきた「神話」に、最後になって傷がついた。問われたのは、証券化商品を活用したサブプライムローンの膨張を放置し、住宅バブルを生成したという「罪」だ。議員から「規制を求めなかった点において間違えたのではないか」と追及され、「金融機関の自己利益の追求が株主や株主資本を最大限守ることになると思いこんだ点で過ちを犯した」と認めた。さらに議員から「自由で競争的な市場を最善とするあなたの信条が正しくなかったのか」と詰問され、「その通りだ」と答えざるを得なかった。

公聴会では誤りを認めなかったが、金融危機回避やデフレ阻止のためグリーンスパン氏が指揮した歴史的な超低金利政策も住宅バブルを膨張させた要因の一つとして、今や批判の対象になりつつある。

同氏が恐れたデフレとバブル。金融政策の歴史的評価は分かれるのが常だが、「神話」と化したグリーンスパン氏の市場との対話も、やはりどこかで間違いを犯したのだろうか。「政府と中央銀行はブームの進路を大きく変えることはできない」

グリーンスパン氏はバブルについて、回想録『波乱の時代　特別版』で悟りともとれる心情を告白している。

金融緩和と金融危機のメカニズム

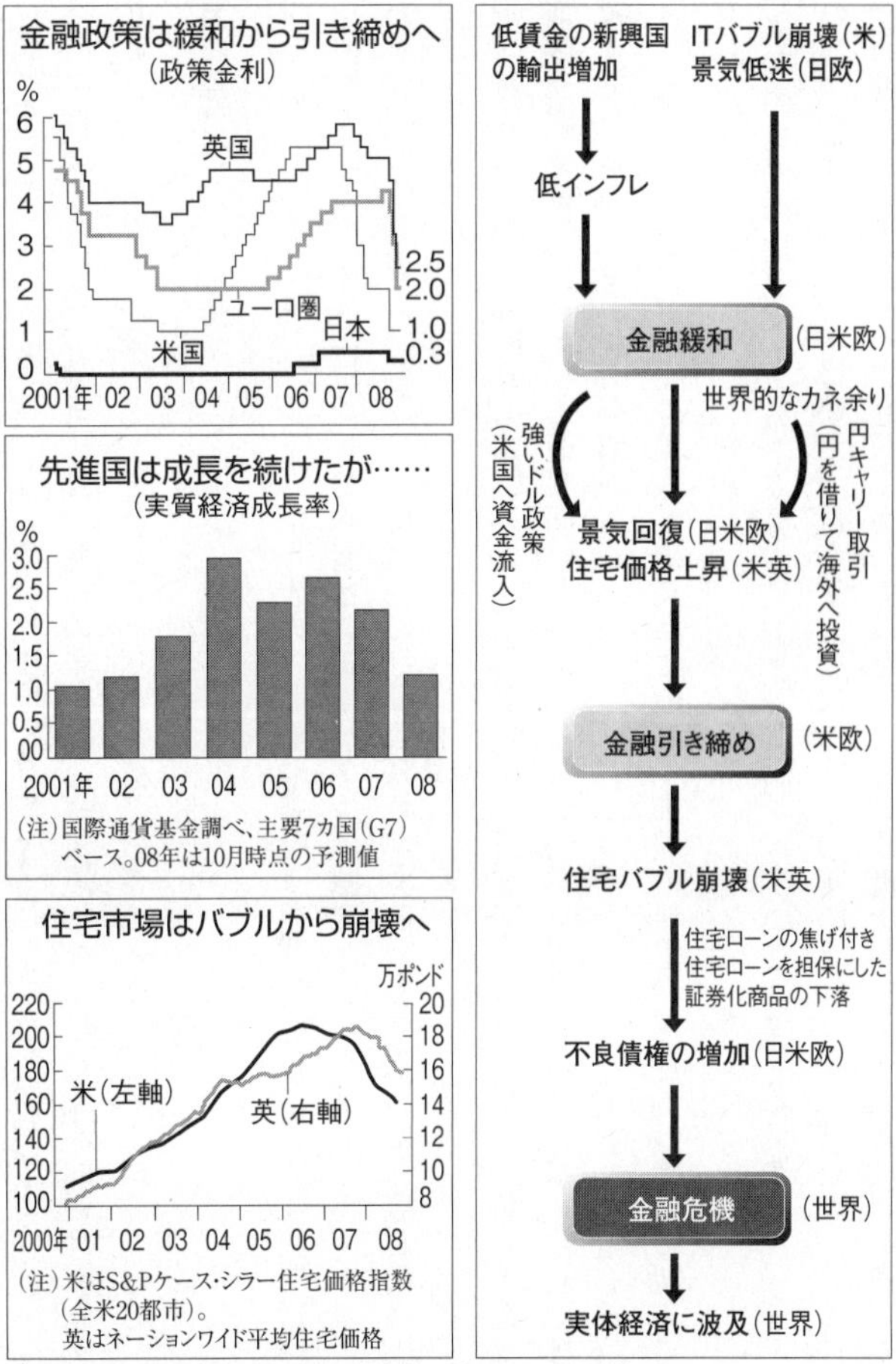

（出所）日本経済新聞2008年12月17日特集（その後の利下げは除く）

「陶酔感の芽を摘み取れるほどの景気後退を引き起こす意志があれば別だが……」

そう付け加える同氏の分析には、歴代の米政権と経済運営をめぐり政治的駆け引きを繰り広げてきたFRB議長としてのある種の達観を感じ取ることができる。

分岐点は二〇〇二年

グリーンスパン氏はバブルをもたらす人々の陶酔感を「人間の性格の根深い側面の表れ」と指摘。人間の奥深くに根差した本能と欲望にバブルの源流を探ろうともしている。

だが、金融政策運営で「過ち」に至るには分かれ目がある。振り返れば、それは〇二年だったかもしれない。

十一月六日、午前九時から開いた米連邦公開市場委員会（FOMC）。FRBスタッフや地区連銀総裁の意見をひと通り聞いた後、グリーンスパン議長（当時）は「それでは私の考えを申し上げる」と口を開いた。

長年続いた金融政策決定の儀式。議長はこの日、米国の住宅バブルへの懸念に初めて公式に言及している。

「米国の異例の住宅ブームが、将来にわたって無限に続くことはあり得ない」

バブルの芽に気づいてはいた。だが足元には二〇〇〇年のIT（情報技術）バブル崩壊に伴う世界的なデフレの影も忍び寄っていた。同日、政策金利を年一・七五％から〇・五％

引き下げ、年一・二五％にすることを最終的に提案した議長は「迷い」を口にしている。「過ちになるかもしれない。しかし動かないことで間違いを犯せば、かなり高い代償を払うことになる」

グリーンスパン氏はバブルの未然防止よりも、超低金利でデフレ回避を優先する政策判断をこの瞬間、下した。同氏自身がＦＯＭＣで「過ちになるかもしれない」と発言していたことは、住宅バブルの膨張と崩壊を予見した政策判断だったことを示す。

歴史的に重要な「分かれ目」となったこの日のＦＯＭＣには、もう一つ興味深い事実がある。利下げにややためらいを見せたグリーンスパン氏の前で、追加利下げに強力に論陣を張った人物がいた。当時、プリンストン大学の経済学部長からＦＲＢ理事に抜擢されたばかりのバーナンキ現ＦＲＢ議長である。

「ＦＯＭＣはかれこれ一年間も忍耐強さを示してきた」

〇二年十一月のＦＯＭＣで、バーナンキ氏は米経済にデフレの兆候が見られるにもかかわらず、ＦＲＢが利下げを見送ってきた経緯をやんわりと批判。需給ギャップの拡大など経済データを列挙し、大幅な利下げを主張した。

「大恐慌やデフレ研究の第一人者として名高いバーナンキ氏が加わったことで、ＦＲＢの政策決定の力学に微妙な変化が生じていたかもしれない」。〇二年当時、ＦＯＭＣに出席していた元ＦＲＢ幹部は、バーナンキ氏の下で「非伝統的な金融政策」の検討がＦＲＢ

内で進んだと述懐する。

「名目金利の誘導目標がゼロになっても中央銀行はバランスシート（貸借対照表）を膨らませることで、金融緩和を続けることができる」。バーナンキ氏が議長として実践した非伝統的な金融政策の研究が、すでに〇二─〇三年当時からFRBの利下げ余地を従来以上に広げていた可能性がある。

デフレとの戦いの後遺症

FRBは〇三年六月にも利下げに踏み切り、年一・〇％という超低金利を約一年にわたり続ける。欧州中央銀行（ECB）も同月、最重要の政策金利を年二・〇％と戦後最低の水準に引き下げた。

すでにゼロ金利となり、政策目標を日銀当座預金残高に移していた日銀は、同年三月の福井俊彦氏の総裁就任以降、量的緩和を大幅に強化した。日米欧の中央銀行は「デフレファイター」として足並みをそろえた。

ITバブルの崩壊で、世界経済は確かに同時不況の様相を呈していた。日米欧の積極的な金融緩和による政策協調で、景気が持ち直したのは確かだ。

だが、全米経済研究所（NBER）が後に公表した景気循環判断によると、米経済は〇一年十一月を「谷」にすでに景気拡大局面に入っていた。FRBが年一・〇％の超低金利に踏み込んだとき、米景気は一年半以上、回復を続けていたことになる。

デフレとの戦いは特に日欧で長期化した。ＥＣＢは利上げに転じるまでに約二年半、日銀は量的緩和の解除まで約五年の年月を費やした。

超低金利で世界にあふれたマネー。グリーンスパン氏は『波乱の時代　特別版』で超金融緩和を可能にした世界の構造変化を指摘している。

「冷戦の終結で世界のほぼすべての国で市場経済が採用された。（中略）五億人の労働者が市場経済に流入し、世界的にインフレ率が驚くほど低下した」

経済の市場化とグローバル化がインフレ懸念を後退させた結果、中央銀行は超金融緩和を続けることができたとの見立てだ。

ゼロ金利の円を借りて米国の金融商品に投資する「円キャリー（円借り）取引」が膨張。一方、米国から日本の株式や不動産への投資が急増した。ヘッジファンドや投資銀行を擁する米国は、いわば回転台となってリスクマネーを日本などに供給する役割を果たした。

日欧がデフレ懸念から曲がりなりにも脱出できたのは、住宅バブルで信用が膨張した米国を介して大量のリスクマネーが環流してきたからだという事実は否定できない。

ＥＣＢのトリシェ総裁は「過剰流動性が中期的なリスクになる」と警鐘を鳴らし続けたが、デフレ懸念の前に中央銀行は米住宅価格の上昇という副作用に目をつぶらざるを得なかった。

グリーンスパン氏が過ちの可能性を予見した〇二年以降、米住宅価格は約四割上昇した。同氏によると、金融危機の震源となった米国のサブプライムローンの貸出残高は、〇二年から〇五年にかけて約三倍に膨らんだ。

〇七年のバブル崩壊後、米住宅価格は〇五年後半の水準まで戻したにすぎない。グリーンスパン氏からバトンを受け取ったバーナンキFRB議長は自説の証明に取り組むかのように、米国として史上初のゼロ金利政策に踏み切り、住宅ローン担保証券（MBS）のほか、自動車ローンなどから組成した資産担保証券（ABS）をFRBが直接買い入れて、市場に流動性を供給する方針を打ち出した。

それでも住宅価格に底入れの兆しは見えず、ローン返済が困難になった借り手の自宅差し押さえで、中古住宅の在庫の積み上がりが目立つ。信用収縮の猛威は米経済を根底から揺さぶり続けている。

グリーンスパン氏が〇二年に比較考量したデフレとバブル。どちらの代償が大きかったのかはまだ定かではない。

2 規制緩和が裏目に

規制の網から漏れる新商品

「金融機関の取締役会だけでなく、規制当局、議会、弁護士、機関投資家――みんなが間違えた結果です」（ウィリアム・ドナルドソン氏）

「（経営から）独立した会長職、取締役を推薦できる株主権が必要だった。簿外会社の連結算入を義務づけるように米財務会計基準審議会（ＦＡＳＢ）にお願いしていたのだが――」（リチャード・ブリーデン氏）

登記コストが安く米国中の企業が登記することで知られる会社法の町、米東海岸デラウェア州ウィルミントン市。投資家団体の国際企業統治ネットワーク（ＩＣＧＮ）が二〇〇八年十二月に開催したセミナーで、二人の米証券取引委員会（ＳＥＣ）元委員長が、金融危機を防ぎきれなかった米政府の不手際を嘆いた。なかでもドナルドソン元委員長は、金融派生商品（デリバティブ）など急速に発達した新しい金融商品に「米政府が対応しきれなかった」と述べ、ブッシュ政権が推進してきた規制緩和路線の弊害を強調した。

公的資金を受け入れた保険大手アメリカン・インターナショナル・グループ（ＡＩＧ）、銀行大手シティグループ、破綻した証券大手リーマン・ブラザーズ、身売りを迫られた同メリルリンチにベアー・スターンズ。経営危機に陥った原因で共通するのが、証券化商品や企業などの信用リスクを売買するクレジット・デフォルト・スワップ（ＣＤＳ）など新しい金融商品の在庫を過重に抱えたことだ。

こうした新しい商品はＳＥＣや米先物取引委員会（ＣＦＴＣ）の管轄外。新商品の開発が続いた一方で、グラス・

キーワード

CDS

クレジット・デフォルト・スワップの略。企業の倒産などによる貸し倒れリスクの回避を目的とした金融派生商品（デリバティブ）の一種。主に保険会社や証券会社が発行し、金融機関や機関投資家に販売してきた。

銀行や投資家はあらかじめ保証料を払っておけば、融資先企業が債務不履行（デフォルト）に陥っても損失相当額を補填してもらえる。倒産リスクが高ければ保証料も高くなるため、投機的な商品としても取引が拡大し、市場が急速に成長していた。景気悪化に伴い債務不履行が増え、CDSを乱発してきた金融機関の経営危機問題に発展した。

スティーガル法の撤廃など一九九〇年代から続いた規制緩和が追い風となり、銀行は証券の引き受け販売が、証券会社はローンが容易になった。長期間にわたる低金利に加えて金融機関がリスクを取りやすくなったのは規制緩和の恩恵とも言える。企業の資金調達コストが下がり、融資を受けにくかった個人も住宅取得が可能になった。

ＡＩＧが巨額損失を出す原因となった保証業務は、ＡＩＧの高格付けを利用して、証券化商品の元利払いを投資家に約束するビジネス。ＣＤＳを用い、保証残高は四千億ドルを超えていたが、六十兆ドル規模とされるＣＤＳを担当する省庁はない。

保険会社の財務監督局は州政府単位で、国内外で事業を展開するＡＩＧの経営やリスク管理を一元的に日々ウォッチする組織が米国には存在しなかった。ＡＩＧはワシントンへのロビイングに強く、米政府が本格的にＣＤＳを監督することに反対していた。

「私だったらコックス委員長の首をすげ替える」。大統領選が白熱していた〇八年十月、マケイン大統領候補がＳＥＣのクリストファー・コックス委員長を批判した。コックス委員長は元議員で共和党員。共和党の大統領候補が選挙中に同僚を批判するのは異例のことだ。

ただでさえ、コックス委員長は、〇八年三月にベアー・スターンズが破綻の危機に陥ったときには誕生日パーティーに出席するなどして、大切な会議に相次いで欠席。「市場の守護者」として落第点を付けられていた。だが、マケイン候補が怒っていた本当の理由は、コックス委員長が規制緩和をうたうあまりにサブプライムローン問題を見過ごした点にある。

批判浴びる格付け会社

規制の枠外にあったのは、CDSなどハイテク金融商品だけではない。格付け会社など業界全体が抜け落ちていた例もあった。

米下院の監視・政府改革委員会は十月二十二日、金融危機における格付けの役割に関する公聴会を開催した。証人として登場したムーディーズ・インベスターズ・サービスやスタンダード・アンド・プアーズ（S&P）など格付け会社トップに対して「（格付け手数料を得るという）商業目的が格付け業務に優先したのでは」と批判が集中した。

今回の金融危機は、住宅ローンなどを担保にした債務担保証券（CDO）などの証券化商品の価格急落が引き金を引いた。こうした商品にムーディーズ、S&Pなどの大手格付け会社がトリプルAの高格付けを与えていた。

公聴会に提出された資料では、格付け付与を目的に発行体に甘めの格付けを付与するように示唆した格付け会社幹部のeメールもあった。日本事業の責任者によるeメールも提出されており、格付けの「引き受け競争」が世界的に展開されていた事実も明らかになった。

「ちゃんとした実績をあげていなかったのは事実。何とかしないといけませんね」。オバマ新大統領の参謀を務める、ポール・ボルカー元FRB議長も同じ問題意識。今回の金融危機における格付け会社の役割を批判する。ボルカー元議長を長とする政策委員会「G30」は、金融監督体制の刷新を求める報告書を検討している。その中には格付け会社に対する監督強化が含まれるという。

一方で、証券化ビジネスは格付け会社の収益源だ。発行一回当たりの格付け代は十万－二十万ドル、CDOなどでは三十万ドルを超えるという。米格付け会社は単純な利ざやが薄い事業会社向けでなく証券化部門をこの十年間強化し、証券化部門が出世コースだった。ムーディーズではデータの誤りを修正しないまま、証券化商品に高格付けを与え続けた例が明らかになったが、これは「商売」を優先したためだ。

「過去に米政府が格付け会社の監督を強化しようとしたところ、格付け会社は『言論の自由』を主張して、監督反対のロビイングを米議会で展開した」とハービー・ゴールドシュミット元SEC委員は格付け会社を批判する。

格付け会社は発行体や証券化商品を組成する投資銀行に格付け付与者として選ばれない限り、報酬を得ることができなかったため、安易に格付けを与える傾向があったとされる。このため、発行体がなるべく高い格付けを与えてくれる格付け会社を選ぶ「レーティング・ショッピング」という業界慣行があった。ウォール街にとっても証券化ビジネスは金の成る木で、格付け会社を支持した。

批判を受けて、SECは十二月にようやく重い腰を上げて、証券化商品の格付けの透明性を高めるために格付け会社の報酬体系を抜本的に見直す方針を固めた。

各国政府は格付け会社を包括的に監視する国際機関の設立を検討している。米国としてはそれに先駆けて国内ルールを整備する。ムーディーズやS&Pは証券化商品に関連した格付けビジネスで業績を伸ばしてきた経緯があり、今後は新たな収益源の模索を迫られる。

総合金融化路線の盲点

〇八年六月十三日、米大手銀JPモルガン(現JPモルガン・チェース)会長兼最高経営責任者(CEO)だったデニス・ウェザーストーン氏ががんにより亡くなった。七十七歳だった。融資から証券取引までさまざまな金融業務を展開したウェザーストーン氏はその革新的経営で知られる。米国で八〇年代から九〇年代にかけて、それまで商業銀行に禁止されていた株式引き受けなど証券業務が解禁されたのはウェザーストーン氏のおかげだ。

そもそも、米国では大恐慌時代の反省から、一九三〇年代から銀行と証券の垣根を定めたグラス・スティーガル法が制定されていた。だが、ウェザーストーン氏による米政府への働きかけにより、それまで禁止されていた銀行グループによる証券引き受けが六十年ぶりに復活し、その後九九年にグラス・スティーガル法が見直される先駆け役を果たした。

証券引き受け、市場取引、融資など幅広い金融業務を提供する「ワンストップ・ショップ型」は、大手銀シティコープと大手証券ソロモン・スミス・バーニーを傘下に抱えるトラベラーズ・グループの合併による九八年のシティグループの誕生で、ウォール街の定番ビジネスとなった。

ウェザーストーン氏が推進した規制緩和路線は、金融機関の収益拡大や資本市場の拡大につながった半面、サブプライムローン問題の端緒になった野放図な不動産の証券化など高リスク事業も産んだ。

金融機関が債権者、引き受け、自己投資とさまざまな顔を持ち始めたことで、金融機関と顧客である投資家や企業との間で「利益相反関係」が生まれたのも事実だ。

「驚きました。各当局が『金融危機を解決する監督権がない』と告白するのです」

〇一年から〇三年までSEC委員長を務め、現在コンサルティング会社を経営するハーベイ・ピット氏はため息をつく。「銀行と証券の垣根を定めたグラス・スティーガル法がなくなり、金融の自由化が進みました。だが行政組織の垣根が残って、規制の網が行き届かなかった」。

米国の規制緩和路線は、金融機関の収益拡大や資本市場の拡大が当初目的だった。例えば、メリルリンチやリーマンなどは証券会社なのに住宅ローン会社も経営しており、グループで融資したローンを証券化するという「川上」から投資家への販売という「川下」までを一貫して手掛けた。

だが、一連の規制緩和に対して、規制当局が金融機関のリスク管理を監督していなかった結果、借り入れが膨らみ、融資基準が緩くなった。SECでは証券会社のリスク管理の監督部門を事実上廃止している。

ピット元SEC委員長は、金融監督は現在のような業態ごとの縦割りでなく集約するべきだとみる。金融システムを監督する当局と業者を監視する当局の二つでいい。前者はFRBが担い、後者はSECとCFTCを統合させ、証券、保険、銀行などあらゆる業者を一元監督させる。現在、州政府が担当している保険監督局は後者に吸収させるのだという。

サブプライムローン問題への反省から、オバマ新政権は金融・市場監督を一元化する方向。デリバティブなど新商品やヘッジファンドなどの新しい投資家にも目を光らせる。〇九年はSECとCFTCの統合など、米監督官庁の合従連衡が視野に入る見通しだ。

3 サブプライムローン問題

焦げ付きを誘発する仕組み

金融危機の端緒は米住宅市場のバブル崩壊。その中心は「サブプライムローン」と呼ばれる信用力の低い個人向け住宅融資だ。

信用力が高い個人向けに優遇金利を適用する「プライムローン」よりも、信用力が低いという意味を示す。審査基準が甘いかわりに、金利水準は高い。

サブプライムローンは一九八〇年代に登場したとされるが、残高が急増に転じたのは二〇〇〇年以降だ。IT（情報技術）バブルの崩壊で企業の借り入れ意欲が大幅に後退、その際に「金融機関が新たな収益源として個人向けの住宅ローンに注力した」（野村資本市場研究所の関雄太氏）ことが残高の増加につながった。

この時期、ITバブル後の景気悪化を受けた金利低下も手伝って住宅価格は急騰を続けた。担保となる住宅価格が上昇している限りは、借り手の信用力を厳しく問わなくても返済が滞ることはないため、サブプライムローンのリスクの高さが意識されにくかった。

証券化技術が広がったことも無視できない。住宅ローン会社は融資手数料を稼いだ後、ローン債権をすぐさま他の投資家などに転売できるようになった。このため借り手の返済能力を顧みない風潮が一段と強まった。米報道によると一部のローン会社ではオフィスにハサミやノリが転がり、書類を改竄して本来はサブプライムローンすら適格でないような顧客にも積極的に資金を貸し出していたという。

こうした「貸し倒れリスク軽視」の姿勢は、サブプライムローンの商品設計にも表れている。当初は金利が極めて低く、二、三年後に市場実勢に合わせて金利が大幅に上昇するなど焦げ付きを誘発するような仕組みになっている場合も多い。

当初数年間は返済額が金利相当分だけに限られ、元本がそのまま残る「インタレスト・オンリー」。さらには当初は返済額が金利相当分にも満たず、その分だけ融資元本がむしろ増加する「ネガティブ・アモチゼーション」と呼ばれるタイプまで登場した。「無収入(No Income)、無職(No Job)でも融資に応じるケースもあったため、業界内ではサブプライムローンを『Ninja ローン』と呼ぶこともあった」(著名投資家ジョージ・ソロス氏)。

この結果、サブプライムローンは約一兆数千億ドルと、米住宅ローンの一割強を占める規模にまで拡大。中程度の信用力を対象にする「オルトA」と呼ばれる住宅ローンも一兆ドルを超えた。だが、ほとんど無審査でローンをばらまいた副作用はすぐにやってきた。

住宅バブルの膨張を受けて、〇四年からFRBは金融引き締めに転換。この結果、〇六年夏に米住宅価格が下げに転じると、サブプライムローンの焦げ付きが急増した。市場金利の上昇に連動して返済する金利負担が急増する一方で、住宅の担保価値が減少したためだ。

変動金利型のサブプライムローンの延滞率は、〇六年十—十二月に一〇％の大台を突破し、金融危機が起きた〇八年七—九月には一八％にまで上昇した。ローンの支払いに行き詰まった世帯が住宅を手放し、中古住宅として市場に放出され、さらに需給が悪化するという悪循環から米住宅市場は抜け出せなくなった。

悪影響は金融業界を直撃した。〇六年十二月末に中堅住宅ローンのオウニット・モーゲージ・ソリューションズが連邦破産法の適用を申請。〇七年四月には、米住宅ローン二位のニュー・センチュリー・ファイナンシャルも破綻した。サブプライム事業の縮小や停止を余儀なくされた金融機関は、〇七年十二月時点で約二百社にのぼった。

砂上の楼閣の「リスク分散」

サブプライムローンが住宅ローン担保証券（RMBS）や、RMBSをさらに複数束ねた「債務担保証券（CDO）」などの証券化商品に組み込まれて世界中の金融機関やヘッジファンドに販売されていたことが事態を一層悪化させた。

特に損失率が高かったのがCDOだ。CDOはサブプライムローンを裏付けとした低格付けのRMBSを材料とする場合でも、原資産のローンが実行された地域が多岐にわたり、「リスク分散」が効いているなどの理由から比較的高い格付けを得ていた。元利払いの優先度が高い部分はトリプルA格を上回る信用力があるとされた。利回りも比較的高く、低金利による運用難に陥っていた金融機関の多くが飛びついた。

だが、最先端の金融技術で支えられていたはずの「リスク分散」は、砂上の楼閣だった。住宅バブルの崩壊が全米に広がるなか、そもそも信用力の低いサブプライムローンを裏付けとしている以上、資産内容の劣化は免れなかった。

〇七年前半からサブプライム関連のCDO価格が急落。七月には同CDOなどに投資していた米証券大手ベアー・スターンズ傘下のヘッジファンドが破綻した。相前後して独IKB産業銀行の経営危機も表面化し、八月には仏BNPパリバが傘下ファンドの解約を凍結すると発表。リスク分散が目的の証券化技術だったが、かえってリスクの所在が不透明になる結果を招き、金融不安は世界に飛び火した。このころにはCDOの市場取引は凍り付き、一部ではほとんど無価値でしか買い注文が入らなくなっていた。

この余波で浮上したのが「モノライン」と呼ばれる金融保証会社の経営問題だ。モノラインは、証券の債務不履行（デフォルト）が生じた場合に元利払いを肩代わりするのが主な業務。大手金融機関は保有するCDOなどのデフォルトに対して、モノラインの保証を利用していた。

モノラインは自身が最上級の「トリプルA」など高い格付けを取得しており、この信用力をバックに保証業務を手掛けてきた。だが、大規模な金融商品の値下がりを受けて、モノライン各社の業績は大幅に低迷。財務悪化から格下げが相次ぎ、保証先の金融商品にも格下げが波及した。モノライン各社は資本増強などを試みたが、ほとんどは失敗に終わり、一部の業者は破綻した。

この結果、CDOなど証券化商品の価格下落が加速し、金融機関の損失はさらに膨張。伝統的にモノラインの保証を利用することが多かった地方債市場でも価格下落や新規発行が難しくなるなど、住宅ローンとは関連のない分野にも混乱が広がった。

CDOなどの価格急落を受けて、大手金融機関が簿外で運営していたストラクチャード・インベストメント・ビークル（SIV）と呼ばれる特殊な運用会社も相次いで破綻した。SIVは資産担保コマーシャルペーパー（ABCP）を発行して、サブプライム関連のCDOなどに投資する。〇七年九月末時点で運用資産は約三千二百億ドルにのぼった。だが、CDOの急落を受けてABCPの発行が困難になり、債務不履行に陥るケースが続出した。

こうした事態を受け、米銀大手シティグループや仏ソシエテ・ジェネラル、英スタンダード・チャータードなどが傘下のSIVへの資金支援を余儀なくされた。米会計基準ではS

IVは通常、連結決算の対象ではないが、多額の資金を供給すると連結対象に含める必要が生じる。損失を抱えたSIVの業績を連結すると、金融機関の財務悪化に直結する。SIVはそれまで一般にはほとんど知られていない存在。投資家にとっては「寝耳に水」の悪いニュースといえ、サブプライムローン問題は金融業界の会計制度の不透明ささえも浮き彫りにした。

不透明さが生み出す連鎖破綻

サブプライムローン関連から始まった証券化商品の下落は、〇八年に入ると信用力の高いプライムローンや商業用不動産の分野にも拡大。買収ファンド向けローン債権や低格付け社債の値下がりも加速した。三月には米証券大手ベアー・スターンズが資金繰りに行き詰まり、FRBの仲介でJPモルガン・チェースに救済合併された。

七月には住宅公社の経営危機が表面化し、九月には米政府が公社を公的管理下に置くと発表した。そして、その数日後には米証券大手リーマン・ブラザーズが破綻。金融危機が世界中を覆い、主要国は金融機関への公的資金注入など異例の対応を迫られた。

この過程で浮かび上がったのがデリバティブ（金融派生商品）取引の不透明さ。特に注目されているのがクレジット・デフォルト・スワップ（CDS）で、企業の倒産リスクをやり取りする一種の「保険」契約だ。CDSの想定元本は〇七年末で約六十兆ドルにも上る。

しかも、ＣＤＳは市場を通さない相対取引が普通で実体が見えにくい。ベアーの救済買収をＦＲＢがお膳立てしたのは、「（ＣＤＳ取引に参加する）大手金融機関が破綻すれば、世界規模の連鎖破綻が起きかねない」（著名投資家のウォーレン・バフェット氏）との懸念が払拭できなかったためだ。

九月にリーマンが破産法を申請する際は、同社が関与するＣＤＳ取引については当局が主導して直前の週末に清算商いを実施した。週末にデリバティブの取引をするのは極めて異例だが、当局サイドは連鎖破綻のリスクを抑えるためには不可欠と判断した。

CDSの仕組み

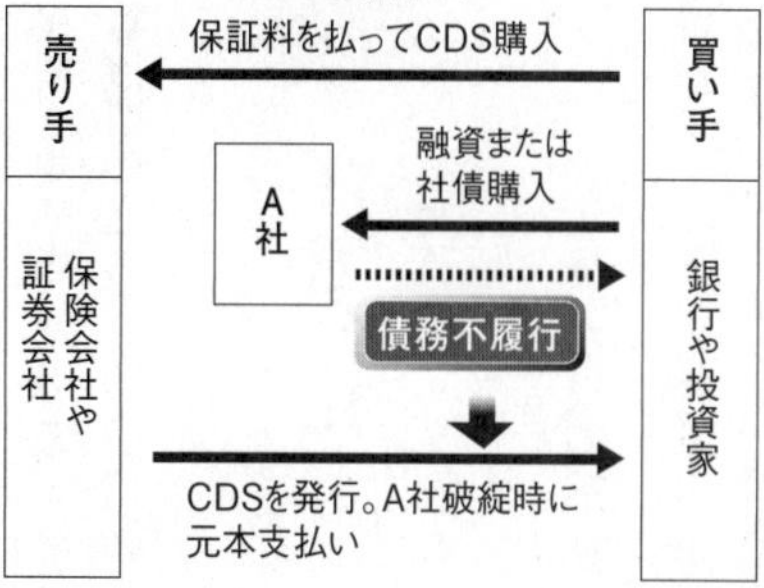

一方、リーマンの破綻後に実施された同社の社債などを対象としたＣＤＳの清算では、業界全体での損失が「六十億—八十億ドル」（国際スワップ・デリバティブズ協会）にとどまった。このＣＤＳの想定元本は約四千億ドルにのぼると見られ、一部には「清算に伴って数十兆円規模の損失が発生しかねない」との観測も浮上していた。ヘッジ（損失回避）目的などでＣＤＳの売りと買いを両建てで持つ投資家が多く、想定元本が実体以上に膨らんでいるのが現実だった。

いずれにせよ、サブプライムローン問題を通して、ここ数年で急速に進化した金融技術を民間も規制当局もとらえきれなくなっている現状が浮き彫りになった。今後はＣＤＳの清算機関の立ち上げなど、時代に即した金融インフラ・規制の議論が焦点となる。

4 住宅公社——半官半民で肥大化、バズーカ砲で救済

グリーンスパン前議長の警鐘

首都ワシントンＤＣから車で三十分も走れば、バージニア州にある米連邦住宅貸付抵当公社（フレディマック）の本社に着く。春には桜の大木が訪問客を出迎える閑静な場所だ。二〇〇八年四月。満開の桜の下で会ったフレディマックの幹部は「この周辺の住宅も我々の恩恵を受けているはずです」と自信たっぷりに語った。バージニアのワシントン寄りの地域は車で簡単に往復できる高級住宅地として急成長してきた。幹部が自負するように、フレディマックは米連邦住宅抵当公社（ファニーメイ）とともに政府系機関として持ち家を促す政策の中心に居続けた。

ファニーメイは一九三八年に発足し、六八年に民営化された。七〇年にはファニーメイを補完する兄弟会社としてフレディマックが誕生。ともに上場企業だが、政府の監督下にある特異な形態をとり「政府支援企業」とも呼ばれてきた。日本の政府系金融機関だった住宅金融公庫が株式公開した姿に近い。

公社が資金調達のために発行する「エージェンシー債」と呼ばれる債券は「暗黙の政府保証」があるとみなされ、最上級の格付けを長く保ってきた。日本を含む主要国の政府や金融機関がエージェンシー債の保有を増やしてきたのも、公社の経営を評価してきたというより、米政府の信用力を裏付けにした安全な投資先とみてきたためだ。

米国特有の経緯で業務を拡大してきたファニーメイとフレディマックは、住宅の保有者に直接貸し出す金融機関ではない。民間のローン会社などが融資した住宅ローン債権をまとめて保証したり買い取ったりすることで、貸し倒れのリスクを減らし、末端の住宅ローン金利の負担を少なくしてきた。金融工学の進化という追い風も受け、債権の保証や買い取り、転売を通じて証券化の技術が発展し、米国は日本よりも厚みのある金融市場をつくってきた。

一方で半官半民のあいまいな位置づけのまま、肥大化する姿を危ぶむ声は早くから上がっていた。グリーンスパンFRB前議長は、ファニーメイとフレディマックが抱える巨大な住宅ローン関連の資産について、リスク管理が難しいなどとたびたび警鐘を鳴らした。

ポールソン財務長官も〇六年の就任当初から資産の圧縮を義務づける制度づくりを呼び掛けてきた。

しかし、ルールの決定権を握る政治はなかなか動こうとしなかった。住宅バブルが崩壊し、〇八年に入って貸し渋りに直面する借り手が増えると、公社の縮小論よりも、借り手の支援策の先兵としての役割に期待が集中。民主党のドッド上院議員、フランク下院議員をはじめとする「金融族」とされる政治家は、保証の拡大など機能の強化を訴えた。

見え始めた限界

政治家の期待とは裏腹に、民間の窮状のツケを公社に回す手法は限界に近づいていた。桜が散り、若葉がつき、夏の緑が濃くなった七月初め、ファニーメイとフレディマックは激震に見舞われた。保有する住宅ローン債権の焦げ付き増加による経営不安が広がり、株価が連日急落した。前日比の下落幅が一時、五割を超す日もあった。春には「また気軽に話をしましょう」と笑顔を見せていた幹部も口数が少なくなった。

危機感を強めたポールソン財務長官は七月十一日、緊急の声明を発表し「我々の第一の目的はファニーメイとフレディマックを現行の形態で支援することにある」と強調。同時に公的資金による資本注入や緊急融資の枠組みを盛り込んだ法律の制定を急ぐ考えを表明した。公的資金を無制限に活用できる枠組みを打ち出すことによって、政府は暗黙の政府保証を公式に認めるところまで追い込まれた。

政府の焦りにもかかわらず、議会の審議は難航した。政府に白紙委任とも言える巨大な権限を与えることへの抵抗感に加えて、これまで公社の経営は健全だとして機能の拡充を訴えてきた自らの主張の根拠が崩れるためだ。議会の姿勢を何とか和らげようとポールソン長官は、公社への資本注入と緊急融資について「バズーカ砲を持っていれば、めったなことで取り出すことはない」との表現で理解を求めた。公的資金の発動はピストルのような扱いが比較的易しい武器ではなく、あくまで非常時の備えであると訴えた。

さらに長官は具体的な数字を挙げ、支援策が必要な事情を説いた。七月下旬の講演で、二つの公社が発行する債券や住宅ローン担保証券が総額で五兆ドルに上り、このうち一兆五千億ドル超を海外の中央銀行や金融機関が保有していることを打ち明けた。公社は「すべての世界の金融機関と最も密接に結びついている」とも強調。支援策をとらなければ債務不履行など不測の事態の影響は世界中に及ぶとの危機感を前面に打ち出し、議会の素早い行動を促した。

結局、七月二十六日の土曜日に異例の上院本会議を開く展開までもつれ込み、ブッシュ大統領の署名を経て土壇場で法制化にこぎ着けた。政府も民主党の議員の賛成を得るため、当初は効果を疑問視していた総額三千億ドルの住宅ローンに関する債務保証の制度を受け入れるなど一定の譲歩を強いられた。市場原理を信奉し、公的資金の活用にはずっと後ろ向きだったブッシュ政権の経済政策は完全に変質した。

「魔物」を国有化

八月下旬。世界の主要金融機関で構成する国際金融協会(IIF)のチャールズ・ダラーラ専務理事にファニーメイとフレディマックへの対応を聞くと「世界の金融市場の急所になっており、政府による資本注入は必要だ。実施するなら早いほうが望ましい」と即答した。ダラーラ氏は民間の金融界に太い人脈を持つだけでなく、元財務次官補としてワシントンの政策通でもある。「国有化するなら一時的であるべきで、経営改革を終えた後に民営化するのが適当だ」と将来像も描いた。

政府が一時国有化に向けて決断するタイミングは迫っていた。九月七日の日曜日、ポールソン長官は公社の支援策を発表し「両者が破綻すれば、世界の金融市場が大混乱に陥る恐れがある」と明確に認めた。同時に政府は二社に合計で二千億ドルに上る優先株の購入枠を設定し、段階的に資本注入する方針を決定。経営陣の刷新や株主に一定の責任を求める措置も打ち出した。平時なら取り出さずに済んだはずの「バズーカ砲」(ポールソン長官)は、用意してわずか一カ月あまりで実射に追い込まれた。

住宅公社を政府の管理下に置く救済策が決まった直後に、米調査会社グローバル・インサイトのエコノミスト、ブライアン・ベシューン氏は「これから家を購入する人には良いニュースだ」と及第点を与えた。公社に対する暗黙の政府保証が暗黙ではなくなり、国の信用を受け公社の資金調達のコスト低下が見込まれることを理由に挙げた。ひいては公社が保証などを手掛ける住宅ローンの金利低下も期待できると評価した。

ベシューン氏の予想通り、ＦＲＢの利下げ路線もあって住宅ローン金利は低下した。しかし、肝心の住宅市場の底入れは遠かった。在庫は膨らんだままで、〇八年末の段階でも最悪期を抜け出せていない。ローンの焦げ付きが後をたたず、返済に行き詰まって回収業者に差し押さえられる物件が新たな在庫の積み上げに結びつくためだ。

住宅ローンの貸し出しと返済のサイクルが滞ると、ローン債権を裏付けとした業務を展開するファニーメイやフレディマックの経営再建はおぼつかない。ＦＲＢは十一月下旬、住宅ローン担保証券（ＭＢＳ）と呼ばれる証券化商品を新たに買い入れる政策を決定。買い手が乏しいＭＢＳ市場をＦＲＢの資金力でテコ入れしようとした。その先には、ファニーメイ、フレディマックの損失の増大を食い止めようとする狙いがある。

市場の評価は厳しい。米財務省がまとめた十月の対米証券投資によると、海外の民間投資家は政府系の住宅公社などが発行するエージェンシー債については三百三十五億ドルの大幅な売り越しを記録した。社債（百三十八億ドル）、株式（六十億ドル）の売り越しの規模を大きく上回り、政府やＦＲＢの支援を受けても投資家の離散に歯止めがかかっていないことをはっきりと示した。

家を持つ夢をかなえる装置としての公社は、資産の規模を膨らませながら金融危機を引き起こしかねない魔物に変わった。経営が傾いた公社の影響力を徐々に落としつつ、金融システムを安定させる軟着陸の道はなかなか見えてこない。政府とＦＲＢは今後も公社の制御に苦労しそうだ。

第5章

株急落　逃げ惑うマネー

「誰もが恐れているときこそ貪欲であれ」

米著名投資家で世界一の富豪ウォーレン・バフェット氏は二〇〇八年十月、米紙への寄稿で「米国の将来を買う」と宣言。大企業の収益力は強く、今が絶好の投資機会だとして、ゼネラル・エレクトリック（GE）などへの出資を決めた。

1

株急落　世界の時価総額二十九兆ドル消滅

二〇〇八年、世界の株式時価総額は二十九兆ドル吹き飛び、わずか一年で半減した。〝消滅〟分は世界の名目国内総生産（GDP）のざっと半分に当たる。金融機関やヘッジファンド、米国の家計が過剰な借金に頼って膨らませてきた金融バブルが崩壊。「脱レバレッジ」の動きが加速し、株式や不動産、商品市場から資金が一気に逃げ出した。荒れ狂うマネーに世界中が翻弄された。

世界中の株価が暴落した十月。「二十七年間の運用で経験したこともない急激で、深い下落だ」。インベスコ投信投資顧問の川上敦取締役はうめいた。

米ダウ工業株三十種平均など米欧の株価指数は年初から軒並み三―四割下落。中国やロシアなど新興国株の多くは高値の三分の一以下に落ち込んだ。日経平均株価は二十七日、〇三年につけたバブル後安値を下回り、七一六二円と一九八二年以来二十六年ぶりの安値に沈んだ。

価値が突然崩落したのは株だけではない。本来、株と相関性が低いとされた原油など商

日経平均株価の歴代の年間下落率

1	2008	42.1%
2	1990	38.7
3	2000	27.2
4	1992	26.4
5	2001	23.5
6	1997	21.2
7	2002	18.6
8	1973	17.3
9	1970	15.8
10	1963	13.8

品相場も総崩れになった。不動産も下げ止まらない。「あらゆる資産の価格が同時に下落し、資金の逃げ場がなくなった」（日本の生命保険会社幹部）。分散投資という考え方がまったく通用せず、リスク資産がすべて下がる恐怖に、市場関係者は身震いした。

過去十年余り、金融資産は実体経済をはるかに上回るペースで膨張した。三菱ＵＦＪ証券の水野和夫チーフエコノミストによると、世界の金融資産は〇八年十月が百六十七兆ドル。九五年当時に比べると二・六倍、金額で百三兆ドル増えた。これに対して世界の名目ＧＤＰは九五年の二倍の水準で、増加額は六十兆ドルにすぎない。「犬のしっぽ（金融経済）が頭（実体経済）を振り回す時代」になっていた。

金融緩和がつくり出した世界規模の借金経済。米国の低所得層にまで過大な借金をさせ、それを証券化して世界にリスク商品をばらまいた。経済基盤の弱い新興国にも安易な外部調達の道を開いた。それを仲介したのがウォール街の投資銀行だった。しかし実体の伸び以上に背伸びをし、借金頼みで金融資産を膨らませた末に、巻き戻しが始まった。

株安の大波は三段階で世界に広がった。米住宅関連などの証券化商品で巨額損失が発生

NYダウ平均と日経平均株価

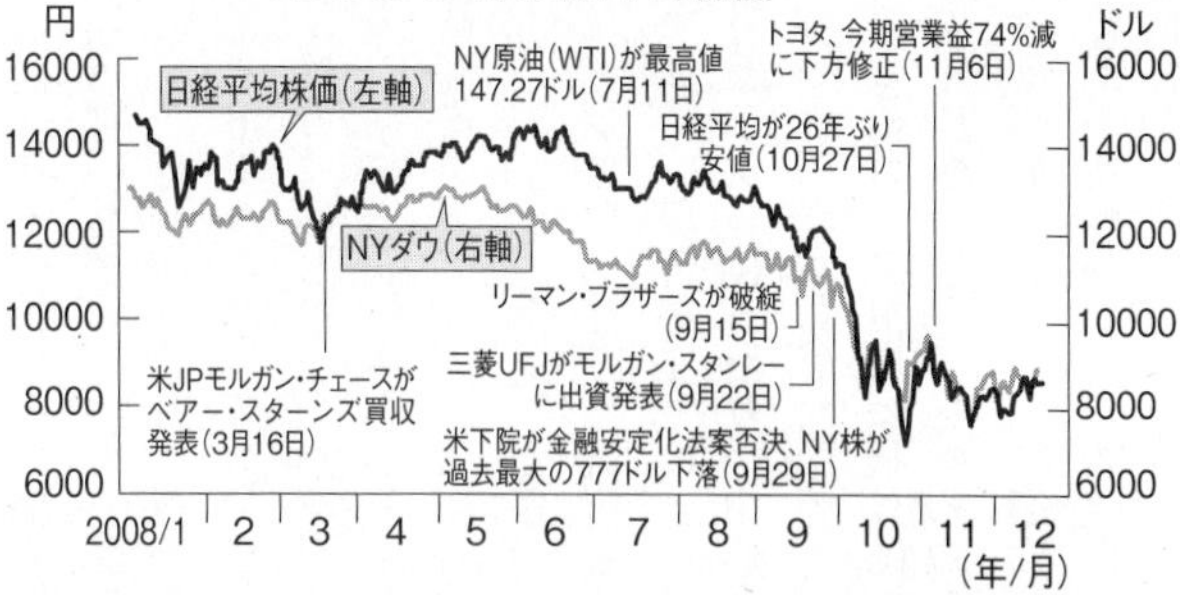

し、金融機関の経営不安が広まったのが第一段階だ。米ベアー・スターンズは傘下のヘッジファンドの損失で資金繰りが悪化。実質破綻状態となり、三月に米JPモルガン・チェースに買収された。〇七年末に一万五三〇七円だった日経平均は、ベアー・スターンズが米JPモルガン・チェースへの身売りを発表した翌三月十七日には一万一七八七円まで下落した。

夏場にかけて米欧金融機関は損失がさらに膨らみ、次々と資本不足に直面。九月十五日には米リーマン・ブラザーズが米連邦破産法一一条の適用を申請した。これで金融機関同士の信用不安が一気にピークへと達し、市場の流動性が干上がる金融危機に陥った。これが第二段階だ。米アメリカン・インターナショナル・グループ（AIG）に公的資金が投入され、米メリルリンチは米バンク・オブ・アメリカに身売りを決めた。

金融危機が世界規模で実体経済に悪影響を及ぼし始めるのが、第三段階。米新車販売が前年比三―四割減と急激に落ち込むなど、世界中で個人消費が冷え込んだ。アイスランドやウクライナなど新興国は相次ぎ通貨危機に陥った。世界のあらゆる市場が売り一色となり、日経平均は十月二十八日に、一時七〇〇〇円を割り込んだ。

株式市場からはリスクマネーが消えた。その象徴が、元手資金の何倍もの資金を借り入れて投資に回してきたヘッジファンド。巨額損失に苦しむ金融機関から融資回収を迫られ、無理やりにでも資産を処分せざるを得なくなった。買い手のいないなかで投げ売りとなり、資産価格の下落が一段と加速した。まさしく脱レバレッジが引き起こした市場の混乱だ。

「ヘッジファンドなどが換金のために、本来の価値に関係なく売っている」(フィデリティ投信のジョン・フォード最高投資責任者)、「買い手不在の真空地帯を下げているようだ」(JPモルガン証券のトレーディング担当)――ヘッジファンドの大量売りにおびえ、多くの投資家が買い控えたり、先回りして先物を売ったりする悪循環にはまり込んだ。

ロシアの新富裕層、中国の〝株民〟など、空前の株高に踊った新興国ほど痛手は大きかった。特にロシア市場は秋以降、十二月にかけて、取引が三十回以上も一時停止されるなど大荒れとなった。パキスタンでは株安に不満を持つ投資家の暴動が発生。アイスランドの株価は高値の十分の一以下に落ち込み、市場そのものが消滅したとさえ言われる。

脆弱な市場からまず資金が引き揚げられるのが、「グローバル化の負の側面」(野村証券)でもある。

「宴」はいつか終わる。世界中の市場参加者がそう思い知らされたのが〇八年だ。株価急落が逆資産効果となって消費者や企業のマインドを冷やし、それが実体経済をむしばむ悪循環を、各国政府の需要創出策で食い止められるかどうかが次の焦点になる。

「米個人消費の回復の足取りはゆっくりなものにならざるを得ない」。道のりは険しいと、モルガン・スタンレー・アジアのスティーブン・ローチ氏は予測する。実体経済と金融経済とのギャップが埋まる「正常化」にはなお時間がかかりそうだ。

2 日本株戦後最大の下落率――外需冷え込み輸出企業痛手

日経平均株価は二〇〇八年一年間で四二・一％下落した。バブル経済が崩壊した直後、一九九〇年の三八・七％を上回る戦後最大の年間下落率だ。これに対し、米国のダウ工業株三十種平均は三三・八％、英国のＦＴＳＥ百種総合指数は三一・三％の下落率にとどまった。金融危機の震源地より、実は日本株の方が下げがきつかった。

日経平均が七一六二円とバブル後安値を更新した十月二十七日。日経平均採用二百二十五銘柄の予想株価収益率（ＰＥＲ）は約三十八年ぶりに十倍を下回った。東京証券取引所一部全体の株価純資産倍率（PBR）は、解散価値の一倍を割り込み〇・八三倍まで低下。配当利回りは三十七年ぶりの高さに跳ね上がった。

本来なら「歴史的な割安感」と判断できる水準なのに、買い向かう動きは一向に出てこない。次々と「異常値」を示す株価指標に、東京・兜町のベテラン証券マンは「三十年以上使ってきた投資の判断基準が全く役に立たない」と肩を落とした。

十月の日経平均の下げ方は記録ずくめだった。十六日には前日比一一％下げ、米ブラックマンデー（暗黒の月曜日）の翌日の八七年十月二十日に次ぐ歴代二位の下落率を記

キーワード

サーキットブレーカー

相場が急変したときに、取引所が株価指数先物などの取引を一時停止する措置。値動きが一定の条件を超えた場合に発動する。冷却時間を置くことで投資家にひと呼吸つかせ、市場の安定を一時的に促す。東京、大阪の両証券取引所は1994年2月に導入した。2008年以前では01年9月の米同時テロ直後に発動したことがある。

08年10月の株価急落を受け、東証と大証は発動条件を緩和した。以前は変動幅と理論価格から発動のタイミングを判断していたが、これを変動幅に一本化し、売買再開後の再停止も可能にした。例えば日経平均先物が7500円以上1万円未満なら750円の値上がりか値下がりで発動する。

録。十月だけで歴代下落率十位に四営業日がランク入りした。株価指数先物では、急激な相場変動を抑えるために証券取引所が取引を一時中断する「サーキットブレーカー」が、何度も発動された。

米欧ほど金融危機が深刻でない日本の株が、なぜ米欧株を上回るペースでこれほど下げたのか。その一つの理由は輸出依存度の高い産業構造にある。「世界景気の敏感株としてのもろさが出た」と、野村証券の芳賀沼千里ストラテジストはみる。日本の主力企業はグローバル展開で外需を取り込み成長してきた。成長のエンジンは住宅バブルを背景にした米国の個人消費であり、急成長する新興国だったが、まさにそこが暗転した。

「九月以降、マーケットの状況は一変した。今回の難局はかつてないマグニチュードだ」（ソニーの大根田伸行最高財務責任者）。薄型テレビなどデジタル家電の需要急減で、ソニーは十月に〇九年三月期の業績予想を大幅に下方修正し、十二月には一万六千人の人員削減を発表した。金融危機の過程で進んだ急激な円高が追い打ちとなり、輸出企業は

日経平均の１日の値下がり率ランキング

順位	年月日	下落率（%）	終値（円）
1	1987/10/20	14.90	21910.08
2	2008/10/16	11.41	8458.45
3	1953/ 3 / 5	10.00	340.41
4	2008/10/10	9.62	8276.43
5	2008/10/24	9.60	7649.08
6	2008/10/ 8	9.38	9203.32
7	1970/ 4 /30	8.69	2114.32
8	1971/ 8 /16	7.68	2530.48
9	2000/ 4 /17	6.98	19008.64
10	1949/12/14	6.97	98.5

日経平均がバブル後安値をつけた10月27日時点の株価指標

東証1部の予想配当利回り	
2.96%	月末値比較で1971年11月末以来の高水準
東証1部のPBR（株価純資産倍率）	
0.83倍	連結決算が中心となった2000年以降で最低水準
日経平均株価の構成銘柄の予想PER（株価収益率）	
9.53倍	株価が1株利益の何倍まで買われているかを示す。月末値比較では1970年12月以来の低水準
日経平均の25日移動平均と下方乖離率	
28.42%	1949年の東証再開以来、最低水準
東証1部の騰落レシオ	
57.66%	上昇銘柄数を下落銘柄数で割って求める。一般に25日移動平均を用い、70%以下は「売られすぎ」の水準とされる

一気に窮地に追い込まれた。

製造業最強と呼ばれたトヨタ自動車ですら、金融危機の大津波にあっけなく飲み込まれた。十一月に〇九年三月期の営業利益予想を一兆円も引き下げたが、翌十二月には再び下方修正を迫られ、千五百億円の営業赤字に転落するとの見通しを発表した。トヨタが営業赤字に陥るのは戦後初めてだ。渡辺捷昭社長は「（世界経済の悪化が）予想を上回るスピード、広さ、深さで進行している」と苦渋の表情を浮かべた。

株価急落は保有株の含み損拡大という形で企業の体力を奪う。NECは自社の株安だけでなく、NECエレクトロニクスなど上場しているグループ企業の株価下落に頭を悩ます。〇八年十一月時点で保有株全体の「含み損はざっと二千億円にのぼる」といい、NEC単独の利益剰余金が吹き飛びかねない状態に陥った。近年、買収防衛の狙いを含めて株の持ち合いを進めた企業も多く、それもまた裏目に出た。
日本株のもう一つのもろさが、外国人中心の市場構造だ。売買額で市場の六割のシェアを持つ外国人がいったん売りに回ると買い向かう投資家が少ない。東証によれば、外国人は十月の一カ月間で一兆円以上も日本株を売り越した。〇八年一年間の外国人の売越額は三兆七千八十五億円。外国人の年間売り越しは八年ぶりで、五兆円以上買い越した〇七年とは様変わりした。

売りを主導したといわれるのがヘッジファンドだ。世界的な信用収縮が急激に進むなかで、金融機関や投資家から資金回収を迫られたファンドは多く、保有資産を手放す換金売りが加速。市場の動揺を増幅した。米調査会社ヘッジファンド・リサーチによれば、七―九月期のヘッジファンドの清算本数は三百本超と四半期ベースで過去最高を記録、十月間での資金の償還額は過去最大の四百億ドルに達した。

「ヘッジファンドの換金売りはいつ一巡するか、メドがつかない」（ドイツ銀行の株式戦略グループ・ヘッド、オーエン・フィッツパトリック氏）。市場混乱で運用成績は悪化。米メディアによれば大手ヘッジファンド、シタデル・インベストメント・グループは十一月中に資産の一三％を失い、〇七年末比の運用成績はマイナス四七％に達した。

株価に割安感が出ても国内金融機関の動きは鈍い。例えば企業年金基金。年金は本来、株への資産配分を一定に保つため、株安で比率が下がると株を買い増す傾向があるが、「今回ばかりは底が見えず、買いを見送っている」(フジクラ企業年金基金)ところも少なくない。

ベスト電器企業年金基金は今後、日本株を減らして国内債券を中心にした元本確保型に資金を移すという。日本経済新聞社が二〇〇八年十一月に全国の主要企業年金を対象に実施した運用調査でも、「日本株の比率を減らしたい、またはすでに減らした」との回答が全体の五九%に上った。

金融機関も株安で体力を奪われた。日経平均が七〇〇〇円台半ばで、大手銀行六グループは株式の含み損益が一兆二千億円前後の含み損になるといい、資本不足から自らの増資に追われた。大手生命保険会社も七四〇〇円以下では大半の含み損益がマイナスに陥る。

そんななか、存在感を示したのが個人だ。「しばらくだめでも孫の世代に残すくらいのつもりで」。東京都の六十歳代の男性は十月下旬の急落局面で買いを入れた。二千円台のキヤノン株は割安だと思ったからだ。十月に個人は現金で九千九百億円を買い越し、月間の過去最高を記録した。大手証券の支店には、数千万円単位の現金を持ち込んで株を買う投資家も出現。〇八年一年間では個人は九千八百二十億円を買い越し、十八年ぶりの買い越しとなった。リスクを取った投資家が報われる日がくるのか、まだ先は見えていない。

3 リーマン破綻 日本でも爪跡深く

米証券大手リーマン・ブラザーズが二〇〇八年九月十五日に破綻した。翌十六日には後を追うようにリーマンの日本法人も東京地裁に民事再生法適用を申請した。突然姿を消したリーマンは日本のあらゆるマーケットに深い爪跡を残し、予想もしなかった混乱が次々起きた。

「ユニオンツールの株券は売却できません」。ある運用会社はリーマン破綻直後に、保有するユニオンツール株を市場で売却しようとしたところ、株券の管理を委託している信託銀行からこう言われた。「手持ちの株を売れないのは一体なぜだ?」。運用担当者はとまどった。

理由は、ユニオンツールの株券をリーマンの日本法人に貸し出していたからだった。リーマン日本法人が民事再生法適用を申請、国内資産の保全を命ずる、いわゆる「保有命令」を受けたことで、株券返却のメドが立たなくなってしまったのだ。

機関投資家が貸株料を目当てに、保有株券をヘッジファンドや投資銀行などへ貸し出すのはよくあることだ。この運用会社も信託銀行を通じ株券を貸し出していたが、貸出先がリーマンの日本法人というところまでは把握しきれていなかった。売りたいときに株を売れなければ、運用成績への悪影響は避けられない。

貸した株が戻ってこないかもしれない――貸し手と借り手の信頼関係の上に成り立っていた貸し株市場全体に、疑心暗鬼のムードが一気に広がった。

リーマン破綻翌日の九月十六日。東京株式市場では日経平均株価が前日比六〇〇円以上も急落したが、そんななか、三菱自動車株が急騰し、一部の小型株もスルスルと値を上げた。特段の買い材料は見当たらず、市場では「奇妙な逆行高」と言われた。

その謎を解くカギも、どうやら貸し株市場にあった。「株を借りて空売りしていたヘッジファンドが、不安に駆られた貸し手側から株券返済を迫られ、一斉に買い戻しに動いたのだろう」。外資系証券のトレーダーら多くの関係者は口々にこう解説した。

疑心暗鬼に駆られたのは株券の貸し手だけではない。お金の貸し手も同じだった。

金融機関同士で資金を融通し合う国内の短期金融市場。外資系証券会社の自己売買部門は、ここで資金を調達し、裁定取引やデリバティブ（金融派生商品）取引などをしていたが、リーマン破綻を機に国内金融機関の貸し出し態度が一気に厳しくなった。金利は上昇、すでに貸し出していた資金の返済圧力もぐっと強まった。

その余波は裁定取引の急減という形で表れた。借入金利が跳ね上がった外資系証券が、

「コストの高い資金を借りてまで積極的に裁定取引をできなくなった」（外資系証券の裁定取引担当者）からだ。〇八年十二月五日時点の裁定買い残高は、〇七年二月のピーク時（六兆二百九十二億円）に比べ九割も少ない水準に落ち込んだ。換金売りが先行し現物株が先物に対して割安になっても、これまでのように裁定買いが入らなくなってしまったため、現物株の下げは一段と加速した。

リーマン破綻はさらに、決済という資本市場の根幹にも混乱をもたらした。投資家は購入した株券と代金の受け渡しを原則として、売買成立の日を含めた四営業日目にする。リーマン日本法人は九月十六日に民事再生法適用を申請したために、十日から破綻直前までの間に行った株売買の決済が期日通りにできなくなった（専門用語でフェイルという）。

全国証券取引所の清算・決済を行う日本証券クリアリング機構によると、取引参加者である金融機関の破綻でフェイルが起きたのは、同機構が発足した〇三年以降初めてだ。同機構は市場から株を調達するなどして、リーマン日本法人と取引した相手方との決済を順次成立させ、九月二十五日までにすべての決済を終えた。リーマン破綻で九月のフェイル発生率（株数ベース）は一・八五％と、一―八月平均の〇・一七％から大きく上昇した。

一方、破綻の衝撃は株式先物などのデリバティブ取引にも及んだ。なかでも頭を抱えたのは、リーマン日本法人と相対で取引をする一方、それとセットの取引をリーマン以外の別の金融機関などとしていた投資家だ。リーマンとの取引が突如消滅したせいで、セットの片方の持ち高だけが残ってしまった。

典型例は、株価が下落すると値上がりする「プットオプション」と呼ぶ商品をリーマン日本法人から買っていた投資家だ。この投資家は同時に、株価が上昇すると値上がりする「コールオプション」と呼ぶ商品を別の金融機関から買っていた。両方の商品をセットで持っていれば、株価が上下どちらに動いても対応できる。ところが、リーマン日本法人との契約が突然消えたことで、手元には片方のコールオプションだけが残った。株価が下落したときの〝備え〟を失った投資家は、ポジションの再調整を迫られた。

「まさか世界有数の投資銀行が破綻するとは思わなかった……」。ジャスダック市場に上場し、電子業界向けスクリーン印刷用版を製造するソノコムの経理担当者はがっくり肩を落とした。

同社はリーマンの関連会社が発行した仕組み債を保有していた。ある特定企業の株価によって、受取利息の利率が変わる複雑な仕組みの債券だ。年七・五％の金利収入を得ていたが、リーマンの破綻で債券の時価が大幅に下がった。六億円の簿価に対し、〇八年四―九月期決算で約五億円の特別損失を計上。〇九年三月期はもともと一億一千万円の最終黒字を見込んでいたが、思わぬ特損で一転、最終赤字に転落する見通しになった。

リーマン破綻で広がる損失の連鎖。誰がどれぐらい損を負うのか一番分かりにくいのが、リーマンを対象にしたクレジット・デフォルト・スワップ（ＣＤＳ）、通称「倒産保険」だった。

これはごく単純に言うと「リーマン向けの債権を持つある投資家から保険料をもらう代わりに、もしリーマンが倒産したら、リーマンの借金を肩代わりしてその投資家に返す」仕組みの商品だ。よもやリーマンが破綻するとは思わなかった世界中の投資家が、保険料を受け取る代わりに、リーマンの倒産リスクをどんどん引き受けた。

それだけではない。リーマンなどさまざまな企業の倒産リスクを引き受けた複数のCDSを一つにまとめ、その受け取り保険料を利払いの裏付けにした合成債務担保証券（CDO）と呼ぶ複雑な商品がつくられ、世界中で販売されていた。しかしリーマン破綻を機に世界中で企業倒産が増え、CDOの価値は急落。十月十日にはCDOなど高リスク運用に傾斜していた大和生命保険が破綻した。

波紋は不動産市場にも広がった。茨城県のJR日立駅から徒歩十五分ほどの場所にある大型商業施設「さくらシティ日立」。ひっそりと静まりかえった出入り口には「立ち入り禁止」と書かれた黄色のテープが寒風に揺れている。

リーマンの不動産融資子会社、リーマン・ブラザーズ・コマーシャル・モーゲージの民事再生法適用申請に伴い、同社から施設所有者への融資がストップした。施設は資金繰りに窮し、水道、光熱費など運営費が払えず、十月十四日までに閉鎖された。六十近いテナントが営業を停止したが、敷金と保証金は返却されない見通しだ。地元関係者は「高齢者が歩いて買い物に行ける商業施設がなくなってしまった」と残念がる。

東京商工リサーチによると、リーマンの不動産融資子会社で、民事再生法を申請したリーマン・ブラザーズ・コマーシャル・モーゲージとサンライズファイナンスの負債総額は、二社合計で七千五百億円。大手銀行が消極的だった地方の商業施設やアパートなどに積極的に融資してきたが、こうした物件は他の金融機関からの借り換えができなければ、早晩行き詰まる可能性が高い。

リーマン破綻をきっかけに米国では、ゴールドマン・サックスとモルガン・スタンレーが銀行持ち株会社に移行した。銀行持ち株会社は金融当局の厳しい監督を受け、自己資本比率規制の対象にもなるので、不動産のようなリスクの高い資産は持ちづらくなる。クレディ・スイス証券の大谷洋司アナリストは「投資銀行が今後保有リスクの高い不動産を手放す可能性が高い」と予想している。

4 主役入れ替わった株式市場——新興国の痛手大きく

世界的な金融危機と景気悪化に見舞われた二〇〇八年。株式市場の主役も様変わりした。中国やロシアなど新興国からは資金が一斉に流出し、株価は金融危機の震源地である米国以上に下落した。個別銘柄の主役交代も鮮明で、〇七年の主役だった新興国の資源・エネルギー会社株は人気が離散。代わりに、不況抵抗力が強いとされる「ディフェンシブ株」が投資家の資金逃避先となり、存在感が高まった。

〇八年、世界の主要株価指数で最も下落率が大きかったのはロシアのRTS指数。一年間で七割も下がった。中国の上海総合指数やインドのSENSEX指数など、下落率が五割を超えたのはいずれも新興国の株価指数だ。

世界の主要市場　2008年の株価下落率

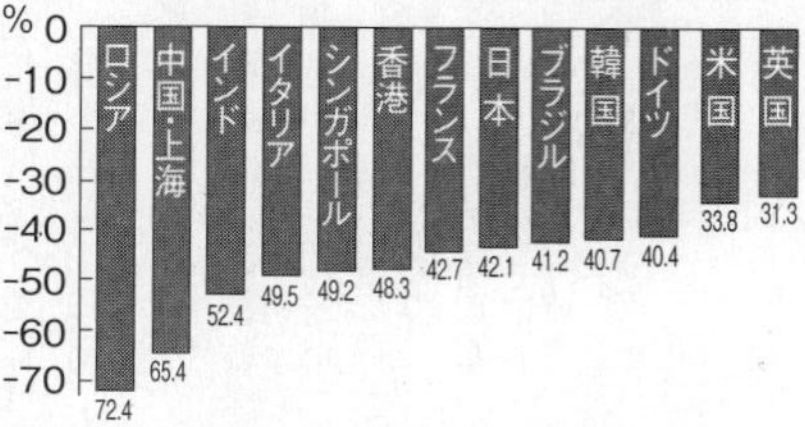

(注)08年末終値を07年末終値と比較

これに対し、米ダウ工業株三十種平均や英FTSE百種総合株価指数の年間下落率は三割強。米欧株と比較して、新興国株は相対的に値下がり率が大きかった。

〇七年末と〇八年十一月末で、世界企業の株式時価総額上位五百社の顔ぶれを比べても、新興国株の退潮は明らかだ。インドは上位五百社に占める社数が〇七年末の十五社から、〇八年十一月末は十社に減った。ロシアも十二社から七社に減少。中国・香港企業の数は〇六年末から〇七年末にかけ倍増し四十五社になったが、一転、〇八年十一月末には四十三社に減った。

半面、上位五百社に占める米国企業の数は百八十二社と、〇七年末に比べ十七社増えた。新興国企業の株価が大幅に下落するなか、米国企業の存在感が相対的に高まった格好だ。

なぜ新興国の株が米欧より大きく値下がりしたのか。相場環境が悪化すると「投資家はまず初めに、為替と株で二重にリスクを負う海外資産を減らす傾向がある」（大和総研の成瀬順也シニアストラテジスト）からだ。

外国人持ち株比率が比較的高い新興国株は真っ先に売却対象となり、海外投資家が資金を一斉に引き揚げた。日経平均株価の下落率が先進国の主要株価指数のなかで相対的に大きかったのも、外国人投資家が主導する市場構造が根底にありそうだ。新興国の大型株の場合、政府が大株主の銘柄が多く流動性の低さで株価がもともとかさ上げされていた面もあったために、下げに拍車がかかった。

一方、株式時価総額上位の個別銘柄を詳しく見ると、市場の主役が新興国の資源・エネルギー会社株から、〇八年はディフェンシブ株に交代したことが分かる。

中国の石油最大手・中国石油天然気（ペトロチャイナ）は〇七年の一年間で時価総額が三倍近くに増えたが、〇八年は年初から十一月末までに時価総額が六割も減少。〇七年に奪い取った世界ランク首位の座を、米エクソンモービルに再び明け渡した。ロシアの天然ガス会社ガスプロムは七位から三十位に、ブラジルの国営石油会社ペトロブラスも十二位から四十二位に後退した。

世界の時価総額ランキング

順位		銘柄	国・地域	時価総額（億ドル）	増減率（%）	増減額（億ドル）
1	(2)	エクソンモービル	米	4,163	▲19.9	▲1,033
2	(1)	中国石油天然気（ペトロチャイナ）	中	2,813	▲61.1	▲4,426
3	(25)	ウォルマート・ストアーズ	米	2,210	14.3	276
4	(14)	プロクター・アンド・ギャンブル(P&G)	米	1,906	▲16.7	▲382
5	(6)	マイクロソフト	米	1,846	▲44.7	▲1,492
6	(4)	中国移動（チャイナモバイル）	中（香港）	1,837	▲48.1	▲1,704
7	(5)	中国工商銀行	中	1,814	▲46.5	▲1,576
8	(3)	ゼネラル・エレクトリック（GE）	米	1,809	▲51.7	▲1,938
9	(10)	AT&T	米	1,697	▲33.1	▲838
10	(9)	ロイヤル・ダッチ・シェル	英蘭	1,661	▲37.6	▲1,000
11	(26)	ジョンソン・エンド・ジョンソン	米	1,651	▲13.5	▲258
12	(19)	シェブロン	米	1,634	▲17.9	▲355
13	(15)	バークシャー・ハザウェイ	米	1,616	▲26.4	▲580
14	(13)	BP	英	1,523	▲34.6	▲805
15	(28)	ネスレ	スイス	1,422	▲21.2	▲383
16	(21)	HSBC	英	1,317	▲33.6	▲665
17	(20)	トタル	仏	1,246	▲37.3	▲741
18	(8)	中国建設銀行	中	1,240	▲56.6	▲1,617
19	(41)	JPモルガン・チェース	米	1,166	▲20.5	▲300
20	(33)	ファイザー	米	1,108	▲28.7	▲445
21	(40)	IBM	米	1,106	▲25.8	▲384
22	(63)	ウェルズ・ファーゴ	米	1,095	7.3	75
23	(24)	トヨタ自動車	日	1,086	▲44.4	▲866
24	(44)	コカ・コーラ	米	1,085	▲23.6	▲336
25	(89)	フォルクスワーゲン	独	1,079	32.9	267
26	(16)	フランス電力公社（EDF）	仏	1,059	▲51.5	▲1,124
27	(51)	ノバルティス	スイス	1,053	▲17.8	▲228
28	(22)	中国銀行	中	1,049	▲46.9	▲928
29	(23)	ボーダフォン	英	1,027	▲47.8	▲940
30	(7)	ガスプロム	ロシア	987	▲70.4	▲2,348
31	(31)	シスコ・システムズ	米	986	▲40.0	▲657
32	(38)	ロシュ	スイス	983	▲35.1	▲532
33	(35)	テレフォニカ	スペイン	962	▲38.0	▲589
34	(11)	中国石油化工（シノペック）	中	941	▲62.3	▲1,555
35	(52)	ベライゾン・コミュニケーションズ	米	931	▲26.9	▲342
36	(17)	グーグル	米	921	▲56.8	▲1,213
37	(46)	グラクソ・スミスクライン	英	901	▲35.9	▲505
38	(55)	ペプシコ	米	888	▲27.6	▲339
39	(142)	GDFスエズ	仏	887	54.1	311
40	(50)	ヒューレット・パッカード	米	870	▲33.4	▲436
41	(-)	フィリップ・モリス	米	869	-	-
42	(12)	ペトロブラス	ブラジル	850	▲64.7	▲1,560
43	(58)	オラクル	米	827	▲28.7	▲334
44	(49)	ENI	イタリア	820	▲39.6	▲537
45	(29)	アップル	米	817	▲52.6	▲906
46	(27)	バンク・オブ・アメリカ	米	815	▲55.7	▲1,024
47	(83)	アボット・ラボラトリーズ	米	808	▲6.7	▲58
48	(105)	ジェネンテック	米	804	14.2	100
49	(45)	コノコフィリップス	米	798	▲43.5	▲614
50	(34)	インテル	米	776	▲50.0	▲775

（注）08年11月末終値、英FTSE算出ベース。カッコ内は07年末時点の順位。増減は07年末比、▲は減

（出所）野村証券調べ

対照的に存在感が高まったのが、不況抵抗力の強い「ディフェンシブ」企業だ。低価格を武器にする米ウォルマート・ストアーズは上位十社中で唯一、時価総額が増加。順位も〇七年末の二十五位から三位に躍進した。需要が景気に左右されにくいとされる日用品が主力の米プロクター・アンド・ギャンブル（P&G）や米ジョンソン・エンド・ジョンソン（J&J）も時価総額の減少率が比較的小さく、大きく順位が上がった。

実際、これらの企業は業績も底堅い。米国の百貨店やホームセンターが苦戦を強いられるなか、ウォルマートは〇八年八―十月期の純利益が前年同期比一〇%増加した。P&GとJ&Jも〇八年七―九月期にそろって増収増益になった。

では、日本企業の株価はどうだったか。東京証券取引所第一部の上場企業を対象に〇八年末の株式時価総額を見ると、前年末に比べて時価総額の減少が目立つのは自動車や電機などの輸出企業だ。

首位のトヨタ自動車は時価総額が半減し、かろうじて十兆円台を保った。ソニーは六九%減で前年の十位から二十四位に順位を落とした。前年十四位の日産自動車は七四%減で三十五位。輸出企業は外需低迷に加え、想定為替レートを上回る円高で採算が悪化。外国人持ち株比率が比較的高く、投資余力が落ちた外国人がまっさきに換金に動いた。

金融市場の混乱の影響でメガバンクも後退。三グループ合計の時価総額の減少は十二兆円近くで、トヨタ一社分がなくなった計算だ。

相対的に浮上したのが、景気変動に左右されにくいとされる内需関連の「ディフェンシブ銘柄」。六位の東京電力は上位三十社のうち一社だけ時価総額が増えた。円高と原油安の恩恵を受ける点が好感された。関西電力や中部電力も順位を上げた。

消費者の節約志向をビジネスチャンスにした「生活防衛銘柄」の一角であるファーストリテイリングも躍進。時価総額は六三%増え、前年の百二十三位から三十八位まで上昇した。

東証1部の時価総額ランキング

社名			時価総額
1	(1)	トヨタ	10.01 (▲54)
2	(5)	NTTドコモ	7.92 (▲ 7)
3	(4)	NTT	7.37 (▲16)
4	(2)	三菱UFJ	6.35 (▲44)
5	(3)	任天堂	4.78 (▲49)
6	(19)	東電	4.06 (4)
7	(12)	武田	3.78 (▲35)
8	(6)	キヤノン	3.69 (▲47)
9	(7)	ホンダ	3.50 (▲49)
10	(9)	三井住友FG	2.97 (▲54)
11	(8)	JT	2.95 (▲56)
12	(11)	みずほFG	2.88 (▲53)
13	(20)	KDDI	2.85 (▲24)
14	(25)	セブン&アイ	2.76 (▲12)
15	(23)	JR東日本	2.76 (▲25)
16	(13)	パナソニック	2.73 (▲52)
17	(37)	関西電	2.48 (▲ 1)
18	(29)	ヤフー	2.16 (▲28)
19	(42)	中部電	2.13 (▲ 6)
20	(15)	三菱商	2.10 (▲59)
21	(26)	東京海上HD	2.08 (▲33)
22	(21)	菱地所	2.00 (▲46)
23	(16)	新日鉄	1.97 (▲58)
24	(10)	ソニー	1.93 (▲69)
25	(35)	アステラス	1.83 (▲28)
26	(28)	信越化	1.76 (▲42)
27	(45)	JR東海	1.74 (▲18)
28	(38)	ソフトバンク	1.73 (▲31)
29	(30)	国際石開帝石	1.65 (▲42)
30	(17)	三井物	1.64 (▲62)

注）2008年末時点。時価総額は単位兆円。カッコ内は07年末時点の順位と時価総額の増減率%、▲は減少

5 「まさか」の連続——模索続くリスク管理

市場が大混乱に陥った二〇〇八年、一般の投資家は「まさか」の事態に次々直面した。想定外の事態に見舞われたのはプロの投資家も同じ。運用リスクの管理体制は根底から揺らいだ。

「こんなに元本が目減りしているとは」。都内にある私立大学の財務担当者は、保有する仕組み債の〇八年十月末時点の時価を販売元の証券会社から示され、絶句した。

この私大の運用総額は約二百億円。うち半分を複数の仕組み債に投資していた。問題はそのうちの一つで、円安が進むほど高い利回りが得られる設計の商品だった。〇四年に購入した当時の円ドル相場は一ドル＝一〇〇円台前半。〇七年中ごろまでは円安基調だったため、年間で三―五％の利息収入が得られる〝お得な商品〟だった。

しかし〇八年十月下旬に円が一ドル＝九〇円台まで急騰すると、事態は一変した。利息収入は急減し、仕組み債の時価は「約二割の評価損」に陥った。満期まで保有すれば元本は保証されるが、残存年数は二十五年。その間に現金が必要となる場面が出てくるかもしれない。「安全だと思っていたのに……」。十三年ぶりとなる想定外の円高に、財務担当者はやりきれない表情だ。

複雑な仕組みの金融商品は個人にも普及している。米証券大手ベアー・スターンズの経営危機が表面化する前、日経平均株価が一万三〇〇〇円前後で推移していた三月上旬。都内に住むAさんは、ある銀行系証券会社から「円建て日経平均株価連動社債」の購入提案を受けた。いわゆる日経平均リンク債と呼ばれる商品だ。勧められたのは、一三年三月の償還日まで日経平均の終値が九一〇〇円を上回っていれば、年率一〇％の利息が手に入る仕組みだった。

問題はその先だ。この商品は、年四回ある利払い日の十営業日前の日経平均終値が九一〇〇円を下回ると、利回りが一気に年〇・一％へ急低下する。さらに償還日までに日経平均の終値が一度でも七八〇〇円を下回ると、償還時に手元に戻る金額が日経平均の騰落に対し、倍のピッチで変化するという条件が付いていた。

十月の市場混乱で日経平均はあっさり七八〇〇円を割り込んだ。Aさんは迷った末に購入を見送ったが、もし当時この商品を買い、日経平均が八五〇〇円前後で一三年の償還日を迎えたとすると、元本の三分の二程度を失う計算になる。「当時はまさか日経平均が一万円を下回るとは思いもしなかったが、買わなくて本当に良かった」とAさんは話す。

日経平均リンク債は多くの銀行、証券会社が「リスク軽減型ファンド」などと称して販売している。一九九八年に公募の投資信託の形で登場して以降、残高は順調に積み上がり、〇五年八月には約一兆六千九百九十二億円まで増加した。

だが〇八年に日経平均が急落すると、元本が日経平均の上下に連動するようになってしまった日経平均リンク債が続出。この結果、リスク軽減型ファンドの残高は〇八年十一月に八千九百五十五億円と、ピーク時から約五割も減少した。

日本証券業協会証券あっせん・相談センターによると、〇八年度上半期の訴訟に関する新規申立件数は前年同期に比べ五割増えた。商品に関する勧誘では、投信が四十件と三倍に増え、三十件の株式を上回った。仕組み債に関する案件が増えたためで、「営業担当者に元本割れを知らされるまで、株価と連動した商品だとは認識していなかった」といった申し立て理由が目立つ。

市場の混乱はプロの投資家の想定すら、はるかに上回った。

「日本株、外国株、商品などが全部同じような値動きになるとは思わなかった」――富国生命保険の桜井祐記取締役は驚く。運用の世界ではこうした状況を「相関係数が一に近付く」と表現する。「リスクを抑えるためにはさまざまな運用商品に分散投資すべし」という投資の教科書の一ページ目に書いてあるような原則が、〇八年秋は通用しなかった。

金融危機で投資家のリスク管理は根本から揺らいだ。金融機関はバリュー・アット・リスク（VaR）と呼ばれる統計的手法で株、債券などの損失可能性を予測し、資産配分している。一九七八—二〇〇七年の三十年間の日経平均の値動きを前提に、統計学の「正規分布」という手法で計算すると、日経平均が一日で五％以上変動する可能性は一万分の一以下の確率だ。ＶａＲではこれを「無視しうる頻度」と判断する。

ところが現実は理論通りにいかなかった。十月は取引があった二日に一日の頻度で、日経平均は五％以上値上がり、または値下がりした。最も下げがきつかった十六日の下落率（前日比一一・四％安）の発生確率を、正規分布の手法で逆算すると、実に二百二十四京年（京は兆の一万倍）に一回という天文学的な数字になる。前提の置き方次第で確率は変化するが、過去のデータに頼ると予期せぬ事態に対応しきれないもろさがある。

証券化商品はさらに激しい。金融工学の理

キーワード

バリュー・アット・リスク（VaR）

金融資産を運用する上でのリスク管理手法の一つ。保有する金融資産の過去の値動きを統計的に分析し、今後のある期間において一定の確率で生じる最大の損失額を推計する。取り寄せる過去のデータは数年程度の場合もあれば数十年と長期間にわたることもある。

投資家はＶａＲの大きさに合わせて、資金の投入量やポートフォリオ構成を決める。比較的計算しやすいことや応用が利くことなどから多くの金融機関がリスク管理に利用している。

論を駆使し、住宅ローンなどさまざまなキャッシュフローが証券化され、それらを束ねた債務担保証券（ＣＤＯ）も生み出された。理論上、債務不履行の可能性は低いとされ、格付け会社は高い格付けを付与。価格が付くことで市場は成長し、〇七年前半にかけて市場は成長した。

やがて複数のＣＤＯをさらに束ねて組成する「ＣＤＯスクエアード」という一段と複雑な商品まで登場した。当時、外資系証券に勤めていたある社員は「直感的に違和感を覚えたが、それでも証券化商品市場は拡大していった」と振り返る。

こうした金融商品の裏付けとなる金融工学には「投資家は自由に資金を調達できる」「商品の流動性は潤沢にあり、自らの取引そのものは市場価格に影響を与えない」など、いくつかの前提条件があった。

だが前提は次々と崩れ、証券化商品市場は機能停止に陥った。価格が当初の一割以下となったものも少なくはない。九八年に破綻した米ロングターム・キャピタル・マネジメントでストラテジストを経験したことのある高橋明彦・東京大学教授は、「理論の前提や過去のデータを過信したひずみが一気に瓦解した結果だ」と指摘する。

農林中央金庫の有価証券含み損が九月末時点で約一兆五千億円に拡大したのも、ＶａＲなどを使ったリスク管理のもとで積極運用を進めたことが裏目に出たからだ。上野博史理事長は記者会見の場で「リスク管理体制に不十分な点がなかったか、反省すべきところは反省する」と述べた。

経済環境が良い時期のデータに基づいた投資は、過大なリスクを負いがちだ。ある米金融機関のリスク管理部門に在籍した男性は「大きくリスクを取って結果的にもうけた者の発言権は大きくなりやすく、組織全体のリスク管理は弱体化する傾向にある」と打ち明ける。日銀の白川方明総裁は「リスクの計算の仕方よりも、経済や金融を大きくどのように見ていくかということが重要だ」と警鐘を鳴らす。

ボストンコンサルティンググループによれば、九月に米リーマン・ブラザーズが破綻して以降、金融機関経営者のリスク管理への関心は急速に高まった。「定量モデルに依存するだけでなく、定性的な判断を重視する必要性が高まっている」（本島康史シニアパートナー）という。

ただリスク管理の抜本的な見直しに向けた道のりは険しい。早稲田大学の森平爽一郎教授は「数年以上かかる膨大な作業で、今は暗中模索の段階だ」と話す。経済物理学などこれまでと異なった視点での手法も研究されているが、「実務に使える段階ではない」（スタンダード・アンド・プアーズの内誠一郎バイスプレジデント）のが現状だ。

一〇〇％安全な投資などない、というごく当たり前のことを多くの投資家は改めて痛感した〇八年。リスクとどう向き合っていくか、最適解を求めた模索は続く。

第6章

外為・原油市場にも大激震

『ドルはもはや唯一の基軸通貨とは言い張れない』

サルコジ仏大統領が二〇〇八年十一月の金融サミット直前の演説で、ドル基軸体制への根強い不安と反発をあらわにした。世界経済で米国の地位が相対的に低下しているうちに、経済政策で主導権を奪いたいとの思惑も見え隠れした。金融危機は「ドルがどこまで基軸通貨たりうるか」を再考するきっかけにもなった。

1 ドル円相場急騰　十三年ぶり八七円台に突入

「えっ、そんなに円高になってるの？」

二〇〇八年十月二十四日夕、日銀本店。報道各社との懇談を終えた日銀企画局の幹部は絶句した。懇談前に一ドル＝九四円近辺だった円相場が、わずか三十分ほどで九〇円台目前まで迫っていると聞かされたからだ。

この日の朝、円相場は一ドル＝九八円台。午後にかけて速いピッチで円高・ドル安が進んでいたことが気にはなっていたが、いずれ戻るだろうと、期待まじりに考えていた。だが、もはやそうも言っていられない。一日で一気に七円近くも円が急騰するのは、どう考えても異常な事態だった。

青ざめた幹部は足早に相場ボードのある企画局へ向かった。黄色に激しく点滅する円の対ドル相場表は、じりじり値を切り上げていた。金融政策決定会合は、一週間後の十月三十一日に迫っている。それでなくても景気は悪化の度合いを強めており、市場関係者からは利下げを催促する声が出始めていた。この日以降、日銀内で利下げの検討が本格化した。

サブプライムローン問題の深刻化以降、円高が進む

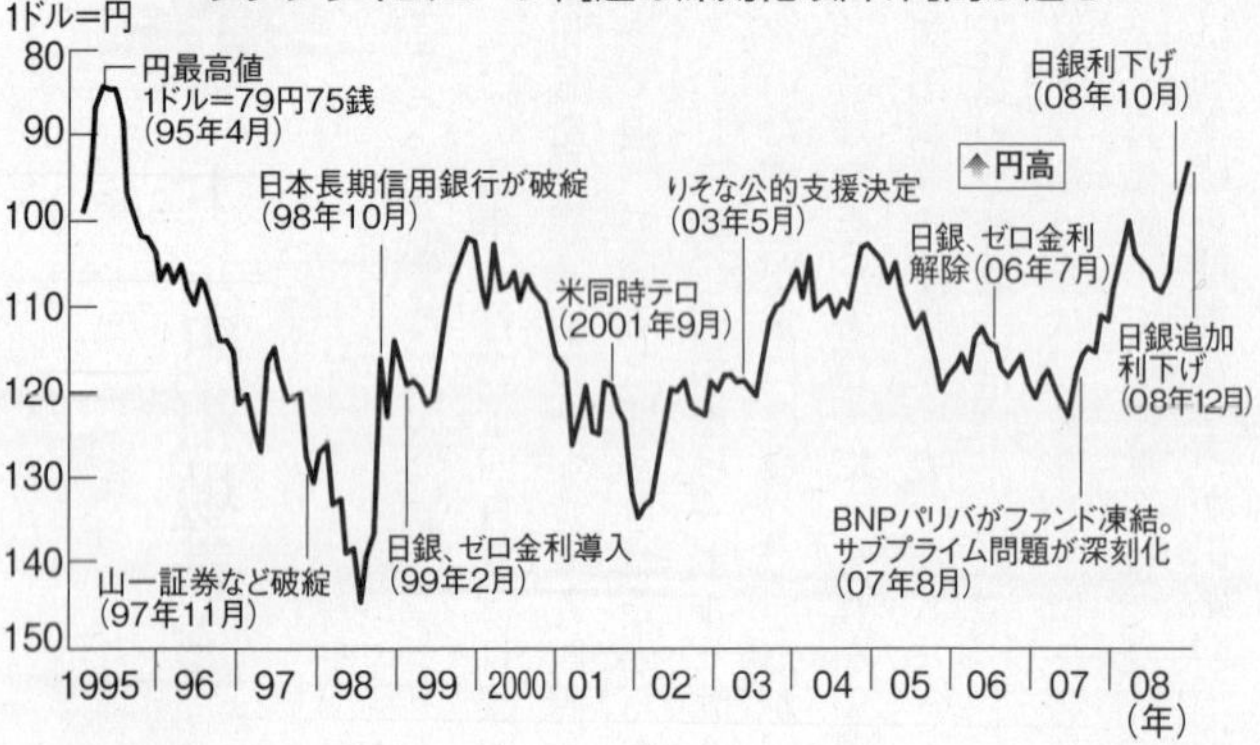

米金融市場の混乱が世界を覆った二〇〇八年。円相場は揺れ動く市場心理を映す鏡のように、方向感のないまま大きく変動を繰り返した。

一つ目の円高の山が訪れたのは三月だ。米大手証券ベアー・スターンズの経営危機をきっかけに、くすぶっていた米経済への不安が爆発し、ドルの投げ売りが一気に膨らんだ。年初に一ドル＝一一〇円前後だった円相場は一ドル＝九五円まで急上昇。ドルはユーロや新興国の通貨に対しても大きく下落し、まさに独歩安ともいうべき状況となった。

「基軸通貨ドルの凋落」――そんな見方が言いはやされ、ドル不安に拍車をかける悪循環。危機感を強めた米国は日本政府や日銀、欧州中央銀行（ECB）などにドルが暴落した場合の対応策について協議を呼びかけた。各国当局は連日の電話会議などを経て、三月中旬、為替介入によるドルの買い支えや緊急声明の発出などを柱とする「ドル防

衛策」で秘密合意する。

これを踏まえ、四月十一日にワシントンで開かれた七カ国（G7）財務相・中央銀行総裁会議の声明では、約四年間ほぼ同じ表現を続けてきた為替相場に関する文言を変更。「主要通貨に時として急激な変動がある」と牽制したうえで、「経済および金融の安定に与えうる影響について懸念している」と強調した。G7が声明で主要通貨の急激な変動を牽制したのは、ユーロ安阻止のため主要国が協調介入を実施した二〇〇〇年九月のプラハG7以来のことだった。

その後、ドルは円に対して反発した。各国によるドル安牽制に加えて、日本の景気減速や低金利を理由にした円売りが活発になったためで、八月に円相場は年初の一ドル＝一一〇円台まで下げた。

円の対ドル相場の潮目が再び変わり、二度目の円高の山が訪れたのは九月中旬のことだ。米大手証券リーマン・ブラザーズの破綻などで金融・資本市場が大きく動揺したことが発端となった。

ここ数年、日本の投資家は低金利の円で資金を調達し、国外の高利回りの通貨で運用する「円キャリー取引」を繰り返してきた。外国為替市場で存在感を見せつける日本の個人投資家は、世界の金融関係者から「ミセス・ワタナベ」という総称で呼ばれ、その動向が注目された。お茶の間のパソコンから外為証拠金取引などを通じて市場に参加する主婦たちをイメージした呼び名だ。だが金融市場の動揺を受けて、不安を募らせたこれらの投資家が国内に資金を戻す動きを加速させた。円キャリー取引の「巻き戻し」と言われる動きだ。

さらに十月八日に米欧の六つの中央銀行が異例の協調利下げに動くなど、各国中銀は相次いで政策金利を引き下げた。一方で政策金利が年〇・五％とすでに低水準にあった日本は金利を据え置いたため、内外の金利差が縮小、円買い・ドル売りを勢いづかせた。十月二十四日にはロンドン市場で円相場が一ドル＝九〇円八七銭まで急騰し、約十三年三カ月ぶりの円高・ドル安を記録した。

「円高・ドル安が一段と進めば当局による為替介入が実施される」。市場ではそんな見方もあったが、現実には難しいことを各国と緊密に連絡を取り合っている政府・日銀の関係者は感じ取っていた。

世界の為替市場は、春先の「ドル独歩安」とは状況が様変わりし、ドルはユーロや新興国通貨に対し大きく上昇していた。世界に散らばっていた投機マネーが、金融不安の拡大を受けてファンド勢などの拠点である米国、つまりドルに還流する動きが強まったためだ。今やドルは相対的に高い通貨となり、円だけがそれを上回って独歩高となっていた。円が最も強く、これにドルが続き、ユーロやポンド、新興国の通貨が最底辺に位置する構図。こうしたなかで、わざわざドルを買い支えようと思う国はない。あるとすれば円高で輸出産業が打撃を受ける日本くらいだが、取引額が巨額にのぼる外為市場に単独で介入しても多勢に無勢で、効果のほどは知れている。有効な手だてが見いだせぬまま、円高はさらに進んでいった。

もはや座視できないと、政府・日銀はついに動く。

十月二十七日、日本時間の昼過ぎ。G7の財務相・中央銀行総裁は「最近の円の過度の変動と、それが経済や金融の安定に与える悪影響を懸念する」との緊急声明を発表した。円を名指しした異例の呼びかけは、日本政府の強い働きかけで実現したものだ。

声明は「引き続き為替市場をよく注視し、適切に協力する」と協調介入も視野に入れる姿勢をにじませた。市場介入が難しいなら、せめて「口先介入」でも。そんな日本の思いが表れた。

「声明は日本が呼び掛けたのか」

「そうです」

声明を発表するため記者会見を開いた中川昭一財務・金融担当相は胸を張った。

今度は日銀の番だ——政府サイドの動きを受けて、日銀への無言の圧力はがぜん強まった。日銀が米欧の協調利下げに足並みを合わせなかったことが円高を招いたとの主張がエコノミストの間からも沸き起こっていた。急速な円高による企業収益への影響を懸念し、株安も急速に進んでいた。

利下げに慎重だった日銀は結局、三十一日の決定会合で追い立てられるように政策金利を年〇・五％から〇・三％に引き下げた。「円高が背中を押した」と日銀の幹部は話す。

その後も、為替相場は不安定な動きを続け、十二月に入ると三度目の円高・ドル安の山が来る。今度は、米自動車大手救済を巡る混乱から金融市場が揺れ、円高・ドル安が再び進行したのだ。

さらに十二月十六日に米連邦準備理事会（ＦＲＢ）が史上初となる事実上のゼロ金利政策に踏み込むと、十七日のニューヨーク市場で円はついに約十三年五カ月ぶりに一ドル＝八七円台に突入。景気が一段と悪化したこともあって、日銀は前回の利下げから二カ月足らずで追加利下げを迫られた。

為替市場の構図は、危うさをはらむ。円が高いのは日本経済の先行きが評価されたからではない。金融市場が米欧より比較的落ち着いていることを背景とする「消去法の円買い」という面が大きい。円高がさらに進めば、減速する日本経済は輸出の不振で大きな打撃を受けかねない。

一方、ドルも今のところは各国通貨に対し底堅く推移するが、これは金融機関が互いへの不信からドル資金の融通に慎重になり、市場の需給が逼迫していることが大きい。米経済の信認とは無関係だ。むしろ巨額の経済対策による米政府の財政悪化や、大胆な金融市場テコ入れ策に伴うＦＲＢの財務悪化が、中期的にドルの下落をもたらすと予想する市場関係者は多い。

金融危機がもたらした為替市場のいびつな構図。それが世界経済の混迷に拍車をかける懸念はぬぐえない。

2 欧州・アジア通貨　大幅安

欧州では欧州単一通貨ユーロが「バブル崩壊」の時を迎えた。二〇〇八年夏に一ユーロ＝約一・六ドルと歴史的高値圏まで上昇してからわずか半年足らずで、今度は二割も下落した。急落を読み解くキーワードは「リパトリエーション」(本国への回帰)。域外からユーロ圏に流れ込んでいた資金が、潮が引くように逃げ出した。

「明らかなリパトリエーションだ。通貨の大きな変動を引き起こしている」。〇八年十一月上旬、欧州中央銀行（ＥＣＢ）のトリシェ総裁は理事会後の会見でユーロ下落の背景を説明した。根底にあるのは、欧州全域に広がった金融危機と実体経済の悪化だ。だがインパクトが大きかったのはオイルマネーの流出だったとの見方がある。〇八年の原油相場と対ドルのユーロ相場のグラフは、ほぼ相似形だ。

原油高で潤っていた産油国のオイルマネーは規制の厳しい米国への投資を避け、ユーロ

ユーロの対ドル相場

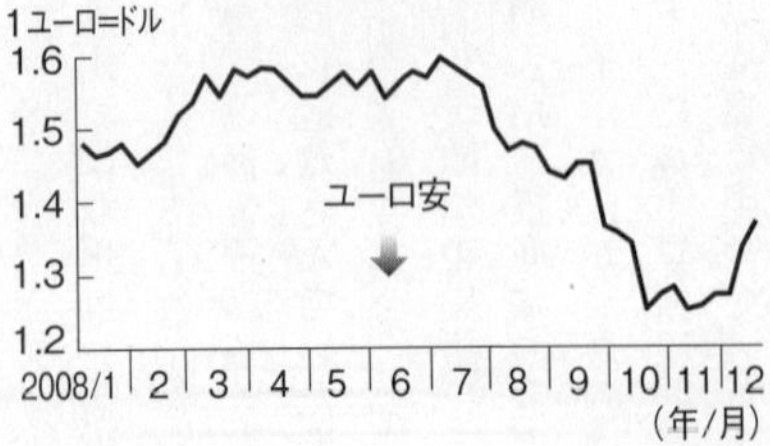

圏の株式市場などへの投資を拡大していた。それが夏までのユーロ高を演出した。ところが七月中旬にニューヨーク原油先物相場のWTI（ウエスト・テキサス・インターミディエート）が一バレル一四七ドルまで上昇したのを境に下落に転じると、欧州に向かっていたマネーの流れは逆回転を始め、為替市場でユーロ売りが始まった。その流れは欧州株式相場の急落という形でも表れた。

流れを加速したのが米国のヘッジファンドだ。信用収縮で金融機関がファンドへの融資に慎重になるなか、相次ぐ解約で資金繰りが悪化したファンドは、決算期末を前に欧州など海外資産を売却して資金を米国に戻し始めた。

米欧中央銀行による相次ぐ利下げで、低金利の日本との金利差を使いユーロなど外国通貨に投資する「円キャリー取引」の解消も加速。こうした一連の動きが共振して、ユーロは急落した。

もっともユーロ相場は〇八年十一月下旬ごろから反発する動きも見せだした。ちょうどこのころ、「ユーロ圏よりも米国などの経済悪化の方が深刻」との見方が強まったためだ。同時に「米国より遅れて金融危機が襲った欧州でも、年末決算を控えた欧州地盤の投資マネーが自国資産へのリパトリエーションを始めたのが背景」とも言われている。米国と欧州とで金融危機が深刻化するタイミングにズレが生じたことが、大西洋の両方向に向かうマネーの巨大な揺れ動きを引き起こした、というわけだ。

萎縮の連鎖――東欧や中南米、アジアなど新興国通貨の「バブル崩壊」も、構図は同じだった。サブプライムローン問題が世界に広がるまでは、高インフレ率に対処するための高金利政策が結果的に、リスク許容度の高い世界の投資マネーを集めていた。しかしこれらの新興国経済が変調をきたした途端、投資家のリスク許容度が一気に低下し、リスクが高いとみなされた地域の市場から資金が順々に逃げ出した。

ダメを押したのが〇八年九月の米リーマン・ブラザーズ破綻だ。アイスランドやハンガリーなど、経済基盤に比べて対外債務が多いとみなされた国の通貨は次々売り込まれた。これらの新興国債の破綻リスクをカバーするための保険料の料率が過去最高水準に跳ね上がったことも、高リスクを嫌う資金の流出を促す要因になったと言われる。

暴落に見舞われた通貨の代表例がアイスランド・クローナ。対ユーロでの価値は年初から一時約半分にまで下落した。大手銀行のカウプシング、ランズバンキ、グリトニルは相次ぎ国有化され、カウプシングが日本で発行した円建て外債（サムライ債）は利払いがなされず、事実上のデフォルト（債務不履行）状態になった。三行が負債を目いっぱい使って膨らませた資産は、アイスランドのGDPの九倍に達した。

通貨暴落の影響は市民生活に大きく響いた。首都レイキャビクの眼鏡店主は「海外から

主な通貨の実質実効為替レート

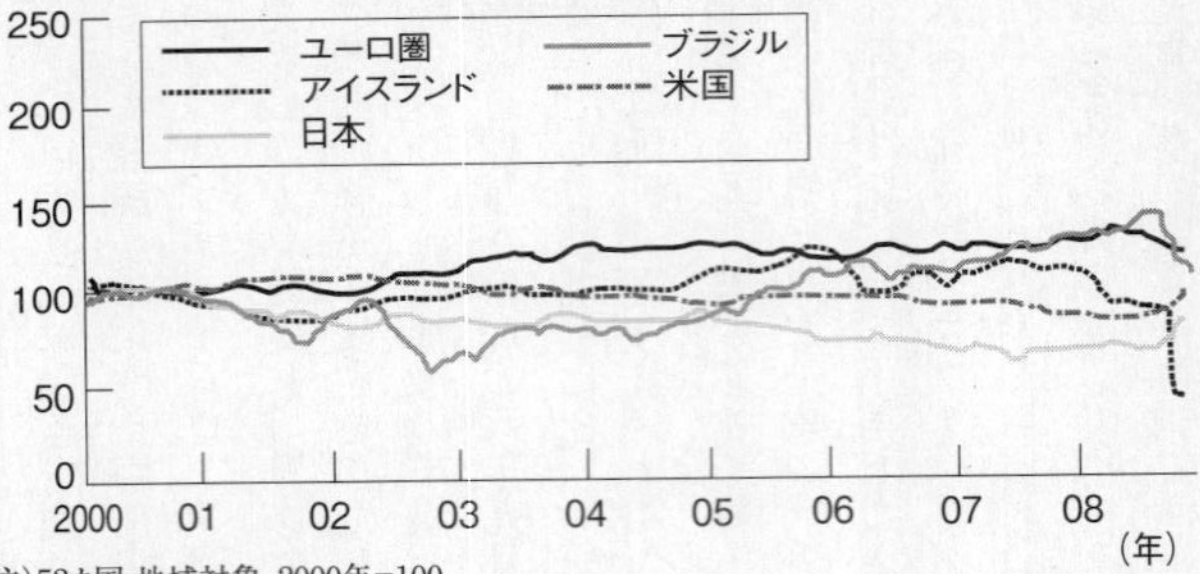

(注)52カ国・地域対象、2000年=100
(出所)BIS調べ

の仕入れ値が跳ね上がったうえ、経済の混乱で十月以降、店の売り上げは四割も落ちた」と嘆く。同様に韓国ウォンなどアジア通貨も軒並み急落した。

新興国通貨の下落ぶりは、複数通貨に対する各国通貨の実力を示す実質実効為替レートで比べてみるとさらにはっきりする。国際決済銀行（BIS）が算出している、五十二カ国・地域を対象にした実質実効レート(二〇〇〇年＝一〇〇とし、数値が高いほど通貨高を示す)によると、ブラジルやアイスランド、韓国などの通貨が〇八年夏ごろから急落した。金融危機の広がりとともに、投資先の選別が急激に広がったからだ。

「投資マネーは本来、とても臆病な存在だ。今回の危機でそれが改めて分かったろう」。幾多の通貨波乱を見てきた、欧州の元為替ディーラーのつぶやきだ。

3 商品　急騰から急落へ

原油などの商品価格が今世紀、「世界人口の急増と新興国の台頭で水準が大きく切り上がるパラダイムシフト」（丸紅経済研究所の柴田明夫所長）を起こした事実は間違いない。しかし米国の住宅バブルと過剰消費、行き場を失った膨張マネーに翻弄され、二〇〇八年夏を境に商品価格は急騰から急落に転じた。

石油危機の反動から一九八〇―九〇年代と低迷した商品価格は、九八―九九年と〇一年の二回の安値、いわゆるダブルボトムを付けて長期の上昇基調に入った。ただ〇七年後半以降、とりわけ〇八年に入ってからの値上がりは〇二―〇七年前半までの動きと明らかに様相が違う。米国の住宅バブルと証券化バブルが崩壊し、行き場を失った余剰マネーが原油などの商品市場に向かったためだ。

米国の大手投資銀行は〇七年後半、米経済が悪化しても中国などの新興国経済は影響が小さいというデカップリング（非連動）論を展開、〇八年に入ると一バレル一五〇ドル、二〇〇ドルへの原油価格上昇シナリオを打ち出した。金融・経済危機の回避を狙ったFR

Bが利下げとともに資金供給を繰り返したことも商品市場へのマネー流入に拍車をかけた。商品先物で最大の米原油先物でも、資金流入規模を示す建玉（未決済残高）の時価総額はピーク時で二十兆円程度。株や債券の世界時価総額の三百分の一から二百分の一にすぎない。金融市場からのマネー流入はわずかでも価格急騰を招き、川下にあるガソリンや石油化学製品、輸送などのサービス料金を押し上げてインフレ圧力を高めた。

景気拡大とバランスしながら、〇七年前半までのような巡航速度で値上がりを続ければ二〇〇ドルシナリオも非現実的ではない。しかし〇七年後半からの上昇スピードは速過ぎた。資源・食料の急激な値上がりは実体経済や企業収益を傷め、商品需要に跳ね返る。そこにIT（情報技術）バブル崩壊↓金融緩和↓住宅・証券化商品バブルと同じパターンで商品バブルを膨張できない落とし穴があった。住宅、証券化市場で巨大化したバブルの受け皿にするのに商品市場はあまりに小さく、しかも実体経済と密接にリンクしている。

原油市場で〇八年、最も象徴的な出来事はやはり世界最大の石油消費国、米国のガソリン需要が減少に転じたことだ。米国の石油消費はガソリンだけで日量一千万バレル弱と世界の石油需要の一割以上を占め、なおかつ三―五％の拡大を続けてきた。それが米エネルギー省が発表した十二月十九日までの四週平均は日量約九百万バレルと前年同期を四％近く下回る。「クルマが必需品で人口も増加しているためガソリン需要は減りにくい」と言われた米国市場もついに変調した。

米国の消費者は住宅バブルの恩恵で大型車志向を強め、ゼネラル・モーターズ（GM）など米三大自動車メーカー（ビッグスリー）も利益率の高い大型車に傾斜した。ところが世界的な石油需要の増加と余剰マネーの流入は米国のガソリン、軽油価格を景気・需要とのバランスが崩れる「臨界点」以上に引き上げてしまった。

いったん逆回転を始めた歯車は簡単に止まらない。燃料高は燃費の悪い米国車を直撃し、さらに金融危機が追い打ちをかけて米自動車産業を窮地に追い込む。米自動車や航空大手の相次ぐリストラ策は米国の個人消費を一段と冷やす。住宅バブルに乗って過剰消費を続けた米国の生活もついに変わっ

キーワード

CTA

Commodity　Trading　Adviserの頭文字で、ヘッジファンドの一種。日本では商品投資顧問と呼ばれる。投資家からの依頼を受けて、資金を運用する。運用先は原油や貴金属、穀物など商品先物市場が中心だが、株式や債券、通貨、短期金利の先物なども手掛ける。

独自に開発した運用プログラムを活用して投資することが多い。異なる運用対象の価格差に着目した利ざや稼ぎや、相場の流れに沿って売買する手法などを多用する。原油先物などの商品価格が2008年夏、空前の高値を付けたのはCTAの資金流入による影響が大きかった。現在は残高が大きく減っている。

た、と言うより、変わらざるを得なくなったのである。

東京海上アセットマネジメント投信の平山賢一チーフファンドマネージャーは「原油価格の前年同期比上昇率が五〇%を超すと株価は下落する」と指摘する。米原油先物の前年同期比上昇率は〇七年十月に五〇%を超え、初めて一バレル一〇〇ドルを突破した〇八年一月二日時点で六割強、一四七ドル台の史上最高値を記録した同年七月十一日時点では前年の二倍に達していた。

投資家から解約を迫られたヘッジファンドなどが投資マネーを引き揚げ、米原油先物の売買建玉は〇八年十二月二十四日時点で百十四万二千枚（一枚は千バレル）と五月十三日のピーク（百四十七万七千枚）から二割以上も減った。だが七月の最高値から十二月には一時三二ドル台と、最高値の五分の一近くまで急落した原油をはじめ商品価格にまだ底入れ感はない。

もともと商品価格は、景気の動きを先読みする先行指標である。景気が良くなるとみれば需要増を見込んで企業は買い付けを増やし、逆に悪くなりそうな気配を察知すれば調達を手控えるためだ。直近の価格下落は投機マネーの逃避より、金融機能の不全が実体経済を下押し、世界景気の底割れ懸念が払拭できない不安を映している。

本来なら年初の一〇〇ドル前後、少なくとも〇五―〇六年高値の七〇ドル台あたりで実体経済と均衡する「地面」に足がつくはずが、地面がどんどん下へ落ちていってしまった。

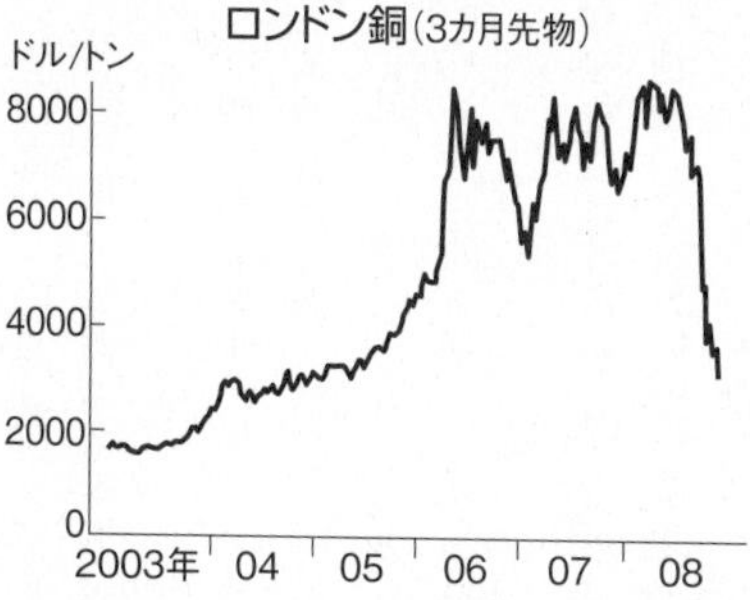

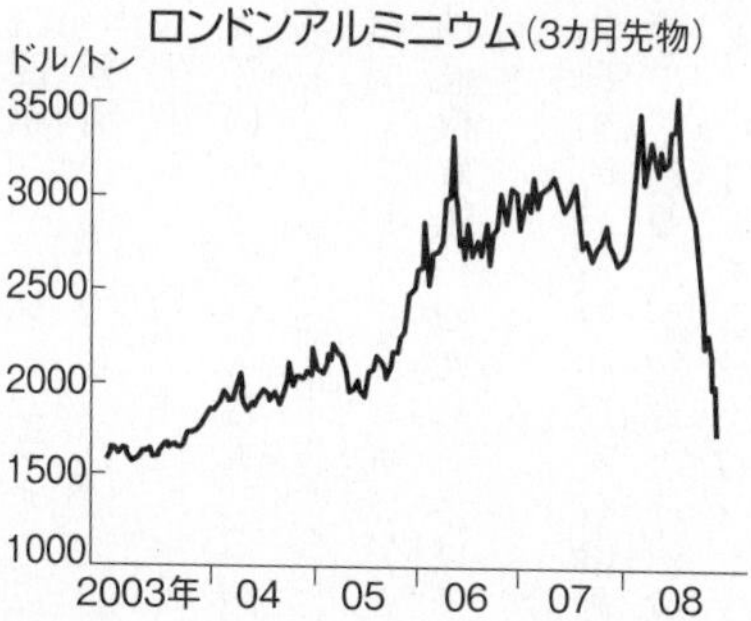

七〇ドルを下回ってからの値下がり加速はもはや「高値の反動」だけでは説明できない。金融機能のマヒが実体経済の首を絞め、生産・消費活動を半ば凍りつかせてしまった影響が大きい。

〇八年夏に一ガロン四ドル（レギュラー）を超えた米国のガソリンの平均小売価格も一・六ドル台と〇四年初めの水準まで下がったが、需要は前年同期を下回ったまま。価格高騰をこなして前年比で五％近くガソリン需要が伸びていた〇四年初めの姿とはあまりに対照的だ。価格下落→需要回復という市場メカニズムも金融・経済が健全でなければ機能しない。

変調は欧州や、米国より先に自動車やガソリン販売がマイナスに転じている日本、中国などの新興国にも波及した。日本の新車販売台数は〇八年まで五年連続で前年比減少し、総自動車台数＝登録台数も減り始めている。国際エネルギー機関（ＩＥＡ）は、世界最大の石油消費国、米国の変調で、〇八年の世界需要が第二次石油危機直後、一九八三年以来の減少に陥ったとみる。

原油などの資源価格急落と金融危機に伴う資金調達難は、資源国の経済や開発投資計画も直撃している。米国の赤字を補填してきた資源マネーの逆流や、資源国が深刻な経済危機や政情不安に見舞われれば、景気低迷下でも供給不安から価格が再騰する最悪のシナリオが浮上してしまう。

実体経済の悪化を受けた失業の増加は、新興国で政情不安、先進国では社会不安を招く。〇八年後半にタイやギリシャで起きたような混乱の発生リスクは増す。政情不安は需要国で起きれば一段と需要を冷やす半面、資源国で発生すれば景気低迷下でも供給不安から価格を反騰させてしまう。当面の懸念はインフレからデフレへと百八十度転換したものの、〇九年の図式は景気悪化→商品安にとどまらない可能性がある。

米国の財政悪化を材料にドル売り圧力が一段と強まれば、行き場を失ったマネーが再び商品市場に流入する懸念も否定できない。オイルマネーが買い手として期待できなくなった現在、増発する米国債を誰が買うのかという問題に直面する。

景気の影響を受けにくく、在庫率も低い穀物には常に天候異変による減産リスクがつきまとう。国連は〇七年、六十七億人の世界人口が二〇五〇年には九十二億人に迫るとの見通しを発表した。世界が経済危機に見舞われようと、人口増加は加速している。商品市場が描くシナリオは単純なデフレへの逆戻りではない。その証拠に、米原油先物で最も期間の長い二〇一七年物取引は、急落した期近取引より四〇ドルも高い水準にある。

4 金融危機で金、プラチナ価格逆転

投資マネーによる翻弄や、激変する経済情勢は商品市場の価格秩序も乱す。例えば貴金属市場ではニューヨーク先物で二〇〇八年三月に一トロイオンス二二五一ドルまで上げ、金の二倍を超えていたプラチナ（白金）価格が急落。一九九七年一月初め以来、ほぼ十二年ぶりに金価格を下回る珍事が起きた。年間生産量が二百トン程度と金の十分の一以下で、

在庫も少ない白金がなぜ金価格に接近したのか。

白金価格が急落した理由は明白だ。英調査会社、ゴールド・フィールズ・ミネラル・サービシズ（ＧＦＭＳ）の調べで、〇七年の総需要（二百三十九トン）のうち五五％が自動車の排ガス処理触媒に使われた。米ビッグスリー（大手三社）を窮地に追い込むほど自動車販売が落ち込んだのだから、白金価格には強い下げ圧力がかかる。

白金の下落率は最高値から〇八年十月の直近安値まで六六％。自動車燃料の影響が大きい原油やタイヤ原料の天然ゴムも最高値から約七割下げた事実を見ると、値下がりの主因は投資マネー離散より背後にある自動車危機だ。

価格接近のもう一つの要因は、金が三月の最高値から十月の安値まで三三％、白金や原油の半分しか下げていない安定性にある。インフレ圧力という強材料が後退したにもかかわらず、なぜ金価格は他の商品より変動が小さいのか。

そもそも金は九九年と〇一年に付けた安値から三月の高値までの上昇も四倍にとどまる。白金の六・八倍（九八年安値比）や米原油先物の十四・二倍（同）に比べ上昇力は鈍い。その理由をワールド・ゴールド・カウンシル（ＷＧＣ）の豊島逸夫・日韓地域代表は「市場規模、地上在庫の大きさ」と説明する。

金は人類が産出した量の大部分が地金や宝飾品などの形で積み上がっている。在庫量は〇七年末で十六万一千トン（ＧＦＭＳ推定）。金は増加する在庫が価格に影響しない、経済原理に反した商品だ。そこが原油や非鉄金属と決定的に違う。

マーケット・ストラテジィ・インスティチュートの亀井幸一郎代表は、直近の底堅さについて「金融危機で金の持つ『マネーの顔』が教科書通り出た」と話す。金は米国がドルとの交換をやめたニクソンショック後も「究極の通貨」（グリーンスパン前米連邦準備理事会＝FRB議長、九九年五月の上院銀行委員会証言）である。一方、白金は希少過ぎて各国の通貨や準備資産として定着できなかった。

ニューヨーク金、プラチナ先物

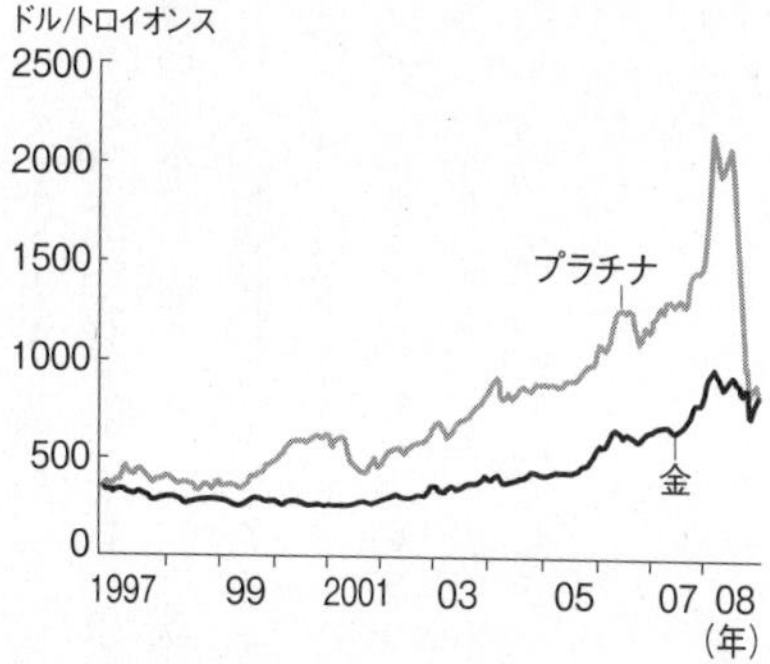

過去三十年で倍近く増えた金の地上在庫も、通貨や証券の膨張に比べれば伸びは小さい。三菱UFJ証券の調べで株、債券、預金を合わせた世界の金融資産は〇七年十月時点で百八十七兆ドルと九〇年の四・六倍に増えていた。しかも、この資産額にはさらに巨大なクレジット・デフォルト・スワップ（CDS）のようなデリバティブ（金融派生商品）は含まれていない。金の在庫増が価格に影響しない理由は、ペーパーマネーとの対比で希少性が高まった側面も大きい。

WGCとGFMSが共同でまとめる四半期ごとの金需給統計で、〇八年七―九月期の金投資需要は二百三十二トンと前年同期に比べて二一%増えた。なかでも金融機関や通貨に不安を感じた一般投資家が金貨などを買い求めた欧州は二十二倍の五十一トンと「通年でもなかった記録的な水準に膨らんだ」(亀井代表)

WGCの豊島氏は新著『金を通して世界を読む』(日本経済新聞出版社)の冒頭でこんなエピソードを紹介している。FRB議長引退後のある講演で「講演料のお支払いはドル、ユーロ、それとも円になさいますか?」と聞かれたグリーンスパン氏。しばらく考えた末の答えは「GOLD」だったという。もちろん前議長のジョークであろうが、聞いた方はさまざまな想像が膨らんでしまう、あまりに深い回答である。

第7章

悩める中央銀行

「自分の人生の中で、これだけ急激な変化を経験したことはない」

日銀の白川方明総裁は二〇〇八年十二月十九日の記者会見で、十月末の利下げからわずか二カ月足らずで再利下げに踏み切った理由をこう説明した。危機の封じ込めへ、世界中の中央銀行があらゆる手段を総動員した。

1 新局面の国際協調――政策のほころび突く為替市場

「国際金融市場の混乱に対しては、政府・日銀が緊密に連携し、国際協調は惜しまないことが必要だ」

二〇〇八年十月七日に開かれた日銀の金融政策決定会合。政府代表として出席していた藤岡文七内閣府審議官は、白川方明総裁をはじめとする政策委員らを前に注文を付けた。

政府代表は、財務省と内閣府からそれぞれ一人ずつ参加し、政策委員らが審議を行う、いわゆる「円卓」に着席する。金融政策などの採決には参加せず、提案された議案に問題があると判断した場合は議決を次回会合まで延期するよう求める権利がある。通常は経済情勢や政策運営に関して一般的な指摘を行うにとどまり、国際協調への呼びかけは異例だ。

結局、日銀はこの決定会合では政策金利を年〇・五％に据え置いた。

ところがその翌日、政府にとって「寝耳に水」の事態が起きる。米欧の六つの主要中央銀行が、日本抜きで協調利下げに動いたのだ。ＦＲＢ、欧州中央銀行（ＥＣＢ）、英イングランド銀行（ＢＯＥ）など、協調への参加各国がそろって〇・五％ずつ政策金利を引き下げるという内容だった。中国、香港、クウェートなども、同時に利下げに動いた。

決断迫った円高

日銀は白川総裁が米欧各国との電話会議に参加するなど、事前調整に加わっていた。各国の動きは詳細に把握していたが、「政府には直前まで連絡もなかった」と、ある高官は不満をあらわにする。

各国の動きが政府に伝われば、日銀も協調利下げに加わるよう求められるのは、想像に難くない。「日銀は協調利下げへの参加を求められるのを嫌って、あえて沈黙していたのではないか」と勘繰る声もあった。

金利の据え置きを決めた七日の決定会合後の記者会見でも、白川総裁は微妙な言い回しをしていた。

国際協調の一環で利下げに動く可能性を問われ、「各国の経済情勢に照らして金融政策を行うのが適当」と強調。そのうえで「金利変化の方向がたまたまそろった事例をあえて協調と形容する必要はない」と付け加えた。

日銀がここまで国際協調と距離を置くのはなぜなのか。

一つは一九八五年のプラザ合意以降の苦い教訓だ。同年九月にニューヨークのプラザ・ホテルで開かれた先進五カ国（G５）による財務相・中央銀行総裁会議は、米国の巨額赤字に代表される国際収支の不均衡を是正するため、為替介入によって円やマルクをドルに対して切り上げることで合意した。

これと並行して、金融政策の面では、翌年のロンドンG5で日本と旧西ドイツが協調して利下げを進めるよう求められ、日本は公定歩合を当時としては最低の年二・五%まで引き下げた。

その後、日本の景気は拡大傾向をたどったが、国際合意にしばられて金融引き締めに動けなかった。八七年十月には「ブラック・マンデー」(暗黒の月曜日)と呼ばれるニューヨーク株式相場の暴落が起きた。米国から急速な勢いで資金が流れ出すなか、ドルの一段の下落を避けるためにも、日銀は超低金利を維持することを余儀なくされた。

結局、日銀の公定歩合は二年三カ月もの間、史上最低の二・五%に据え置かれた。過度の金融緩和は不動産や株式のバブルを生み、その崩壊が経済の長期停滞を招いたという批判が巻き起こった。

以後、「金融政策は国内優先」という原則が確立していった。「国際協調」とは結局のところ強い国が他の国を従わせるための方便、あるいは「外圧」ではないのか——そんな見方が日銀内では広く浸透している。

だが未曾有の金融危機を受けて、そうした日銀の姿勢と市場との間には温度差も生じ始めた。

「まさにマンデル・フレミング理論を地で行く展開だ」。十月八日の六中銀の協調利下げ後、日本の置かれた立場をそんなふうに説明するエコノミストが相次いだ。マンデル・フレミング理論——九九年にノーベル経済学賞を受賞したロバート・マンデルとジョン・マーカス・フレミングが打ち立てた経済モデルで、開放経済における財政支出と金融政策の効果を説明している。

これによると変動相場制のもとでは、ある国が需要創出のため財政支出を増やした場合、国債の利回りが上昇し、これによって通貨高となり、製品などの価格競争力が失われ、輸出は減ってしまう。つまり、需要がほかの国に奪われた格好となり、財政支出の効果は相殺される。

一方、中央銀行が利下げを行った場合は、資本の流出によって通貨安となり、輸出が増える。利下げは同時に国内経済も刺激するため、外需と内需をともに押し上げる二重の効果があるとして、金融政策の有用性を説いている。

需要喚起が待ったなしの各国は、だから、そろって協調利下げに動いたのだとエコノミストらは主張した。その裏で利下げをしなかった日本は、円高圧力が増し、輸出急減によって需要を奪われる側に回りかねないと警鐘を鳴らした。

実際、円相場は米欧の協調利下げから二週間後には、約十三年ぶりとなる一ドル＝九〇円八七銭まで急騰した。輸出急減による企業の業績悪化への懸念が強まり、株価はバブル後の安値を更新した。

こうしたなか、十月二十八日には、日銀に理解を示す与謝野馨経済財政担当相が、日銀の背中を押した。

「〇・五％の政策金利を〇・二五％に下げても経済に対する効果は全くない」としながらも、「各国の中央銀行が利下げをしたときに、日本も利下げするのは国際協調の重要な証しの意味がある」とも指摘。協調利下げに日銀が加わらないと円の独歩高が一段と進むことへの警戒感をにじませた。

結局、日銀は十月三十一日の決定会合で利下げを決めた。急速な円高進行が利下げ判断の決め手になったことを、複数の日銀幹部は認めている。

各国にドル供給

グローバル市場の混乱は、中央銀行に新たな形の国際協調も迫る。

「ＦＲＢは地球規模の『最後の貸し手』か」。そんな議論が内外の経済論壇をにぎわしている。

各国中銀はドル資金を世界の金融市場に行き渡らせるためのネットワークを急速に構築中だ。金融機関が互いの健全性への疑念から資金の貸し借りを手控えた結果、市場からドル資金が枯渇したためだ。

2008年下旬のFRBと日銀の主な動き

	FRB		日銀
10月	8日＝6カ国で協調利下げ（2.00→1.05%）		7日＝政策決定会合で政策金利据え置き
		24日 1ドル＝90円87銭まで円が急騰	
	29日＝利下げ（→1.00%）		31日＝利下げ（0.5→0.3%）
11月	25日＝最大8000億ドルの金融対策発表		21日＝CP現先オペの一段の拡充決定
12月	16日＝利下げ（→0.00～0.25%）	17日 1ドル＝87円台に突入	2日＝社債やCPを担保にした低利の企業向け資金繰り支援策決定
			19日＝利下げ（0.3→0.1%）

ネットワークの中心に位置するのはＦＲＢ。ＦＲＢは各国中銀との間で互いの通貨を交換する協定を結んでおり、これに基づき、各国中銀にドル資金を供給する。各国中銀は、手に入れたドルを自国の金融機関に流す。各国中銀が、ＦＲＢから各国の民間金融機関へのドル供給を橋渡しする仕組みだ。〇七年十二月に米欧などの五中銀で始めたこの枠組みは、〇八年九月までに日銀も含めた十中銀に拡大。資金額も段階的に増え、ついに無制限となった。

さらにＦＲＢは〇八年十月にブラジル、メキシコなど新興国の中銀にもドル供給を始め、関係者を驚かせた。外貨不足などに陥った新興国などへの資金供給はこれまで国際通貨基金（IMF）の役割と考えられてきたが、ドルが世界中の市場から一気に干上がる異例の事態を前に、FRBも前代未聞の対応に踏み切ったのだ。

新たな国際協調

一連の措置は、FRBが印刷したドル紙幣を世界中に散布しているのに等しい。果たして、その規模はどれくらいになるのか。

FRBがドルと引き換えに各国中銀などから受け取った外国通貨の額は、〇八年末の時点で約六千億ドル。一年前から五千六百億ドル増えた。これにほぼ見合うドル資金が、各国に供給されたもようだ。

だが危機が収まれば、金融機関はしまい込んだドルを吐き出し、市場にドルがあふれ返る可能性がある。「タイミングを見極めうまく回収を進めないと、米財政赤字と相まってドルの信認が低下し、市場が不安定化しかねない」と東短リサーチ・チーフエコノミストの加藤出氏は懸念する。

ドルの散布という〝劇薬〟の副作用をどう抑えるのか。先を見据えた柔軟な国際協調策が、この先問われることになる。

2 金融政策、手詰まり感——ゼロ金利目前 当局の焦り

「いつか来た道だな」。日銀の関係者らは、既視感に見舞われていた。

〇八年十一月二十一日の金融政策決定会合で、日銀は企業の資金繰り対策を打ち出した。十月三十一日に政策金利を年〇・五％から〇・三％に引き下げてから三週間後のことだ。公開市場操作（オペ）でのコマーシャルペーパー（CP）の受け入れ拡大、企業向けの債権を担保に金融機関に低利で資金供給する臨時制度の創設、日銀が資金供給の見返りに金融機関から受け入れる担保の範囲拡大……。ちょうど十年前、政策金利がゼロ目前だった九八年に日銀が繰り出した対策が、再び俎上に載った。

二十一日の記者会見で、白川方明総裁は一連の対策の狙いを「企業の資金調達環境の悪化に対応するため」と説明した。

実際、CPなどは企業の破綻リスクを警戒して引き受け手が極端に減っており、企業による発行額は前年より三割減のペースが続いていた。日銀が銀行などからのCPの引き受けを増やして資金を供給すれば、市場の需給は引き締まり、企業はCPを発行しやすくな

る。米国発の金融危機の影響が日本にも押し寄せるなかで、日銀に対応を期待する声は増えていた。

企業向け債権を担保にした低利での資金供給の仕組みや、日銀が受け入れる担保の範囲拡大も、銀行から企業への資金の流れを促すのに一定の効果が期待できる。

だが、日銀が一連の対策をまとめたのには、別の狙いもあるとみる市場関係者も少なからずいた。

「資金は存分に供給するが、年〇・三％の政策金利はもうこれ以上は下げたくないという意思表示だろう」。市場関係者からはそんな声が上がった。

もっとも、十年前の九八年には同様の対策を打ち出してからわずか数カ月後に日銀はゼロ金利に追い込まれた。日銀の意図はともかく、今回もほどなく追加利下げを迫られると予想する市場関係者も多くいた。

「ゼロ金利への競走」。主要中銀の置かれた立場を内外のエコノミストはそう説明していた。十一月二十一日の時点でFRBの政策金利は史上最低に並ぶ一％。欧州中央銀行（ECB）の政策金利も約二年ぶりの低水準で、さらなる利下げが予想されていた。英イングランド銀行（BOE）に至っては、相次ぐ大幅利下げで、政策金利は約五十年ぶりの水準まで下がっていた。

しかし、利下げの効果は徐々に小さくなっていた。

十一月六日のBOEによる一・五％の大幅な利下げにも株価はほとんど反応を示さなかった。さらに主要な民間銀行が貸出金利の引き下げを見送る事態も生じた。通常なら「利下げ→市場金利低下→貸出金利下げ」と政策効果が浸透していくが、信用不安を背景に利下げ後も市場金利が高止まりしたためだ。

市場の心理好転と景気テコ入れを狙った当局は二重の衝撃を受けた。金利がゼロに近づくなかで、利下げの効果に限界が見え始めた主要中銀。市場では、各中銀が次にどんな策をひねり出すのかに、にわかに注目が集まり始めた。

これ以上の利下げが難しくなった中央銀行にとって、一段の金融緩和のためとりうる選択肢の一つは、政策運営の目安を「金利」ではなく、お金の「量」に切り替えて、たっぷりと資金を供給する量的緩和政策だ。

日本が〇一年から五年間にわたって採用した政策だが、今回は「世界同時の量的緩和が視野に入る」（クレディ・スイス証券の白川浩道チーフエコノミスト）との可能性もささやかれ始めた。

ただし、各中銀は仮に量的緩和に突入する場合でも金利をゼロにすることは避け、プラス金利を保ちたいと考えていたようだ。少なくとも、日銀内には「何としてもゼロ金利は避けたい」と考える幹部が多くいた。

ゼロ金利が長引いた日本では、銀行が日銀から資金を直接調達できるようになり、銀行同士が資金をやり取りする短期金融市場での取引が極端に細った。信用力に応じて金利が発生するという「市場本来の機能が失われてしまった」（日銀幹部）との反省がある。FRBも、そうした弊害を十分承知していたものと思われる。

潤沢に資金を供給しながら、ゼロ金利は避ける。一見矛盾する二つの課題を両立させるため、まず十月にFRBが手を打ち、日銀がこれに続いた。銀行が資金決済などを行うため中央銀行に開設している「当座預金口座」に金利を付け始めたのだ。

銀行はふだん、余剰な資金を短期金融市場で運用して金利収入を得ている。だが市場で付く金利が当座預金の金利を下回った場合、銀行はお金を中央銀行に預けた方が有利になる。このため理屈上は、市場の金利は当座預金に付く金利を下回ることはなくなる。短期市場金利に事実上の「下限」を設定できるわけだ。

もっとも当座預金に金利を付ければ、銀行がお金を当座預金口座に眠らせたままにする可能性がある。供給したお金が市場や貸し出しに回りにくくなるとの弊害を指摘する声は、日銀内からも上がった。

FRB目標割る

より深刻な事態に見舞われ、金融政策に大きな混乱が生じたのは米国だ。当座預金に金利を付けたのに短期金利は急降下。政策金利であるフェデラルファンド（FF）金利の誘導目標を大きく下回り、「下限金利」が機能しない事態が生じた。

主な原因は米連邦住宅抵当公社（ファニーメイ）、米連邦住宅貸付抵当公社（フレディマック）という二つの住宅公社。二社は短期金融市場で巨額の資金を運用しているが、FRBは銀行などのように当座預金に金利が付く仕組みを、この二社には適用していなかった。そのため余剰資金を当座預金よりも低い金利で市場に供給し、FF金利を押し下げてしまった。

FRBには強い危機感が走った。米連邦公開市場委員会（FOMC）が決めた政策金利を守れない前代未聞の状況は金融政策の信認を揺るがすが、それだけが理由ではない。米国では、日本の銀行預金のように個人の財布代わりになっているマネー・マーケット・ファンド（MMF）が、短期市場で大量の資金を運用している。もし金利がゼロになれば、解約殺到の恐れもある。そうなればMMFが持つCPが売られ、ただでさえ厳しい企業の資金繰りに追い打ちをかけかねない。

事態を打開するためFRBは、金利付与の制度を導入してからわずか一カ月後の十一月、それまで政策金利よりも低い水準にあった「下限金利」を政策金利と同じ一％まで引き上げた。これで政策金利の「下振れ」を解消したいとの期待からだったが、結局、FF金利は一％を下回り続け、窮余の策も空振りに終わった。

「FRBは出口への戦略もなく、量的緩和に足を踏み入れているのではないか」。日銀の幹部は「なし崩しの量的緩和」に懸念を示したが、残された選択肢が少ないのは日銀も同じだ。深刻さを増す金融・経済危機が、各国中銀、そして日銀の手足を縛り始めていた。

3 新たな懸念に警鐘――膨らむ資産　劣化の恐れ

ＦＲＢダラス連銀のフィッシャー総裁は、全米に十二ある地区連銀のトップで最もインフレを警戒し、利上げを主張する「タカ派」として知られていた。そのフィッシャー総裁に新たな懸念が加わった。ＦＲＢのバランスシート（貸借対照表）膨張だ。

「新年までにＦＲＢの資産が三兆ドルに膨らんでも不思議はない。米国内総生産（ＧＤＰ）の二〇％という額だ」。二〇〇八年十一月初め、そう警鐘を鳴らした。

ＦＲＢは二・四倍

リーマン・ブラザーズが破綻する直前の九月上旬に九千四百億ドルだったＦＲＢの資産規模は、わずか二カ月半で二兆二千億ドルと二・四倍に膨らんだ。金融機関や市場への資金供給を増やす目的で、証券や債券などの買い取りを拡大したためだ。

フィッシャー総裁の発言から二週間余りたった十一月二十五日。FRBは最大八千億ドルの住宅ローン担保証券や個人ローン債権を金融機関から買い取ると発表した。借り手となる個人や金融機関の支援が狙いだが、買い取った債権はFRBの資産に計上され、バランスシートを膨らませる。〝予言〟された「三兆ドル」は現実味を増していった。

金融危機が深刻化した〇八年春以降、FRBはまさに大盤振る舞いというべき支援を連発してきた。

▼ベアー・スターンズに二百九十億ドル、▼アメリカン・インターナショナル・グループ(AIG)に一千百億ドル、▼企業からのコマーシャルペーパー(CP)購入に二千七百億ドル……。

そこに上乗せする形での八千億ドルの巨額支援。しかもFRBは、今後さらに矢を放つ構えを見せていた。

危機への対応を迫られているのは他の中央銀行も同じで、支援策はFRBほどではないにしても、やはり資産を膨らませていた。十一月下旬時点で日銀の資産は年初より約一割増、欧州中央銀行(ECB)は約四割増、英イングランド銀行(BOE)は二・三倍に増えた。

中央銀行の資産を拡大させている支援策の目的は、大きく分けて二つ。第一は機能マヒに陥った市場のテコ入れだ。

住宅ローンを裏付けとする証券化商品などは商品の価値に疑念が生じ買い手がつかな

い。銀行が互いの健全性に神経質になり資金の貸し借りが極端に細る現象も目立つ。中央銀行は市場を補完する形で資金を供給するとともに、これを通じて取引を正常化させる誘い水の効果を狙った。

第二が個別金融機関の資金繰り支援。市場の不信感が先走って金融機関が資金調達に行き詰まるのを避ける「最後の貸し手」としての機能だ。

経済の血液であるお金を必要な企業や人に送り届ける金融システムは、いうなれば経済・社会の基本インフラ。それが市場や人々の不安心理によって本来の機能を果たさなくなれば、経済に大きな打撃を与えかねない。中央銀行が乗り出して果敢に資金供給せざるを得ない理由だ。

つまり、中央銀行の資金拠出は信用収縮を和らげ、金融危機の実体経済への波及に歯止めをかけるのが狙いだ。白川方明日銀総裁は「一九三〇年代の米国ではＦＲＢが最後の貸し手として機能しなかったため、大幅な信用収縮が起きた」と指摘した上で、今回は安全装置が整っているため当時のような恐慌に陥らないはずだと強調する。

もっとも市場に漂う不信感の根っこには、金融機関の資本不足の問題がある。不良資産の額を確定し、必要な資本を民間か政府から調達して経営基盤を強化することが不可欠だ。中央銀行による資金供給は根本的な解決策にならず、いつまでも中銀依存を続ければモラルハザード（倫理の欠如）を招きかねない。

ドル信認低下も

中央銀行の側にも問題が生じる。例えばＦＲＢの場合、保有する資産としては最も信用力が高いとされる米国債が以前は資産全体の九割を占めた。それが足元では約二割に低下している。残りは新たな資金供給の見返りに受け入れた米国債よりも信用力の低い証券などで、資産の「質」も明らかに劣化している。

これらの資産価値が目減りする危険は増しており、ＦＲＢの健全性にも疑念が生じかねない情勢だ。ＦＲＢの資産規模がＧＤＰの二割に迫る今、損失は巨額になり、経済全体を揺さぶる懸念もある。

「通貨を発行するＦＲＢが損失を負えば、ドルの信認低下は必至。政府が穴埋めしても、今度は財政が悪化し、やはり同じ結果になる」と日銀の元理事は懸念を示す。

悪影響を最小限にとどめるには大胆な救済策が不可欠。だが、それを損失のつけ回しに終わらせては、長い目で見て経済への悪影響は計り知れない。微妙なバランスを求められる中央銀行の悩みは、危機の進行とともに深まるばかりだ。

4 共鳴し合う危機対策――「非伝統的」手段に脚光

「バーナンキ議長は日本に対して求めたことを、まさに自ら実行しているね」。日銀の幹部は、そうつぶやいた。〇八年十一月二十五日、FRBが住宅ローン関連商品の買い入れなどを柱とする最大八千億ドルの対策をまとめた直後のことだ。

日銀が量的緩和政策のさなかにあった〇三年春。当時はまだFRBの理事だったバーナンキ現議長が、お忍びで日銀を訪れ、幹部らと意見交換したことがある。

「量的緩和による日銀のバランスシート（貸借対照表）拡大が、ただちに問題となるとは思わない」。ある幹部がそう話すと、バーナンキ氏は大いに喜んだという。

無理もない。この訪日時にバーナンキ氏が都内で行った講演の記録をみると、こんな発言が並んでいる。

「日本が金融緩和を促すため可能なすべての手だてを講じたとは信じられない。伝統的、非伝統的な政策を含め、もっと積極的な対応をとれるはずだ」

「デフレ脱却には、金融・財政当局の一層の協力が不可欠。日銀は、さらに多くの国債買い取りを検討すべきだ」

「バランスシートが傷つくとの懸念が、積極的な政策発動を妨げてはならない」

要は、日銀はバランスシートの肥大化を顧みず、市中から多くの資産を買い取って果敢に資金供給せよ、との主張。講演では聞かれなかったが、このころのバーナンキ氏は「日銀はケチャップでも買ってはどうか」「ヘリコプターからお札をばらまいては」などと発言し、論争を巻き起こした。

それから五年あまり。FRBはケチャップこそ買っていないが、資金供給と引き換えに多岐にわたる資産を購入し続けており、その対応に日銀の幹部らも感心せざるを得なかった。

しかし、なりふり構わぬFRBの政策発動を目の当たりにして、日銀の幹部らは一方でひしひしとプレッシャーを感じていた。金融機関がそれほど痛んでいない日本と米国では、金融市場の混乱の度合いが明らかに違う。しかし、日銀の対応が大きく見劣りすれば永田町や市場関係者は黙っていないだろう――

しかもFRBの動きは、まだまだ打ち止めとなる気配がない。それどころか、ますます勢いを増しているように見えた。

十二月一日の講演で、バーナンキ議長は「FRBは相当量の米長期国債や政府機関債を市場から買い入れることが可能だ」と発言した。同議長がかつて日本に求めた対策が、また一つＦＲＢによって実行に移される。当時、ＦＲＢの政策金利が史上最低に並ぶ一％まで低下し、限りなくゼロ金利に近づいていることもあり、市場では「ＦＲＢはかつての日本のような量的緩和政策を導入する」との観測が急速に強まった。

日銀がひねり出した量的緩和など異例の政策対応を歓迎し、もっと大胆に、と背中を押したバーナンキ氏。そのバーナンキ氏率いるＦＲＢが今度は日本の経験を下敷きに、より大規模な措置に踏み切る。さながら政策の〝エコー（山びこ）現象〟だ。

ＦＲＢの思い切った危機対応策は、さらに「日銀も同様の手を打つのでは」との連想をかき立てる。これが市場や政治の期待という形で、日銀に圧力として跳ね返った。先の見えない危機と、政策の手詰まり。不安が募るなかで、非伝統的な手段が共鳴し合う展開となった。

十二月八日、自民党本部。財務金融部会・金融調査会の合同会議に出席した日銀幹部に、同党議員からの要求が相次いだ。

「ＦＲＢは企業からＣＰを直接買い取っている。日銀もやるべきでは」

「長期国債の買い入れオペをドーンとやって欲しい」

ＣＰの買い切りや、国債の大量買い取りをめぐっては、エコノミストの間からも「日銀は追随するだろう」と予想するリポートが続出。日銀は観測を打ち消すのに必死になった。

しかし、つぶさに見れば、市場が期待するシナリオには再検証すべき点も少なくなかった。

まずFRBによる量的緩和政策の発動。日銀の長期国債の買い切り額は、〇一年に量的緩和政策が始まってから段階的に月四千億円から月一兆二千億円に引き上げられ、量的緩和政策が終わった後も、そのままになっていた。FRBもバランスシートを拡大させ、国債や政府機関債を大量購入する構えを見せている点などは、確かに量的緩和政策への移行を予感させた。

だが日銀の目的が世の中に資金を大量供給することにあり、その手段として国債の購入を増やしたのとは違い、FRBは国債や政府機関債を購入すること自体に重点を置いていると、日銀の関係者らはみていた。国債や政府機関債など特定の資産を狙い打ちして大量に買うことで長期金利が下がるよう促し、ローン金利を引き下げて住宅需要を刺激するのが目的だ。FRBのバランスシート拡大も、その結果にすぎない。

この前提に立てば、当座預金にたっぷり資金を積み上げ、その残高を目安に金融政策を運営する日銀型の量的緩和政策が採用される公算は小さい。

そもそも日銀の量的緩和をめぐっては、当初の期待とは裏腹に、世の中に出回る資金を増やし、景気を刺激する効果は乏しかった。「日本でうまくいかなかった政策を、FRBが導入するとは考えにくい」との見方が多かった。

一方、日銀にとっても、FRBのような長期国債の大量購入やCP買い切りへのハードルは高く、「FRBに続け」という議論は、あまりにも乱暴と映った。

米国と違って国会などで中央銀行の独立性に厳しい目が向けられている日本で、長期国債の買い切り額をさらに増やすのは難しいのが現実だ。金利を見ても日本の十年物国債の利回りは足元で一・三％前後とすでに低水準。仮に日銀が買い増すことで需給が引き締まり、金利が下がっても住宅需要などを刺激する効果は小さいと見られた。

ＣＰについても、すでに資金供給の担保として受け入れる額を増やすことを決めている。買い切りの場合には、発行企業が破綻すれば日銀に損失が発生する。最終的に誰が負担を負うのかなど複雑な問題があるため、日銀は極めて慎重な立場だった。

「ＣＰの買い切りは中央銀行にとっては極端な手段。市場が完全に停止している米国と日本は事情が違う」。政治家や市場関係者を相手に、幹部は火消しに躍起となった。

だが、こうした理屈がいつまでも通用しないことを幹部らはほどなくして思い知ることになる。政府側がＣＰの買い取りも含めた企業の資金繰り対策を矢継ぎ早に打ち出しており、日銀も何らかの対応を迫られかねない情勢になったためだ。

「日銀は事態の深刻さがまったく分かっていない」

十二月に入ると、政府関係者からそんな声が公然と発せられるようになった。経済産業省や財務省の高官が日銀を訪れてＣＰの買い切りを求める場面も幾度となく繰り返され、日銀への圧力は高まっていった。

その日銀が、かたずを飲んで見守っていたのが、バーナンキFRB議長の動向だ。政策金利がゼロ目前となるなか、十二月十五、十六日の両日開かれる米連邦公開市場委員会（FOMC）で、目を見張るような新手の政策を繰り出しはしないかと、ひそかに気をもんでいたのだ。

FRBがゼロ金利への移行も含め、さらに大胆な対策を打ち出すようだと、日銀の消極姿勢がさらに際立つ。不安定さを増す市場が容赦なく攻撃を仕掛けてくる可能性も捨てきれないし、政治家も黙っていないだろう。そうなれば、もはや理屈の世界ではない。日銀もいや応なく対応を迫られる。

FRBの動き。市場のメッセージ。政府や永田町からの要請。そして、政策としての正当性。四方に目を配りながらの、悩ましい日々が続いていた。

5 「量的緩和」と一線、新政策の模索続く

案の定、日銀の懸念は現実のものとなった。

「FRBがここまでやるとは……」

ＦＲＢが十二月十五、十六の両日に開いた連邦公開市場委員会（ＦＯＭＣ）の決定を受けて、日銀の幹部はため息をついた。

市場の予想を上回る大幅な利下げによって、ＦＲＢはそれまで年一・〇％だった政策金利を〇・〇―〇・二五％に引き下げ、米国として史上初の「事実上のゼロ金利」に踏み込んだ。長期国債の買い入れや多額の政府機関債、住宅ローン担保証券（ＭＢＳ）の購入、家計や中小企業の資金調達支援なども打ち出し、「あらゆる手段を動員する」と表明した。日銀は十八、十九日に予定されている政策決定会合が、目前に迫っていた。「今回の会合では利下げなし」との前提で動いてきた日銀の幹部らは、「本当に、それで乗り切れるだろうか」と不安を募らせ始めた。

ＦＲＢの大幅利下げで、日米の政策金利差は逆転。これによって外国為替市場では円買い・ドル売りが活発になり、十七日には円相場が一時一ドル＝八七円台と約十三年ぶりの水準まで上昇したことも、日銀を追い込んでいった。

永田町からの圧力も一段と強まった。

「向こう（ＦＲＢ）は『はやきこと風のごとし』。こちらの金融当局は『動かざること山のごとし』だ」（中川秀直自民党元幹事長）

ＣＰの買い切りなど、企業の資金繰り対策を拡充して何とか乗り切れるだろうか。それともやはり利下げは避けられないのか。意見が定まらないまま、日銀は政策決定会合の初日になだれ込んだ。

この時点では、白川方明総裁は政策金利を維持するつもりでいたようだと複数の関係者は証言する。会合に参加した政府代表らを通じて、政府側にも「利下げ見送り」との感触が伝わった。

だが、景気は悪化の一途をたどっており、とりうる対応を「温存」している余裕はない。対応が後手に回って円高や株安が進めば、日銀が責められることにもなりかねない。結局、この日の深夜、白川総裁をはじめとする政策委員らは利下げと資金繰り対策の拡充を一気に打ち出すことで腹を固め、二日目の決定会合の議論に臨んだ。

会合では、政策金利を年〇・三％から〇・一％に引き下げることを決めた。同時に年末や年度末にかけて金融機関や企業の資金繰り不安を抑えるため、追加的な資金供給策も決定。企業が短期資金の調達に使うＣＰの買い取りを時限的に実施するとともに、長期国債の買い入れ額を月一兆二千億円から一兆四千億円に増やすことにした。

「私の人生の中でこれほど急激な変化を経験したことがない。そのため政策も矢継ぎ早になった」。

会合後の記者会見で、白川総裁はそう説明し、今後も「中央銀行としてなしうる最大限の貢献を行う」と強調した。

もっとも、日銀の苦悩はまだ始まったばかりというのが実情だろう。

「もうほとんど弾切れの状態。今後何ができるのか悩ましいところだ」。日銀の幹部は戸惑いを隠さない。

国内経済は〇八年度、〇九年度ともマイナス成長を予想する声が多い。日銀も一段の対応を迫られると覚悟するが、具体策は限られる。

白川総裁は、以前のようなゼロ金利への復帰には否定的。景気刺激の効果があまり期待できないうえ、短期市場の取引が不活発になり市場の機能が損なわれると見ているからだ。追加利下げ後の会見でも「プラス金利を維持することで、ぎりぎり金融活動の基盤や取引する動機は残る」と強調し、当面のゼロ金利復帰の可能性を否定した。

資金の量を目安に政策を運営する「量的緩和政策」にも日銀は乗り気でない。〇一年三月から五年間にわたり採用したが、効果がはっきりしないためだ。

特に民間銀行が日銀に開設する「当座預金」に残高目標を設け、資金を供給した手法には日銀内外で疑問視する声が根強い。銀行に大量供給したお金が融資などを通じて金融市場全体にしみ出し経済を刺激するという狙いは、空振りだった、との評価が定着している。

日銀は今後、FRBが打ち出した対策を参考にしながら、新たな金融政策を探るとみられる。政策金利を年〇・〇―〇・二五%に維持し完全なゼロ金利は避けつつ、当座預金の残高目標は設けずに、市場の特定部分を狙い撃ちして資金供給する手法だ。

FRBがまず照準を定めたのは、住宅ローン担保証券（MBS）や、自動車ローン、中小企業ローンを裏付けとする資産担保証券（ＡＢＳ）など。これらを市場から大量に買い取って潤沢に資金を供給し、金融の目詰まりを解消する。「事実上の量的緩和」で、日銀も同様の手法を採用するとみる市場関係者は多い。

もっとも日米では市場の構造が異なる。米国は企業が資本市場からお金を調達する直接金融が主体で、ＦＲＢが購入できる金融商品の種類も額も大きい。一方、日本は銀行融資の割合が高い間接金融の経済。日銀が鳴り物入りで買い切りを決めた企業が発行するＣＰでも市場規模は約十四兆円だ。ＡＢＳなどの市場はこれよりはるかに小さく、仮に日銀が購入を決めても影響は限られる。

「非常時には非常の策を」（ブラウン英首相）という世界の前傾姿勢が日銀にのしかかるなか、日銀はかつてないほどの知恵とバランス感覚を問われる。

6 繰り返される危機——バブル対応、答え見えず

中央銀行はバブルにどう対処すべきなのか。バーナンキＦＲＢ議長は微妙に立場を修正し始めた。

▼理事に就任直後の二〇〇二年十月＝「バブルは特定できないし、金融政策で対応するのは大きなハンマーで脳の外科手術をするようなものだ」
▼〇八年十月の講演＝「バブル崩壊は経済にとって極めて危険で高くつく。危機から抜け出したら問題にどう対応すべきか考える必要がある」

中央銀行にはバブルへの政策対応で大きく二つの「学派」がある。第一が「国際決済銀行（ＢＩＳ）流」。中央銀行はバブルの兆候に目を凝らし、金融政策を通じて発生を防ぐべきだとの主張で、欧州の当局やＢＩＳに支持者が多い。日銀もこの立場に近い。

第二が「ＦＲＢ流」。土地や株式などの価格上昇がバブルかどうかは事後的にしか分からないので放置するしかなく、実際に崩壊が起きた場合に経済への波及を防ぐことに専念すべきだとの立場をとる。中央銀行がバブルつぶしに走って危機を招いた一九二〇年代の米国と八〇年代後半の日本が教訓になっている。

グリーンスパン前ＦＲＢ議長は、九〇年代後半のＩＴ（情報技術）バブルに手を打たず、二〇〇〇年の崩壊時は金融緩和を進めた。これが「ＦＲＢは万一の時に救ってくれる」との安心感と相まって住宅価格を押し上げ、今回の危機につながる証券化商品など幅広い「信用バブル」を招いたとの批判は多い。バブル崩壊後の金融緩和が次のバブルを生み、結局はより大きな危機につながった構図が浮かび上がり、ＦＲＢ流の対応は今や、すっかり色あせた。

ただ危機の根っこには金融技術の発達や、新興国による富の蓄積で肥大化した金融市場の構造変化がある。バブルの特定と対応は一段と難しくなっており、FRB流の問題点があらわになったからといって、それが直ちにBIS流の肯定につながらない点が、中央銀行にとって悩ましいところだ。

欧州中央銀行（ECB）をはじめ、欧州の中央銀行関係者の間では、バブルが疑われるときは、そうでない場合よりも若干きつめに政策スタンスをとるのが望ましい、との考え方が広く浸透している。「leaning against the wind」（風に向かって、もたれかかるような）と呼ばれる戦略だ。

金融を引き締めることで景気は少しばかり減速する可能性があるが、バブルが膨張し崩壊した場合に比べれば経済全体への打撃は少なくて済む、との見立てが根っこにある。だが、そうした前提が本当に正しいのか、正しいとしてどのくらいきつめの政策運営を行うのが適切なのかという点は、判断が難しい。FRB流の問題点が明らかになるにつれ、この戦略の正しさを説く声が目立つようになったが、決定打になるかというと心もとない。

「バブルへの対応に答えは出ていない」と日銀の山口広秀副総裁。各国の中央銀行はなお手探りを続けている。「可能な限りバブルの膨張をとらえつつ対策をとるのが基本。自信は必ずしもないが、あきらめてはいけない」

大局的に監視

今回の金融危機を受けて、バブルを予防するための中央銀行の取り組みが真剣さを増しているのは間違いない。

一例が世界の当局者の間で活発化している「マクロ・プルーデンス（健全性）政策」の議論だ。金融システム全体を一つの金融機関のようにとらえて、どこにどんなリスクがあるかを大局的にチェックする試みだ。

従来は個別金融機関の健全性を監視すれば、それが金融システム全体の安定につながると信じられてきた。しかしヘッジファンドや簿外のペーパーカンパニーなど監督の網から漏れる「シャドーバンク（影の銀行）」と呼ばれる市場参加者が急増している。個々の金融機関に問題はないように見えても、互いが相手にリスクを押しつけ、全体として大きな危険を抱えていた事例が相次いで明らかになった。

思いもよらない場所でバブルが生じたり、過度のリスクが蓄積したりする金融システム。そうした「ゆがみ」が臨界点に達し、一気に爆発したのが今回の危機の本質とも言える。

金融機関自身の経営管理が甘かったのは言うまでもないが、当局によるチェック体制が追いついていないことが危機の抑止を妨げたのは明らか。来日したフランス中銀のノワイエ総裁はマクロ・プルーデンス政策の重要性を指摘し、「中央銀行と銀行監督が近接していることが大切」と強調した。経済やお金の流れに目を光らせる中央銀行が金融システムの安定に果たす役割は、確実に高まっている。

各国の中央銀行は目先の危機対応だけでなく、「次」の危機を防ぐ道具をどう研ぎ澄ませるかでも力量を問われている。

第8章

そして世界同時不況

「異常な状況では非常な手段が必要だ」

英国のブラウン首相が二〇〇八年十一月に景気対策として付加価値税引き下げを表明した際の発言。米大統領選の直後、翌年の就任を待たずに財務長官など閣僚人事を前倒し発表したオバマ新大統領も、同じ言葉を語った。

1 急減速!! 日本経済――外需不振がニッポン揺らす

「バタバタすると騒ぎが大きくなる。沈着冷静に行動することが日本人に求められている」（与謝野馨経済財政担当相）。九月の時点ではそんな認識が大勢だった金融危機。そんな言葉とは裏腹に、十月以降、世界とともに日本は「バタバタ」と騒ぎ始める。

日米欧の三極は二〇〇八年七―九月期の国内総生産（GDP）成長率がそろって前期比年率でマイナスになるなど、この秋の時点で世界経済には減速感が浮かんでいたが、リーマン破綻で一気にがけの上から滑り落ちた。日本も十月以降、消費や雇用などの経済統計は悪化を示すものばかり。金融危機に端を発する不安感が実体経済を下押し始め、企業や家計の動きは明らかに鈍った。

忍び寄る不況の影

日本経済に世界同時不況ともいえる不穏な影が明確に表れたのが、財務省が十一月中旬に発表した十月の貿易統計速報だ。輸出総額（通関ベース）が前年同月比七・七％減と、〇一年十二月以来、約七年ぶりの大幅な減少率を記録した。〇一年はIT（情報技術）バブル崩壊の影響で世界経済が減速したころにあたる。今回は金融危機で経済が失速していた米欧向けの減少が続いたことに加え、これまでその米欧向けを補う役割を果たしてきた新興国でも需要が停滞。アジア向けに限ってみると、輸出額は八十カ月ぶり、実にほぼ七年ぶりとなる前年割れを起こした。

日本経済は米国や欧州などの先進国に自動車などの完成品を輸出することで成長してきたが、もう一つ、「世界の工場」と呼ばれる中国などアジアに部品を供給する流れも輸出の拡大に大きく寄与していた。ところが、米欧の不振でアジアでつくったモノが売れなくなり、結果的に日本からの輸出も停滞を余儀なくされた。中国では猛烈な勢いで進んでいた設備投資に陰りが生じ、日本の工作機械メーカーに打撃を与えたのも大きかった。十月は、そんな部品輸出や他国の内需拡大で潤ってきた日本経済が曲がり角に立たされたことを示すものと言える。

ただ日本経済にとって輸出は成長の頼みの綱。〇二年二月から六十カ月以上、戦後最長となる約六年続いた景気回復局面では、輸出が日本の成長を牽引してきた。内閣府によると、〇二年からの景気回復局面では実に成長の六割を外需に依存していた。借金をしてまでモノを買う米国の過剰なまでの消費や、中国など新興国の旺盛な需要に期待できなくなると、民間エコノミストからも「マイナス成長が深まる」と悲観的な見方が口をついて出るようになる。特異体質はいったん外需にブレーキがかかると、もろさを露呈する。

結局、十一月になると世界経済は一段と悪化。輸出総額は前年同月比二六・七％減と、月次ベースでの比較が可能な一九八〇年以来、過去最大の減少率を記録することになった。もはや日本から順調にモノが流れている地域などないに等しい状態。米国、欧州、アジアに加え、オイルマネーで潤っていた中東も振るわなかった。世界的な販売減に直面している自動車、半導体、デジタルカメラほか家電製品など、日本企業はほぼ総崩れといっていい状態に追い込まれていることが浮き彫りとなった。

自動車不振のインパクト

日本経済にとって、主力産業である自動車が販売不振に陥った影響は大きい。トヨタ自動車が〇九年三月期に創業以来初の営業赤字となる見通しを発表したいわゆる「トヨタ・ショック」。千五百億円という赤字規模もさることながら、実体経済への下押し圧力は想像以上に大きい。自動車産業は原材料や燃料など資材の投入額がけた外れに大きく、生産が部品や素材など他の産業にもたらす波及効果も相当なものがある。野村証券金融経済研究所が〇八年十二月に試算したところ、国内メーカーの乗用車の減産で〇八年度の鉱工業生産指数が前年度より〇・八ポイント押し下げられる可能性があった。

すでに疲弊が目立つ地域経済の影響も甚大だ。例えばトヨタのおひざ元である東海地方は景況感が急速に悪化し始めている。内閣府は十一月下旬、東海の景況判断を全国最大となる五段階も下げたが、東海地方の堅調な雇用や消費が下振れすれば、他の地域も悪い影響を被らざるを得ない。「いったん自動車の生産活動が縮小すると負の波及効果が生じやすい。二〇〇九年半ばに向けて雇用環境も厳しくなる」(バークレイズ・キャピタル証券の森田京平氏)と実体経済の一段の悪化を懸念する声ももれる。

輸出の腰折れに伴うショックは、日本経済の体力を確実に奪った。日本の場合、金融機関の経営不安にはつながっていないが、世界経済の弱まりが輸出の減少につながると、それが企業の生産減・設備投資の抑制を即座にもたら

キーワード

外需依存

世界経済の結びつきが強まるグローバリゼーションの進展で、日本経済は貿易で稼ぐ構図が一段と鮮明になった。とりわけ中国やロシアなど新興国の急成長はめざましく、投資や消費が急速に拡大。日本はこうした新興国向けに、自動車や工作機械などの輸出を増やしてきた。

内閣府によると、2002年2月から約6年続いた景気回復局面で、外需の成長への寄与度はほぼ6割。逆に言うと、設備投資と個人消費を柱とする内需は力強さを欠いているということでもある。日本経済は世界経済の浮き沈みの影響を受けやすい不安定な体質ともいえ、輸出で稼ぐ構図が崩れたままでは成長シナリオも描きにくい。

すという経路で経済を悪くしていった。生産の動きを点検してみると、すでに輸出の伸びに鈍化の兆しが出始めたころから、減産を探る動きが企業の間で出ていたことがある。世界不況に先んじて防衛策に走る企業の姿勢が見て取れる。

鉱工業生産指数の動きを見ると、すでに〇八年一―三月期に前期比マイナスを記録している。月次ではプラスとなる月もあったが、結局七―九月期まで三・四半期連続でマイナスは続く。生産は足元の景気の動きに敏感な指標とされることから、こうした弱い基調に対する警戒感が強まっていた。そこへ「垂直落下」ともいえる急角度の落ち込みをもたらしたのが十一月。指数が九四・〇（〇五年＝一〇〇、速報値）となり、前月に比べて八・一％の低下を記録したのだ。これは統計上さかのぼれる五三年二月以降で最大だ。

十月も前月比三・一％低下しており、十―十二月期は四半期ベースで過去最大の落ち込みとなる公算が大きい。四期連続のマイナスは避けられそうもない。生産指数はかつて石油ショックの影響などで五期連続のマイナスとなったことがあるが、今回の後退局面では最長記録に並ぶ可能性は相当程度に高いといってよさそうだ。モノをつくっても売れないため、生産のペースを落としてもなお在庫の水準まで上がってしまう悪い傾向も浮かぶ。

GDPはどう変化したか

輸出や生産にくっきりと世界同時不況の影が表れた日本経済。ここで経済全体の動きがどう変化したのかを、実質GDP統計で整理してみる。二〇〇八年の出足は好調だった。一—三月期は前期比〇・六%増（年率換算で二・四%増）と3四半期連続のプラス成長で滑り出した。このころは生産に調整の影がちらついたりしていたが、中国など新興国の需要を取り込んだ輸出がなお堅調だった。しかも、落ち込むと見られていた個人消費がうるう年の特殊要因もあって比較的高い伸びとなったことがプラスに働いた。

局面が転換したのは四—六月期だ。前期比一・〇%減（年率三・七%減）と一転してマイナス成長に転落、輸出が二・六%減と十三・四半期ぶりにマイナスとなったことが主因だ。これは信用力の低い個人向け住宅融資（サブプライムローン）問題で米国経済に陰りが生じたことが大きい。当時は欧州もマイナス成長となり、金融危機の余波が実体経済に徐々に表れ始めた時期でもあった。さらに見逃せないのは内需の停滞ぶりだ。個人消費が前期の反動減が出たと見られ振るわなかったほか、設備投資も二・一%減と大きな落ち込みとなった。

海外への所得流出額が過去最大規模になったことも、成長を下押しした要因の一つに挙げられる。原油高に伴い、資源を輸入に依存する日本はどうしても海外への支払いが増えてしまう。GDP統計では交易損失として表されるが、四—六月期は二十九兆円に達した。企業と家計はまるで税金のように実入りの一部を海外に奪われるわけで、必然的に支出の抑制を迫られることになった。

七—九月期は二・四半期連続のマイナス成長となり、前期の基調を変えるには至らなかった。成長を下押ししたのは設備投資。依然として大きなマイナスが続いた。企業は輸出減から生産を減らし、投資も縮小。早めの調整に入った様子がうかがえる。企業の弱い動きに連動し、家計も次第に動きが鈍っていく。消費の力不足に家計の弱まりが見てとれる。北京五輪や猛暑による特需が期待されたが、伸びはいまひとつ。五輪開催年は比較的に堅調な成長率を残すという神話に陰りが生じた瞬間だった。

景気判断の推移

一方で、政府は悪化する景気をどうみていたのだろうか。GDPの動きも視野に入れつつ、政府が景気の総括的な判断を示す月例経済報告の推移をたどってみよう。もともと「現状とのズレが目立つ〝官庁文学〟」「判断が遅れがち」などと批判されることが多いが、年前半は横這い圏内にあることを表す「踊り場」との認識を示すことで慎重に様子を見ていた面が強い。だが、さすがに夏以降は月を追うごとに表現ぶりも悪化の度合いを深めていった。

景気の足取りの弱さを示すように、〇八年は基調判断の下方修正が実に七回に上った。これは米国でのITバブル崩壊の余波が出た〇一年以来のことだ。夏までは原油高の影響が色濃く表れ、企業収益の大幅な低下を招いたものの、政府は景気が回復局面にあるとの姿勢を崩していなかった。三月からは「景気回復は足踏み状態」とし、横這い圏内にあることを示す「踊り場」と評していた。もっとも生産や消費を示す指標が横這いで推移するなど、内閣府が「景気後退の認定」に踏み切れなかったのもやむを得ない面はある。転機となったのが、福田康夫前首相による内閣改造で与謝野馨氏が経済財政担当相に就いたことだろう。与謝野氏は就任が決まると、直後の記者会見で「循環的な要因で景気が後退するということは、〇七年の暮れぐらいから始まっていた可能性がある」と述べ、内閣府の幹部をあわてさせた。ただこれを機に政府の判断も景気の後退を認める方向に傾斜していき、八月の基調判断では、四年八カ月ぶりに「回復」という文言を削除。事実上、景気後退局面に入っていると認めた。

その後、十月以降は三カ月連続で基調判断を下方修正し、十二月にはとうとう「悪化している」とほぼ最低評価に近い内容となった。「悪化」という表現を使ったのは六年十カ月ぶり。原案を作成する内閣府は十月時点で「悪化」を盛り込むか検討したが、これ以上に悪い表現がなくなるのでこの時は見送っている。十二月時点で一般的な景気に対する評価と、政府の判断の足並みがようやくそろったといってよい。

十二月の月例報告の内容をみると、個別の項目では設備投資、住宅建設、生産、企業収益、業況判断、雇用の六部門で下方修正している。ただ据え置いた個人消費や輸出、倒産も直近で軒並み判断を下げており、これで日本経済はほぼすべての指標が大きく悪化し、ほとんど明るい材料を見いだすことができないといえる状態になった。与謝野経財相も「下振れの要素が懸念される」と強い警戒感を示し、なかでも雇用面で国民の間に不安が広がっている点を問題視。政府として対策の強化に取り組む姿勢を強調してみせたりした。

与謝野氏が不安を表明した雇用は秋以降、一気に情勢が悪化した。雇用指標は足元の景気の動きから遅れて動くとされるが、生産を急激に減らし、収益の改善を急ぐ企業は即座に人件費の抑制にも手を付け始めた。今回の局面で問題なのは、先の景気回復局面で増加基調にあったパートや派遣社員といった非正規労働者を真っ先に削減の対象とした点だ。言い方は悪いが、「切りやすいところから切る」姿勢が如実に表れたといってよい。

こうした企業の姿勢は社会問題化した。厚生労働省が十二月に調査したところ、〇八年十月から〇九年三月にかけて、失業及び失業するおそれのある非正規労働者は約八万五千人いた。わずか一カ月前の調査から三倍近くに増えた。生産のペースを急速に落とす企業は、雇用調整も異例の速さで進めていることになる。民間調査機関では「急速に調整が進めば底入れも早くなる」と前向きに受け止める意見と、「落ち込みが深すぎれば、持ち直すのにも相当時間がかかる」と厳しい意見が交錯。雇用不安の震度はな読めないのが実情だ。

理念なき財政出動へ

一気に暗い色調を帯びた日本の実体経済を前に、政治も安閑としていられなくなる。〇九年秋には衆院選を控え、有権者の意向に敏感になり始めた時期でもある。だが、一枚岩となって景気浮揚に取り組もうという機運は乏しい。与野党間の意見の食い違いはともかく、与党内の足並みにも乱れが生じるのはどうしたわけだろうか。財政規律を重視する与謝野経財相の発言をつぶさに眺めると、政府・与党はさほどの理念や考えもなく、単なる需要喚起型の財政出動になだれ込んだ姿が浮かび上がってくる。

「構造改革や財政改革と整合的なものにする」。福田前首相から経済政策をまとめるよう指示された段階で、与謝野経財相は「ばらまき」と呼ばれる需要喚起型の政策を避ける構えを見せていた。公明党が強く要望した「定額給付金」についても、「自民党では賛成する人は少ない」と論評していた。ところが、定額給付金の導入があっさり決まっただけでなく、二兆円規模とする方針もすんなり決まってしまう。

与謝野経財相はその後、財源確保のあり方をめぐっても譲歩を迫られる。「埋蔵金」と呼んで存在を否定してきた特別会計の剰余金の活用を容認せざるを得なくなったからだ。十月二十一日の閣議後の記者会見では「特別会計に存在するお金を一時転用させていただくのもやむを得ないと思う」。

結局、麻生政権発足後、かつてない規模の財政出動が実現する。福田前政権から引き継いだ対策も含めると、三度にわたる経済対策の実施を決定。事業費は総額七十五兆円、国と地方の支出ベースでも十二兆円と未曾有の規模に膨れあがった。定額給付金のほかにも高速道路料金の大幅引き下げや、住宅ローン減税など大盤振る舞いといっていい内容となった。

〇八年の日本経済は、原油高の重圧にあえいだ夏までと、米欧発金融危機の影響が実体経済に深刻に表れるようになった秋以降と、二つの局面に分けることができる。景気下押しの第一波となった原油高は企業と家計を翻弄。もともと弱かった家計の購買力を一段と弱め、内需の停滞に拍車をかけた感がある。

日本経済は戦後最長の景気回復を享受しながら、年来の課題だった内需拡大に解決策を見つけられず、そこに第二波となる金融危機の余波が直撃した格好だ。当面は外需も伸び悩む公算が大きく、内外需ともに牽引役が不在の状態に陥る。カンフル剤程度の財政出動では容易に出口にはたどりつかない。自律回復の糸口を見いだせないようだと、日本経済は深く、長いトンネルに入るおそれがある。

2 危機の波紋、萎縮するマネー

日銀の二正面作戦

〇・二％の追加利下げ、長期国債購入の増額、コマーシャルペーパー（CP）の買い取り――。二〇〇八年十二月十九日の金融政策決定会合で、日銀は思い切った追加緩和策を決めた。会合後の記者会見で、白川方明総裁は「景気は悪化しており、当面厳しさを増す可能性が高い」と緊張した面持ちで語り、政策決定の背景を説明した。

日銀が決めた対策は、二つに大別できる。一つは、企業金融の支援、もう一つは金利の引き下げだ。CPの買い取りは前者、〇・二%の利下げ（無担保コール翌日物金利の誘導目標を〇・三%から〇・一%に引き下げ）や長期国債購入の増額（毎月一兆二千億円から一兆四千億円に増額）は後者に分類できる。

日銀がこうした対応策をとったのは、リーマン破綻以降の金融危機が異なる二つの経路で実体経済の足を引っ張っており、日銀としても「二正面作戦」が必要になっているからにほかならない。二つの経路とは、「マネーのアベイラビリティ（利用できるお金の量の多寡）とコスト（金利）の両面」（元日銀審議委員の植田和男東大教授）である。

信用リスクを恐れる投資家の姿勢によって、企業が入手できるお金の量が縮小しているのがアベイラビリティの問題。金利が高止まりすることで企業の資金調達時の負担のレベルが高止まりしているのがコストの問題と整理できる。

それぞれについて見てみよう。

一番目のアベイラビリティの問題は、直接金融（銀行を通さない資金調達）の世界で、より目立っている。影響を受けているのは、主に大企業だ。高い格付けを取得し、本来なら苦労せずにお金を手に入れられるはずの大手企業が債券発行を見送る例が増えていた。企業の経営破綻のリスクを恐れる投資家が、ＣＰや社債の購入に尻込みする空気が広まっているためだ。

リーマンのような大手金融機関でさえ経営破綻したのだから、どこがつぶれてもおかしくない――。そんな空気がマーケットには広まった。九月には十三兆円を超えていたＣＰ発行額は十、十一月と十兆円を下回る水準で推移するようになっていた。

投資家と企業とのお金のやりとりだけでなく、企業どうしのお金のやりとりも急速に縮小している。例えば、〇八年末の国内企業の売掛債権は約百七十七兆円と、ピークだった〇七年末に比べて一四％減少した。これは、企業が手形などではなく現金での決済を増やしていることを示し、早めにお金を回収しようとする動きが広がっていることも意味する。企業は従来より早く入金することを迫られ、資金繰り悪化の要因になっている。

一方、二番目の金利上昇の問題は間接金融（銀行を通した資金調達）の世界でより深刻な影響を及ぼしている。債券発行による資金調達が難しくなった大企業が、銀行からの借り入れを増やした結果、銀行どうしてお金を融通しあう場（銀行間市場）の資金需給が逼迫。かねて銀行どうしでも経営破綻をめぐる疑心暗鬼で信用リスクに過敏な空気が広がっていたこともあり、その金利は十二月上旬には三カ月物で約十年ぶりに〇・九％台に急上昇した。これが、最終的には銀行の貸出金利への上昇圧力を生んだ。企業が銀行からお金を調達する際の負担が高止まりしてしまっているのだ。

それだけではない。もともと金融市場では、信用力の高い大企業は直接金融で、中小企業は間接金融でそれぞれ資金を手当てするという、おおまかなすみ分けができていた。大企業の銀行への依存を増したことでこの秩序が乱れ、貸出金利の上昇や融資の削減を通じて体力が弱い中小企業に深刻な影響を及ぼしている。国内銀行の中小企業向け融資は、〇八年十一月末まで十五カ月続けて前年実績を下回った。

日銀は日々の金融調節で大量に資金を供給することによって銀行間市場の翌日物金利を低めに抑えようとしている。実際、その誘導目標は利下げ前でも〇・三％以下という低さだった。ところが、銀行貸し出しに、より影響力のある三カ月物金利が上昇してしまっていたのだ。金融政策の空回りといっても過言ではない。〇八年にマネーストック統計の「広義流動性」の伸び率は、五年ぶりの低水準（一・〇％）を記録しており、マネーの収縮は鮮明だ。

日銀が決めた対応策は、「金融政策では、アベイラビリティとコストの両面ともに対応が必要だ」（植田氏）という声にこたえたものと言える。日銀がCPの買い入れに乗り出せば、金融機関はCPを引き受けやすくなる。いざとなれば日銀に買い取ってもらえるという安心感が生まれるからだ。長期国債の買い入れなども金利を全体として押し下げる効果が期待できる。

追加的対応策は何が可能か

とはいえ、まだ十分ではないという指摘もある。

実際、追加緩和決定後も銀行間市場の三カ月物金利は〇・七五％程度に下がっただけ。〇・二％という利下げに比べて低下幅は小さい。CP買い入れについても、その対象が極めて高い信用力を持つ一部の銘柄に限定されてしまうと、効果は限られてしまう。白川総裁も「中央銀行としてなしうる最大限の貢献を行っていく」と言明。今後もさらなる対応策に乗り出す可能性を示唆している。

追加的な対応としては何があるのか。

企業金融の支援として、日銀はCP以外の金融商品についても対応を検討していく姿勢だ。債券としては社債、さらには株式の購入も検討対象になりそうだ。一方、金利の引き下げについては、すでに翌日物金利は〇・一％まで低下しており、下げ余地は限られる。そこで、「より長めの金利への働きかけ」（亀崎英敏日銀審議委員）も検討しそうだ。

具体策としては、長期国債の買い入れをさらに増やし需給面から国債相場を押し上げる（国債相場が上昇すると、長期金利は逆に下がる）ことや、将来景気が良くなってもそう簡単には翌日物金利の引き上げをしないことを約束して長期金利を押し下げる時間軸政策が候補にあがってくる。長期金利は将来の短期金利がどう動くかの予想に左右される。景気が良くなっても短期金利がすぐには上がらないという予想が広まれば、長期金利を低位に安定させる効果が期待できるのである。

懸念される副作用

このうち株式の購入や時間軸政策などは、かつて速水優元総裁や福井俊彦前総裁時代の日銀が手掛けたものだが、中央銀行としては異例の対応だ。しばしば「非伝統的な政策」と呼ばれる。そこにはさまざまな副作用の懸念もある。副作用の例として、ここでは三つ挙げておこう。

まず、日銀の資産が劣化することだ。私たちが普段使っている千円札や一万円札は、実際には単なる紙切れにすぎない。それが一定の価値を持つと受け止められるのは、しっかりとした日銀の資産の裏付けがあるという信頼感があってこそである。だからこそ、日銀が買い入れる資産は、普通は国債のような信用度が高い資産に限られるのだ。

これに対して、買い入れ資産がＣＰさらには社債や株式に広がれば、日銀は民間企業の経営破綻リスクを抱え込むことになる。ＣＰなどは、その発行企業が破綻すれば、何の価値も持たなくなってしまうからだ。

この結果、円の信用の裏付けとなる日銀の資産の健全性が傷つくという見方が国民のあいだに広がれば、円ではなく外貨を保有しておいた方が安全という雰囲気が広まり、円が暴落するリスクもあるかもしれない。円暴落が起きれば、原油など輸入品価格が上昇し、国民生活を圧迫する。

懸念される副作用の二番目は、金融市場の機能低下だ。金融機関がお金を融通しあう短期金融市場の金利を事実上ゼロに下げてしまえば、お金をやり取りする動機がなくなってしまう。お金を貸しても金利収入をほとんど稼げないからだ。足りないお金は日銀の金融調節に応じることで調達すればいいという受け止め方が増え、マーケットとしての機能がなくなってしまう。

将来、景気がよくなったときにも、いったん停止した市場機能を蘇生するのはそう簡単ではないという声は日銀内にも根強い。金融機関の信用度に応じて資金調達コストに差が生まれるといったマーケット本来の機能がいつまでも再生しないなら、銀行経営者が経営改善に創意工夫をする動機もうせてしまうかもしれない。

副作用の三つ目は、財政政策の規律がなくなることだ。さきほど円の信用を裏付ける日銀の資産の健全性を維持するため、国債のような信用度の高い資産を購入すると述べた。だが、国債も購入が増えすぎると別の問題を起こす。購入額をどんどん増やすことになれば、それは事実上国債の引き受けと似た行為になるからだ。

日銀が買ってくれるからという安心感から国債の発行をどんどん増やせば、財政赤字膨張に拍車がかかる。国の財政悪化が行き過ぎれば、投資家が次第に国債の信用に疑問を持ち始め、やがては国債相場が暴落する危険も出てきかねない。そうなれば、長期金利が急上昇。さまざまな金利に波及し、企業や家計の資金調達コストを高めることになるだろう。

マネー正常化のためにとるべきリスクは

このように、日銀が非伝統的な政策を進めることには副作用の懸念がある。とはいえ、「百年に一度」といわれる危機を打開するためには、中央銀行としてもそれなりのリスクをとらなければならないのも事実だ。米国のFRBが日銀以上に積極的にリスク性の資産を購入しているのは、そのためである。

いくら中銀の資産の健全性を保っても、肝心の経済が崩壊してしまっては何もならないという面もあるだろう。

実際、世界的な金融危機や国内のマネー変調を背景とした日本経済の悪化で、「企業の生産調整が本格的な雇用調整を招く局面に入っている」(野村証券金融経済研究所の木内登英チーフエコノミスト)。ソニーが発表した内外一万六千人以上の大型リストラはその象徴であり、企業から家計へと悪影響が広まっている。

信用リスクの高まりで変調をきたすマネーを正常化できなければ、金融の危機が実体経済の足を引っ張り続ける。それが不良債権増加などを通じて金融危機をさらにあおる。「金融と実体経済の負の相乗作用」(白川方明日銀総裁)が深刻化しかねないだけに、中央銀行は、リスクを承知で薄氷を踏む思いでの政策運営を続けそうだ。

3 縛られた麻生政権

十月二十四日、中国・北京の人民大会堂。アジア欧州会議（ASEM）出席のため訪中した首相の麻生太郎は、中国国家主席の胡錦濤と向かい合っていた。バブル崩壊後の財政出動策など「失われた十五年」の日本の対応を説明する麻生の言葉に、胡は自らメモを取りながら熱心に耳を傾けた。

「やっぱり世界的な経済危機では日本の経験が生きてくる。日本の役割はますます重要になる」。首脳会談を終えた麻生は、高揚した面持ちで周囲に漏らした。麻生が衆院解散の先送りを決断した瞬間だった。

シナリオは静かに狂い始めた

米国発の金融危機は麻生政権に誕生前から影を落とし続けていた。米証券大手リーマン・ブラザーズ経営破綻の第一報が伝わったのは、前首相の福田康夫の辞任表明に伴う自民党総裁選のさなか。「日本経済は全治三年」をキャッチフレーズに掲げて総裁選に臨んだ麻生は地方遊説で「世界恐慌に発展する可能性も出てきた」と公言、事態の深刻化を予見してみせた。麻生はその後も政策減税を軸とする景気テコ入れをひたすら訴え、投票総数の七割近くを獲得して総裁選に圧勝した。

「強い政治を取り戻す発射台として、まず国民の審判を仰ぐのが最初の使命だ」。新総裁に選ばれた翌日の九月二十三日、麻生は党本部近くの個人事務所で翌月発売の月刊誌「文芸春秋」に掲載する論文を書き上げた。麻生の頭にあったのは、臨時国会冒頭で民主党に挑戦状をたたきつけた後、十月三日に衆院解散に踏み切るシナリオだった。

九月二十八日夜にはホテルオークラの中国料理店「桃花林」で、自民党国会対策委員長に留任した大島理森に会い、書き上げたばかりの所信表明演説の原稿を披露した。参院で与野党勢力が逆転した「ねじれ国会」における民主党の対応を「政局を第一義とし、国民の生活を第二義、第三義とする姿勢に終始した」と批判。二〇〇八年度第一次補正予算案やインド洋給油継続法案、消費者庁設置関連法案など重要法案への同党の対応を「逆質問」する異例の内容だった。麻生と大島は衆参両院での代表質問が終わる十月三日に衆院解散、同二十六日に投開票する日程を確認しあった。

だがシナリオは静かに狂い始めた。

最初の誤算は、米下院が二十九日に金融安定化法案を否決、世界の市場で株価が暴落し

麻生政権と金融危機

＜9月＞

1日	福田康夫首相が辞任を表明
22日	自民党総裁選で麻生太郎氏が勝利
24日	臨時国会召集。麻生内閣が発足
25日	麻生首相が米ニューヨークでの国連総会で演説
29日	麻生首相が初の所信表明演説。民主党への「逆質問」を連発

＜10月＞

1－3日	衆参両院で代表質問。民主党の小沢一郎代表が「所信表明」
8日	2008年度第1次補正予算案が衆院通過 日経平均株価が終値で1万円割れ
9日	麻生首相が追加経済対策のとりまとめを与党に指示
15日	政府が日銀副総裁に山口広秀理事を昇格させる人事案を国会に提示
16日	第1次補正予算が成立
24、25日	中国・北京でのアジア欧州会議(ASEM)首脳会議に出席
26日	麻生首相が公明党の太田昭宏代表らに衆院解散先送りを伝達
27日	日経平均株価がバブル後最安値を更新 麻生首相、中川昭一財務・金融相らに緊急市場安定化策を指示
30日	政府・与党が追加経済対策を正式決定 麻生首相が解散先送りを正式表明
31日	日銀が政策金利を年0.3%に引き下げ

＜11月＞

14、15日	米ワシントンで20カ国・地域による金融サミット(G20)
17日	首相と民主党の小沢代表による党首会談
25日	2008年度第2次補正予算案の臨時国会提出見送りを決定
28日	首相と小沢代表が国会で初の党首討論

＜12月＞

12日	金融機能強化法が成立。麻生首相が「生活防衛対策」発表
16日	米連邦準備理事会(FRB)が事実上のゼロ金利政策
19日	日銀が政策金利を年0.1%に引き下げ
24日	2009年度予算案を決定 税制抜本改革の中期プログラムを閣議決定
25日	臨時国会が閉会

たことだった。修正案の再採決は十月三日以降に予定された。「米金融安定化法案が成立するまでは経済の動揺が続く」と考えた麻生は代表質問直後の解散は難しいと判断、衆院予算委員会が終了した後の解散を視野に入れ始めた。

もう一つの誤算は、内閣支持率の伸び悩みだった。政権発足直後の日本経済新聞社とテレビ東京の緊急世論調査では内閣支持率は五三%。安倍晋三（七一%）、福田康夫（五九%）の両内閣発足時の数字には届かなかった。「衆院選の顔」として麻生に期待をかけた自民党にとってやや当てが外れた結果になっていた。

九月三十日夜。赤坂のANAインターコンチネンタルホテル東京の高層階のバー「マンハッタンラウンジ」で、麻生は自民党選挙対策副委員長の菅義偉から、衆院三百小選挙区の情勢調査の報告を受けた。自民党の当選者数は百十―百八十議席。比例代表を含めても与党で衆院過半数（二百四十一議席）には届かないという内容だった。

だが麻生はなお意気軒昂だった。「今はやめた方がいい」と解散先送りを進言する菅に、麻生は「いや、思ったよりも良いじゃないか。過半数に足りない分はおれの力で伸ばしてみせる」と言い返した。

十月一日の衆院代表質問。民主党代表の小沢一郎は「国民の支持を得た政党がリーダーシップを発揮し、非常事態に対処するのが憲政の常道だ」と政権交代を淡々と訴えるばかりで、麻生の逆質問には直接答えようとはしなかった。重要政策をめぐる対決構図を鮮明にして衆院選になだれ込むという当初の思惑は外れた。

「冒頭解散は無理だった。十一月三十日投開票を念頭に新しい争点づくりを始めたい」。麻生は三日夜、公明党代表の太田昭宏に定額減税（後に給付金方式に変更）を柱とする追加経済対策をマニフェスト（政権公約）に掲げて衆院選に挑む考えを内々に伝えた。

与党は追加経済対策の策定と衆院選の準備を同時並行で加速するが、十月に入ると米国発の金融危機は日本経済に深刻な影響を及ぼし始める。七日には東京株式市場で日経平均株価が一時、一万円の大台を割れた。与党からも「今の不安な経済、景気状況では選挙対策上、到底戦えない」（自民党選挙対策委員長の古賀誠）など解散先送り論が出始める。

十一日夜。静岡県浜松市のグランドホテル浜松で日本青年会議所の若手経営者らとの懇親会に出席していた麻生は、米大統領のブッシュから突然の電話を受けた。米国が北朝鮮へのテロ支援国家指定を解除するのを事前通告する内容だった。

麻生はブッシュに「G7を中心にサミットを開催してはどうか。日本には協力する用意がある」と金融危機対策のための緊急首脳会合（サミット）の早期開催を呼びかけた。〇八年は日本は主要国（G8）首脳会議の議長国。麻生は成田空港近辺で金融サミットを開催する構想をひそかに抱いていた。衆院選前に自らの実績になるという思惑もあった。だがブッシュは「十一月四日の米大統領選が終わってからにしたい」とつれなかった。「成田サミット」は幻に終わった。

解散先送りを決断

風向きが大きく変わり始めたのは十六日だった。中小企業への信用保証拡充などを盛り込んだ〇八年度第一次補正予算が国会で成立、衆院解散に向けたハードルを一つ越えたが、いったん持ち直していた日経平均株価は一〇八九円安と、過去二番目の下落率を記録した。麻生は国対幹部に「日銀副総裁など国会同意人事やインド洋給油延長法案が衆院通過するまでは早期解散の旗を掲げる」と語るが、内心に迷いが生じ始める。

同日夜にはANAインターコンチネンタルホテル東京の中国料理店「花梨」で財務・金融担当相の中川昭一、自民党選対副委員長の菅、行政改革担当相の甘利明と会談した。麻生を含めた四人の頭文字をとって「NASAの会」と呼ばれる会合は、麻生にとって気心の知れた仲間の会合だった。

この日の会合を仕掛けたのは、解散先送りをもくろむ菅だった。「国民が望むのは景気対策だ。実績を上げてから解散すべきだ」「もっと麻生カラーを出すべきだ」などと三人は口々に衆院解散の先送りを進言する。麻生は「十一月三十日投開票はどうだ。なぜダメなんだ」と早期解散へのこだわりを見せたが、長時間に及ぶ説得に大きく揺れ始める。

「いよいよ真剣に景気対策が必要だ」。翌十七日、麻生は経済財政担当相の与謝野馨と自民党政調会長の保利耕輔の二人を昼食を名目に首相官邸に呼び出し、追加経済対策の徹底を要請。二十一日には財務省事務次官の杉本和行ら同省幹部に「二次補正の今国会提出もあるかもしれない」と準備を指示、解散先送りも視野に入れた環境整備へと動き始める。

麻生は総裁選で麻生を支持した議員の集まりである「太郎会」でも「政局より政策が大事」と発言、永田町に「衆院解散は先送りではないか」との見方が急速に広がる。麻生の背中を最後に一押ししたのが、ＡＳＥＭでの出来事だった。

二十六日夜。ＡＳＥＭから帰国した麻生は、グランドプリンスホテル赤坂の最上階のバーで公明党の太田と幹事長の北側一雄と極秘に会談、解散を先送りする意向を伝えた。

〇九年夏の東京都議選の前後は衆院選を避けたいとの思惑から、早期解散を強く求めてきた公明党。太田や北側は麻生本人から「十一月三十日投開票」の日程を打ち明けられ、衆院選の準備を加速していた。支持母体の創価学会も一斉に動き出しており、簡単には方向転換できない状況に追い込まれていた。

太田は「年明け以降の景気はより深刻になる。先送りしても勝てる戦略がない。今こそ打って出るべきだ」と必死に翻意を促したが、麻生は「金融危機への対応を最優先したい」と繰り返すだけで、解散時期に関する言質は一切与えようとはしなかった。

「約束違反だ」。太田は周囲にこぼし、追加経済対策の決定前に予定されていた自公党首会談の開催にも一時、難色を示した。連立パートナーである自民、公明両党に深い溝が残った。

福田内閣と麻生内閣の内閣支持率

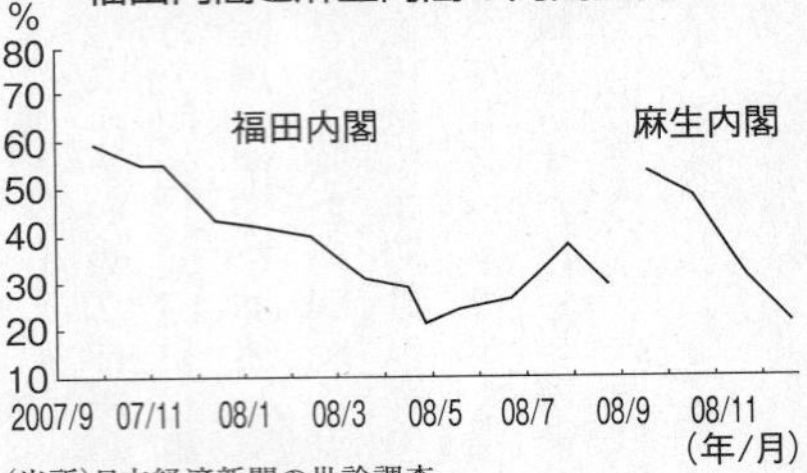

(出所)日本経済新聞の世論調査

「政局よりは政策。政策を実現して国民の不安に答えるのが一番だ」。三十日夕、麻生は首相官邸で記者会見し、二兆円規模の定額給付金を柱とする追加経済対策を正式発表した。

同じころ、自民党幹事長の細田博之は同党議員のパーティーでぼやいた。「きょう解散するはずだった。来月三十日には総選挙があるはずだった」。国対委員長の大島とともに早期解散の旗振り役を務めてきた細田の「敗北宣言」。衆院解散をめぐる一カ月間の攻防が幕を下ろした瞬間だった。

首相周辺は「麻生は金融危機に真剣に対応する気持ちが強すぎたのかもしれない」と振り返る。その後、定額給付金をめぐる混乱や自らの度重なる失言で、内閣支持率は急落。衆院選におびえる与党は浮足立ち、政局は流動化していく。

麻生は十二月になって雇用対策などを中心とする「生活防衛対策」を発表。八月の総合経済対策、十月の追加経済対策と合わせた一連の景気政策の事業規模は七十五兆円、財政支出額も十二兆円と名目GDP比で二%の規模に達したが、いったん離れた世論の支持を取り戻すことはできなかった。米国の金融危機が誘発した衆院解散先送りという首相の決断は、政権の求心力低下という大きな代償を払う結果となった。

4 どこまで悪化、欧米経済

スペイン――国外マネーへの依存が裏目

欧州で経済悪化が著しいのはスペインだ。同国は一九九〇年代後半以降、十年来の景気拡大を続け、かつては「欧州経済の優等生」と呼ばれたが、現在は総崩れの状態だ。

二〇〇八年十月の失業率は一二・八％と欧州では最悪水準に悪化。一年で五％近くも悪化し、失業者数も三百万人の大台に乗せた。「求職をあきらめた人も多く、失業率は実態ベースでは二〇％を超す」（大手銀行ＢＢＶＡ調査部）との見方も多い。企業の生産も前年比一割のペースで減少中だ。

経済急落の主因は、不動産バブルの崩壊。もともとモノづくりがさほど活発でなく、金融や通信、観光などのサービス業中心の経済に、九〇年代以降、英国やドイツ、米国などから不動産購入のための資金が殺到した。建設労働者の不足を補うためにスペイン政府は中南米などから大量の移民を受け入れた。さらに移民が税金を納め、住宅を購入する側に回ると、経済が建設部門を中心に好循環を描き出していた。

だが、〇七年来の金融危機は「スペイン経済の好循環の歯車を完全に反転させた」（大手銀行BBVAエコノミスト、ジュリアン・カブロ氏）。不動産市況は地方部に限らず、首都マドリード付近でも前年比二ケタのマイナスに転じた。国外の投資家が買いあさった南部のコスタ・デル・ソルには、買い手のつかないリゾートマンションが続く。「売買成約件数は前年比半分にすら満たない」（地元の不動産業者）という。

国外からの投資資金の引き揚げ、住宅市況の悪化、移民の大量失業の悪循環。政府は公営住宅の建設上乗せ、失業者の住宅ローン支払い猶予などを柱とする景気対策を複数回にわたって打っているが、経済に好転の兆しはみえない。〇七年まで五年以上続いた三％台の実質経済成長率は〇八年は一％前後に急低下し、〇九年にはマイナスに陥るのがほぼ確実だ。

景気対策の発動で国の財政も悪化が著しく、財政収支の対GDP比率は〇七年のプラス二・二％（財政黒字）が〇八年にはマイナス（財政赤字）に転落し、〇九年にはユーロ圏が定める赤字の上限（三％）をも突破する勢いだ。国外からのマネーに踊ったスペイン経済の悪化が他の欧州諸国よりも深まるのは、避けられそうにない。

ドイツにも金融危機の影

住宅・不動産への国外マネーへの依存が裏目となったスペインとは異なるものの、欧州最大の経済大国、ドイツにも金融危機の影は及んでいる。

世界の景気後退が深まるにつれて、ドイツが高い輸出競争力を誇る自動車や機械類などで減産や生産休止が相次いでいる。高級車メルセデス・ベンツを有するダイムラーは、〇八年十二月から一カ月間、ドイツ国内の十四すべての工場の操業を停止。減産の規模は〇七年実績の三％強の四万五千台分に相当する。独最大手のフォルクスワーゲン（ＶＷ）も冬期休暇を拡大する形で減産を開始。ＢＭＷは年間販売の四―五％に相当する六万五千台の減産に加え、人員削減にも手をつけた。

苦境は自動車だけではない。太陽電池世界最大手の独Ｑセルズは〇八年末の生産休止を決定。同時に〇八年十二月期の業績見通しを下方修正した。こうした状況は世界最大の輸出にも如実に表れてきた。〇七年夏まで二ケタ増を続けてきた輸出の伸びは、〇八年に入ると一ケタ台に急減速。とりわけドイツは経済全体に占める輸出の割合（輸出依存度）が四割弱と高いため、輸出の変調は国内経済にもはね返りやすい。「輸出によって世界で最も稼ぐ国が、世界経済の異変から免れるはずがない」（仏シアンスポ経済調査センター）。

三極経済そろってマイナス

欧州経済の分析に強い経済協力開発機構（ＯＥＣＤ）の予測によると、二〇〇九年のユーロ圏の実質経済成長率はマイナス〇・六％となる。非ユーロ圏の欧州の主要国、英国もマイナス一・一％となる見通し。日本、米国と合わせ、三極経済がそろってマイナス成長に落ち込むのは戦後初めてとなる。

ユーロ圏では、ドイツ、フランス、イタリア、スペインなどユーロ圏の主要構成国が軒並みマイナス成長に陥る。しかもユーロ圏は域内貿易比率が約七割と高いため、どこか特定の主要国の成長鈍化が瞬く間に他の中小国にも及ぶ。米国やアジアに加え、欧州域内の相互依存を深めてきた欧州経済の苦境は続く。

この先、減速を強める欧米経済は、少なくとも二つの点でこれまでの不況とは様相を異にする。一つは新興・途上国などすべての国・地域で同時期に成長が低下し、下支え役が不在となる。米国などの先進国経済が不振に陥っても新興国が高成長を続け、世界全体の成長は保てるという「デカップリング（非連動）論」はもろくも崩れ去った。

もう一つは世界的なデフレ傾向の強まりだ。短期国債の利回りがマイナスに転じるなど米経済には早くもデフレ色を帯びている。ＯＥＣＤは、日本経済も二〇一〇年には再び消費者物価指数（ＣＰＩ）が前年比マイナスに転じると見込んだ。

経済の規模そのものを縮ませるデフレの闇に世界が入り込めば、その脱出には長い時間を要する。

金融危機の余波は米国や欧州の実体経済に及んでいる。市場環境の急変に直面する企業は生産や投資を手控え、人員の削減にも手をつけ始めた。雇用を脅かされた家計は消費を控え、それが企業活動の一段の縮小を招く――。欧米経済を同時不況の悪循環が襲う。しかも今回の不況では物価が連鎖的に下がるデフレを伴う公算が大きい。〇九年は深刻な世界同時不況が避けられない。

病める米国経済

米国経済は今、景気後退（リセッション）に差し掛かっている。〇八年七―九月期のGDPの実質成長率は、年率換算で前期比マイナス〇・五％に転落した。十―十二月期もマイナス成長が続く公算が大きい。「米の実質経済成長率は〇九年に一・六％のマイナスに転落する」（バンク・オブ・アメリカのシニア・エコノミスト、ピーター・クレッツマー氏）など、先行きを厳しく見る声は多く、米経済は長期の後退局面に入る恐れがある。

米経済の問題の根深さは、不振の原因が〇八年半ばまでの住宅市況の下落による住宅投資の減少から、〇八年後半以降は個人消費の持続的な低迷に広がっている点だ。いずれも雇用の急速な悪化が根っこにある。

〇八年十二月の米雇用者数（非農業部門）は、前月に比べ五十二万四千人減少。〇八年の年間ベースでは二百五十八万九千人の減少で、第二次世界大戦が終わった一九四五年に次ぐ戦後最悪の減少を記録した。失業率も〇八年一二月は七・二％まで悪化した。

人員削減は中小企業に限らず、大手企業でも相次ぐ。ヤフー（〇八年中に千五百人強）、アメリカン・エクスプレス（七千人）、メルク（七千二百人）、シティグループ（〇八年七—九月期で二万人強）など、名だたる世界規模の企業が人員削減を急いでいる。

大企業の人員削減は消費者マインドを冷え込ませる。米調査会社コンファレンス・ボードが集計する消費者信頼感指数（一九八五年＝一〇〇）の値は、〇八年十二月が三八・〇と一九六七年以来の調査開始以来の過去最低を更新した。米国際ショッピングセンター協会（ＩＣＳＣ）などのまとめでは、十一—十二月の年末のクリスマス商戦時期の売上高は前年比最大二％減と、「一九七〇年以降で最悪の結果になる」と見込んでいる。

金融危機は給与などのフローの所得だけに限らず、家計がこれまで築いてきたストックの資産もむしばんでいる。ＦＲＢの統計によると、〇八年七—九月期の家計の総資産は七十一兆千百三十六億ユーロとなり、直近のピークである〇七年七—九月期に比べ六兆六千六百六十四億ユーロ減った、減少分の七割を株式と不動産が占めた。

一年間の資産の減少率は約九％で、日本の国内総生産の名目値（〇七年、約五百兆円）を超す資産が金融、不動産の両市況の低下で消え去った格好だ。元血液専門医のロバート・ローゼンタルさんは金融危機のあおりで年金資産が少なくとも二割は目減りした。「年金で暮らす身にはつらい。これまで生きてきたなかで最悪の市場環境だ」と嘆く。ローゼンタルさんのように保有資産が一気に二、三割減り、老後の生活設計の見直しを迫られた人は多い。

雇用悪化と資産の目減りがいつになったら底入れするか、見通しは立たない。消費者心理の萎縮や消費減退が改善するにはまだ時間がかかりそうだ。

政府の救済を仰ぐ自動車産業に限らず、米国経済では企業部門の不振も深まっている。自動車など基幹産業の生産が急速に落ち込み、素材や製品の需要冷え込むのを招く構図だ。上場する銅採掘会社としては世界最大の米フリーポート・マクモラン・カッパー・アンド・ゴールドはアリゾナ州で計画していた銅鉱山の増産投資を延期する。化学大手のダウ・ケミカルは〇八年末までに一億ドル分の設備投資を減らし、その後も見直しを続ける。リバリス最高経営責任者（CEO）は「二〇〇九年いっぱい厳しい状況が続く」と話す。

個人消費、住宅投資、設備投資の民需の三本柱が総崩れするなか、米経済は輸出と、国防費を柱とする政府支出が大きく伸びて大幅なマイナスをかろうじて回避しているのが現状だ。オバマ新大統領が率いる米政府は、この先も実体経済の推移を注視しながら必要に応じて景気対策を打つ構えだ。だが、財政赤字の制約を抱えるなかで、米政府がどこまで大規模な対策を打てるか、疑問視する向きも多い。二〇〇〇年代の世界同時好況を引っ張ってきた米国経済は今度は、不況の震源地になりつつある。

ドルに翻弄されたフランス

舞台は再び欧州。海外マネーにも輸出にも依存の小さいフランス経済が苦しんでいる。「我々はドルに引き寄せられ、そしていま、ドルに苦しめられている」――。フランスの投資銀行大手ナティクシスの幹部は苦しげに話す。

同行は小口金融（リテール）業務に強みを持つ二つの仏銀大手であるバンク・ポピュレールとケス・デパルニュが「フランス初の本格的なインベストメント・バンク」として〇六年に鳴り物入りで立ち上げた。リテール業務で蓄えた資金を、資産運用の本場である米国に持ち込み、巨額の運用益を得るとのビジネス・モデルは当時の仏メディアが「古い金融から新しい金融への脱皮」とはやし立てた。

だが米国向けの資産運用と、企業への運用助言を主力とする事業が好調だった時期は、ほんのわずかだった。開業後一年ほど経った二〇〇七年に噴出した米国のサブプライムローン問題の影響で業績はにわかに悪化。高利回りを狙って保有した債務担保証券（CDO）は焦げ付き、二〇〇八年一―九月期の評価損は前年同期比約十倍の約二十三億ユーロ（約二千九百億円）に膨らんだ。度重なる増資でも業績は安定せず、ついには親会社である二行が信用補完を目的に合併する運びとなった。

子会社の救済に奔走するリテール専業の二行がこの先も仏国内で中小企業や個人に融資を着実に続けられるかどうか、疑念が向けられている。

ＢＮＰパリバ、ソシエテ・ジェネラル、クレディ・アグリコルなどほかの大手銀行でも構図は似通う。米国への証券投資による損失拡大、評価損穴埋めに伴う期間損益の減少さらには赤字化。自己資本比率の低下を手っ取り早く抑えるためのリスク資産の保有圧縮。

ひいては融資態度の厳格化につながる。

金融の最も基本的な機能である貸し出し余力の低下は、実体経済を直撃する。フランスの銀行の融資残高は〇八年末時点ではなお、前年同期比八％程度の増加を保っているが、急速な悪化が続く最近の銀行の業績からすると、先行きは心もとない。

仏政府は〇八年末までに仏銀大手への直接資本注入の規模を当初計画の百五億ユーロ（約一兆三千億円）から二百十億ユーロ（約二兆六千億円）に倍増させ、経済の底割れ回避に動き出した。各行には資本注入と引き換えに四％程度の要旨残高の純増を義務づけ、融資増を達成しない銀行には「国が人材を送り込み、テコ入れする」（フィヨン首相）として事実上の〝国有化〟を視野に入れる。

だが、経済減速が緩む気配はうかがえない。政治的思惑を抜きにした経済分析に定評のある仏国立統計経済研究所（INSEE）が〇八年十二月末にまとめた経済予測の副題はずばり「リセッション（景気後退）」。〇八年十―十二月期からGDPでみた仏経済は持続的なマイナス成長に陥り、少なくとも〇九年上半期までマイナスが続くと予測した。

GDP変化率が2四半期以上続けてマイナスとなれば、一九九三年一―三月期以来約十五年ぶりの事態だ。企業の設備投資と家計の住宅購入が大きく減るうえに、肝心の個人消費はほぼゼロ％にとどまる。しかも外需は過去最大水準の貿易赤字が続くため、景気を支える要素が何もなくなる。欧州主要国の中では、「成長率は低いながら安定している」（仏調査機関のコーレクセコード）と見られてきた仏経済が、本格的な不況に突入する。危機モード脱出のための政策に各国が動く。妙手は簡単には見つからない。

5 景気刺激策、競い合う

米、異例の措置

二〇〇八年十二月十六日。ＦＲＢの決定が米国の金融政策に新たな歴史を加えた。事実上のゼロ金利政策と量的緩和政策の発動という、惜しげもない金融緩和策を決定。事前の予想を上回るＦＲＢの異例の措置に、市場からは早期の景気回復への期待の声が上がった。

ＦＲＢはまず政策金利を〇・〇—〇・二五％という事実上のゼロに据え置き、そのうえで市場に出回る資金量を増やす量的緩和政策の本格的な発動に踏み切った。住宅ローン担保証券（ＲＭＢＳ）や資産担保証券などの買い入れを進め、市場に潤沢な資金を供給することで金融が目詰まりを起こす事態をなくす狙いだ。

とりわけ注目されるのは「長期国債を買い入れる利点を検討する」との表明だ。長期国債の買い入れは米国債の安定的な消化に道を開く。米国のオバマ新大統領が大規模な財政刺激策を検討するのに合わせ、FRBは国債買い入れでこれを支える——。金融機関への約七千億ドル（約六十四兆円）の公的資金投入などに続き、米国が本格的な景気対策を加速するうえでの「助走」が始まりつつあるという見方ができそうだ。

十一月上旬に次期大統領が決まってから実際に新大統領が就任するまでの約二カ月半。米国は「レームダック」と呼ばれる政権移行前の空白期に入る。だが金融危機と深刻な景気後退に見舞われた今回の移行期間は通常時と様相が異なる。オバマ新米大統領は経済分野での政策構想で何度も記者会見を開き、市場の信認や経済安定をつなぎ留めるのに必死だ。

オバマ新大統領は就任直後に大型の景気対策を打ち出す意向。特に深刻な雇用情勢の悪化に絡んでは「今後二年間で約二百五十万人の雇用を生み出す」という方針を掲げた。新設の国家経済会議（NEC）委員長に指名したサマーズ元財務長官らには約五千億ドルの景気対策を指示したと伝えられる。

EUが動いた

世界の主要国が矢継ぎ早に打ち出す大型の景気対策。各国は当初、経済危機の深刻さを見誤っていたのかもしれない。

夏の日差しがまだ残っていた九月中旬、フランス南部ニースで開かれた欧州連合（EU）

財務相会合。EU全体での景気対策の必要性を問われたドイツのシュタインブリュック財務相はこう笑い飛ばした。「紙幣を燃やすのと変わらない。加盟国がそれぞれ責任を持って対応すればいいだけの話だ」

それからわずか二カ月後の十一月下旬。冷静さを装っていたEUは、横断的な経済対策を取らざるを得なくなった。加盟各国に任せきれず、EUが経済対策に動くのは今回が初めて。欧州を見舞った経済危機はそれほどに深刻とも言える。

経済対策で欧州委員会が加盟各国に求めた財政出動は、域内総生産(GDP)の約一・二%分(約一千七百億ユーロ)に上る。これとは別枠で、EU本体の予算からGDPの約〇・三%分の約三百億ユーロが拠出される予定だ。合計二千億ユーロの財政出動で、EUは横断的に需要減退を防ぎ、欧州景気の下支えを狙う。

EUレベルでの横断的な景気対策の実行は、欧州委員会の政策の大転換を意味する。欧州委員会は加盟国に財政規律の確保を迫る監視役。財政赤字を対GDPで三%以下に抑える安定・成長協定（財政協定）を錦の御旗に掲げ、ドイツやフランスなどの大国と争ってきた経緯がある。その欧州委が〇九年からの二年間に期限を限って特例的に各国の財政赤字の拡大を容認。ユーロ圏各国の財政均衡について一〇年を達成期限とする中期目標も棚上げし、なりふり構わぬ景気テコ入れへと動き始めた。

「経済情勢は想定以上に深刻だ。経済予測の下方修正は避けられないだろう」。アルムニア欧州委員（経済・通貨担当）が記者団にこう語ったのは十一月下旬。秋季経済予測の発表から一カ月もたたないタイミングだった。欧州景気の冷え込みはそれほどに急激と言える。欧州委員会が注目するのは、個人や企業の心理を表す景況感指数（ESI）。〇九年秋には一九八五年の調査開始以来の最低水準を付け、将来的な個人消費や設備投資の大幅な落ち込みが避けられそうにない。

臨戦態勢で財政投入

世界的な金融危機は各国の信用秩序に異変をもたらし、幅広い分野の企業や個人に先行き不安を与えた。手をこまぬけば大幅な需要減退が連鎖的な景気悪化を呼びかねない——。世界は歯止めを取り払ったかのような臨戦態勢で財政投入を次々に打ち出している。

英国は〇八年十一月下旬、異例とも言える付加価値税率（日本の消費税に相当）の引き下げを決めた。「最も公正に人々に恩恵を与えられる景気対策だ」と英ダーリング財務相は強調する。それまでの一七・五％の付加価値税率を、EUが定める最低税率の一五％に一気に軽減。個人消費の刺激を狙った。

異例なのは景気対策の中身ばかりではない。英政府が付加価値税率の軽減を発表したのは十一月二十四日だが、実施は十二月一日から。一カ月後に迫るクリスマス商戦をにらみ、個人消費の不振による経済的な痛手を少なくするため、発表から実施までわずか一週間という緊急的な減税政策を取った。

フランスではサルコジ大統領が「ばらまき型」という批判を押し切って、目先の国内経済の安定に動き始めた。金融危機で建設が滞る約三万戸の住宅を仏政府が買い上げて、低所得者向けの賃貸住宅などに転用するという住宅・建設業界の支援策を決定。さらに自動車業界の支援策の一環では、老朽化した自動車を新車に買い替える人を対象に最大で二千ユーロにのぼる補助金を支給する計画も決めた。

十二月十一日夜、EU首脳会議を終えたイタリアのベルルスコーニ首相は満足げな表情で記者団にこう語った。「全加盟国が合意した。銀行や企業への幅広い支援を進められるだろう」

十二日まで二日間の日程で始まったEU首脳会議だが、各国の代表団は十三日未明までの徹夜の協議を織り込んで準備を進めていた。EU横断的な経済対策をめぐって、推進派の英仏伊と慎重派のドイツの意見が簡単にはまとまりそうになかったからだ。だが初日の夕食会でメルケル独首相は「経済大国としての責任がある」とあっさり協力を表明した。裏返してみれば、景気対策を求める欧州世論の圧力はそれほどに強まっている。

世界の経済成長のエンジンと言われてきた新興国も例外ではない。中国政府は十一月上旬に約四兆元（約五十三兆円）の景気刺激策を発表。中国全土で住宅建設などを進める方針を決めた。それでも雇用悪化への不安はぬぐいきれず、経済・政治的な安定から追加的な景気対策の検討が進んでいる。

「一九五〇年代以降で最大規模の公共投資を進める」。オバマ新米大統領は大規模な公共投資を検討中。高速道路網を整備した五〇年代に並ぶ規模という構想が浮かんでいる。半世紀前とは経済構造が大きく変わった現在、公共投資を軸とする財政出動の規模を世界各国が競い合う構図は「時代錯誤」とも映る。金融やIT（情報技術）が主役となった先進国の経済で公共投資がどれだけ経済効果をもたらすのかは、不透明だ。

だが、それでも目先の景気底割れを防ぐ有効な手だては容易には浮かんでこない。まず財政出動で深刻な需要減退を防ぎ、出血を止めている間に新たな需要刺激策を考える――。財政出動の規模を競う、異例ずくめの各国の対応策からは、今回の金融危機の衝撃と景気失速の底の深さがにじみ出ている。

6　米自動車大手救済

米政府による自動車産業の救済策がようやく決まった。ゼネラル・モーターズ（GM）などビッグスリー（米自動車大手三社）が支援を正式に要請してから約一カ月半。三社が破綻すれば三百万人の雇用が失われると言われ、世界経済全体にも確実に大きな影響を与えるが、迷走の末に出てきたのは当面の「延命策」だった。再建への道のりには、債務・人件費の圧縮などのリストラに加え、労働組合との交渉や「売れるクルマ」づくりなど課題が山積している。

迷走の果て「延命策」

「GMが再建できる道は、依然として米連邦破産法一一条の申請しかない」。米メリルリンチは政府支援決定後に、今回の救済策では経営再建が進まないとのリポートを発表した。ビッグスリーの再建には依然、高いハードルが立ちはだかっている。

まず全米自動車労組（UAW）との協議が鍵を握る。

米政府は総額百七十四億ドル（約一兆五千億円）のつなぎ融資を実施する条件として、労働条件の大幅な見直しを要求した。具体的には、①現役工場労働者の労務費（手当含め五十五ドル程度）を日本メーカー並み（四十五ドル程度）に引き下げる、②レイオフ（一時帰休）中でも給与がもらえる「ジョブズ・バンク」制度の廃止、③メーカーがUAWに支払う医療保険基金への拠出金の半分を株式でまかなう――などが挙げられている。

比較的に手元資金に余裕があるフォード・モーターは「二〇〇九年中は政府支援は不要」とし、融資の対象から外れたが、GMとクライスラーは〇九年三月末までにUAWと合意したうえで、再建の実現性を示すよう求められている。

ビッグスリー救済は当初、「自動車救済法案」という新法を策定し実施する予定だった。しかし同法案をめぐる協議は労働条件見直しを嫌うUAWの強い抵抗から決裂し、事実上、廃案になった。

今回の支援策についてもUAWのゲトルフィンガー委員長は「労働者に不平等な条件を

米ビッグスリー救済をめぐる動き

2008年	11月4日	米大統領選でオバマ氏勝利
	11月6日	ビッグスリー首脳、ペロシ下院議長と会談、支援を要請
	11月18～19日	米議会でビッグスリーの首脳が第1回公聴会(250億ドルの支援要請、プライベートジェットの使用など批判噴出)
	12月2日	3社が再建計画を提出(支援要求額が340億ドルに増額)
	12月4～5日	米議会でビッグスリー首脳が第2回公聴会(GM会長「経営のミス」認める)
	12月10日	米議会下院が最大で140億ドルの融資を求める救済法案を可決
	12月11日	米議会上院で救済法案の協議が決裂、事実上の廃案に
	12月12日	ホワイトハウスが金融安定化法に基づく支援を検討すると声明
	12月19日	米政府・議会、GM・クライスラーに174億ドルのつなぎ融資を決定
2009年	1月20日	オバマ大統領が就任
	2月17日(予定)	GM・クライスラー、政府への再建計画提出期限
	3月31日(予定)	米政府、GM・クライスラー再建の実現可能性を審査、承認へ(承認得られなければ経営破綻も)

強いるものだ」と強い不満を表明しており、メーカー側が〇九年三月までにＵＡＷを説き伏せるのは容易ではない。オバマ新政権は労働組合を支持基盤に抱えるだけに、ＵＡＷが強硬姿勢を強める可能性もある。

政府資金の受け入れで事実上、公的管理下に入ったことで、さまざまな制約を受ける可能性も指摘されている。その一つが海外での事業展開だ。

ＧＭはこの数年、不振の北米事業を新興国を中心とした海外で補ってきた。〇七年の北米の売上高は前年に比べ約四十二億ドル減少したのに対し、中南米や中東地域では約四十三億ドル、アジア・太平洋地域で約五十五億ドルの増収。〇八年も中国では「ビュイック」などのブランドが好調で、〇八年七—九月の市場シェアは一二・二％と前年同期に比べ〇・七ポイント伸びている。

そのなかで米議会からは「納税者のお金を海外投資に回すことは望まない」（民主党のテスター上院議員）との声が上がっている。新興国は足元では需要が減速しているが、中長期的には成長が期待できる。ここに投資できないと、再建の足かせになる。また先行するトヨタ自動車やホンダに対抗して、環境対応技術の開発を進める際にも、海外メーカーと連携できないのは大いに不利だ。

再建を果たすには、「売れる車づくり」も欠かせない。ただＧＭなどは将来への投資よりも、現金の流出防止を優先する必要がある。

米新車市場の規模

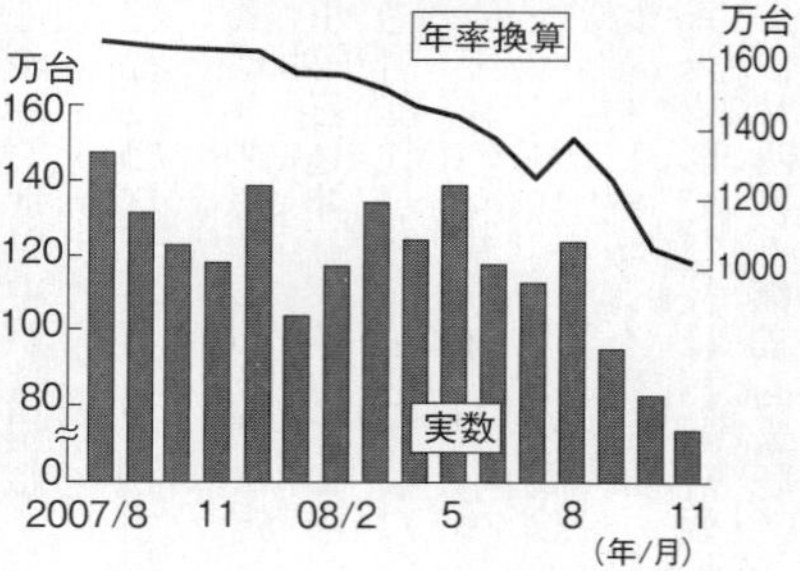

ＧＭは〇八年十二月十七日、ミシガン州で予定していたエンジン工場の建設を中断すると表明。同工場はＧＭの環境対応技術の柱である電気自動車「ボルト」の補助エンジンや排気量一四〇〇ccの低燃費エンジンを生産する重要拠点になるはずだった。中断期間が長引けば、環境対応車の商品化が遅れることになる。

クライスラーでは新車の開発や販売に欠かせない人材の流出が相次ぐ。マーケティング担当のデボラ・メイヤー副社長が辞任。十二月だけで調達担当副社長ら四人の経営幹部が会社を去っている。経営危機と政府支援をめぐる混乱が社員の意欲低下も招いており、自動車メーカーの競争力の源泉である商品力への影響が避けられない。

ビッグスリーが破綻すると世界経済への影響は多大だ。米自動車研究センター（ＣＡＲ）は、部品会社など周辺産業を含めると二百九十五万人の雇用が奪われると試算。三年間で約四千億ドル（三十六兆円）の個人所得が失われ、米国の税収は一千五百六十四億ドル減少するとしている。さらにその影響は世界中に津波のように広がるのは確実だ。ビッグスリーがハードルを乗り越えて、再建を果たせるのか。世界中が注視している。

二社につなぎ融資――税金投入に批判、曲折

米ビッグスリーの救済決定までのプロセスは混迷を極めた。政府資金による民間企業救済を巡る是非と、破綻による米経済へのインパクトがはかりにかけられたためだ。

三社首脳が経営難を背景に政府支援を正式に求めたのは、十一月六日。二日前に米大統領選でオバマ氏が勝利。労働組合を支持基盤に持ち、「自動車は米製造業の屋台骨」と位置づけており、支援に楽観論もあった。だが十八日に米議会で始まった三社首脳の公聴会では、共和党議員を中心に、税金を使った民間企業救済に批判が続出。議会は、いったん突き返す形で三社に再建計画の提出を求めた。

十二月四日の第二回公聴会では、GMのワゴナー会長が「経営ミス」を認め、共和党側も米経済への破綻インパクトを回避する方向で調整が進んだ。しかし共和党議員が賃金を日本メーカー並みに引き下げるなど支援条件を厳しくしたことにUAWが反発、協議は決裂した。法案は事実上、廃案。このためホワイトハウスは十二日朝、「金融安定化法の活用も検討する」との緊急声明を発表し、十九日に同法に基づく七千億ドルの公的資金の一部活用を決めた。

保護主義の影──欧州、相次ぎ支援策

欧州などでも政府による自動車産業への支援策を導入する動きが広がっている。販売減から雇用への影響も出ており、ＥＵや各国政府が対策を急ぐ。

ドイツでは、親会社の米ＧＭの苦境で存続が危ぶまれるオペルが、連邦・州政府に信用保証の供与を要請した。二〇〇九年の研究開発費など十億ユーロ（約千二百五十億円）を超える規模で、メルケル首相は検討を表明。本社と工場があるヘッセン州は部品メーカーを含む支援を決めた。

スウェーデンは総額約三千億円を支援する。ＧＭ傘下のサーブ、米フォード・モーター傘下のボルボ・カーズを抱え、雇用への影響も大きいためだ。スペインは約一千億円を支援。英国でもインドのタタ自動車に売却されたジャガーなどの支援策で政府との協議が続いている。

ＥＵも自動車業界への金融支援などを進める。議長国フランスのサルコジ大統領は、ルノー、プジョーシトロエングループ（ＰＳＡ）が苦戦を強いられる自国も含め、支援策拡充の〝推進派〟だ。

ドイツのダイムラーが時短勤務で〇九年三月まで一部工場の減産操業を決めるなど、完成車メーカーの見通しは明るくない。受注・販売減で部品メーカーやディーラーの破綻も

目立ってきた。

アジアでも、中国の政府系金融機関が地元資本の奇瑞汽車に百億元の融資を実施する見通し。オーストラリア政府も、同国内の自動車産業や販売業者支援のための資金投入を表明している。

日本でもトヨタ自動車の〇九年三月期の連結営業損益が千五百億円の赤字見通しになるなど、自動車産業の業績悪化が著しい。欧米で保護主義的な動きが拡大するなか、日産自動車のカルロス・ゴーン社長は「日本政府も急激な信用収縮などへの対策を講じるべきだ」と主張。支援策を求める声も出始めている。

ただ、日本自動車工業会の青木哲会長は、業界団体としては「現時点で（支援要請）は考えていない」という。世界市場を相手にする日本車メーカーにとって「基本的に保護主義的な動きは望ましくない」というのは、現時点での大勢になっている。

名門、経営厳しく

「わが社は百年の間、世界の自動車産業の先頭に立ち続けてきた。我々はその遺産を次の世紀に引き継ぐ特権を得たのです」――。世界最大の自動車メーカー、ＧＭのリチャード・ワゴナー会長が誇らしげに語ったのは、同社が設立百周年を祝った九月十六日。米大手証券のリーマン・ブラザーズが経営破綻した翌日のことだった。六兆円の債務超過ながら、まだ余裕を見せていたGMは、そこから資金枯渇という奈落の底へと追い込まれていった。

引き金は米市場での極端な販売不振。ガソリン価格高騰などの影響で八月に前年同月比一五％減と低迷していた米国の新車販売は、金融危機の表面化以降、一段と悪化。十二月は三五％もの減少となった。株価の急落などで消費者心理が悪化したことに加え、急激な信用収縮で自動車ローンがつかなくなった。

「ある老舗ディーラーでは先月三十人の客が来たが、一人もローンの審査に通らなかった。銀行の与信管理の厳しさは目に余る」。米自動車大手への支援をめぐる議会の公聴会で証言したコネティカット州自動車販売協会のジェイムズ・フレミング会長は販売現場の窮状を訴えた。急速な市場環境の悪化ぶりに驚いたGMのワゴナー会長らは米三位のクライスラーとの合併で乗り切りを狙ったが、「買収に必要な資金が調達できない」（ワゴナー会長）ことが分かり、交渉を中断。米政府からの支援に破綻回避の最後の望みを託す形になった。

「我々は失敗を犯した。機動的な経営ができず低燃費車への投資が遅れた」。〇八年十二月四日の米議会公聴会で証言したワゴナー会長は非を認めたうえで年内にまず四十億ドル、さらに〇九年一月に四十億ドルのつなぎ融資を政府に求めた。その後もGMはリストラ策を加速。クライスラーは伊フィアットと資本提携に向けた話し合いに入ったが、再建への道のりには数多くの困難が横たわっている。

第9章

激震の新興・中小国

『今年は中国経済の発展にとってここ数年で最も困難な一年だ』

米証券大手リーマン・ブラザーズが破綻した直後の二〇〇八年九月二十日、中国の温家宝首相が共産党幹部の学習会で演説した。中国政府は連続利下げに踏み切ったほか、総投資額四兆元（約五十七兆円）の景気刺激策を発表。財政・金融政策を総動員して雇用維持に必要とされる「八％成長」の確保を目指す。

1 BRICs——世界の牽引役に変調の兆し

中国——改革開放三十年目の試練

高成長を謳歌してきた中国経済にも、金融危機の荒波が押し寄せる。世界的な需要の急減で高成長のエンジンだった輸出が失速、沿海部の中小企業が相次いで倒産し、職にあぶれた農村からの出稼ぎ労働者（農民工）が大量に帰郷を余儀なくされている。胡錦濤政権は雇用確保に必要とされる「八％成長」の実現を至上命題に掲げ、内需拡大に全力を挙げる。しかし金融危機の終わりは見えず、世界経済が総崩れとなるなかで、中国だけが土俵際で踏みとどまれる保証はない。改革開放の三十年を経た中国経済は、最大の試練に直面している。

「今年は中国経済にとって最も困難な一年になる恐れがある」。二〇〇八年三月の全国人民代表大会（全人代＝国会に相当）。温家宝首相は淡々とした口調でこう語った。中国経済は〇七年まで五年連続で二ケタ成長を実現。当時はまだ景気過熱とインフレが最大の懸念材料と見られていた。そんななかで飛び出した温首相の発言に、違和感を覚えた市場関係者は少なくない。だが、「預言」が現実になるまで、それほど時間はかからなかった。

中国の高成長を牽引してきたのは、輸出と投資の二本柱。なかでも輸出は世界的な好況の波に乗って〇七年までの五年間、平均三〇・三%の高い伸びを示していた。その輸出が〇八年に入って減速し始め、春先から繊維やおもちゃなど付加価値の低い製品をつくる工場の閉鎖が激増したのだ。

失業増につながりかねない問題だけに、共産党・政府の対応は素早かった。七月上旬、胡錦濤国家主席や温首相ら指導部は輸出産業が集積する広東省など沿海部を一斉に視察。輸出企業の苦境を目の当たりにし、温首相は「あなたたちの困難を重視する」と発言した。七月下旬に開いた共産党の政治局会議では、マクロ経済政策の目標の一つを「経済の安定的で比較的速い発展の保持」とすることを決定。「景気過熱の防止」を前面に掲げてきた従来の方針を大きく転換し、政策の軸足を景気下支えに移した。

この決定に沿って中国政府は八月以降、立て続けに新政策を打ち出す。まず繊維製品の輸出抑制策を緩和。さらにインフレ対策の一環で実施していた銀行融資の総量規制を緩め、人民元相場の切り上げ方向への誘導をやめた。輸出に頼る中小企業の経営を支援し、失業者があふれる事態を防ぐことに全力を挙げる姿勢を鮮明にした。

だが、金融危機は中国政府の想定を上回る震度で世界を揺さぶる。九月十五日に米証券大手リーマン・ブラザーズが破綻。世界の金融市場が凍り付き、危機は実体経済への深刻な影響が懸念される新たな段階に入った。

　この時も、中国政府は目を見張る素早い反応を見せた。リーマン破綻が世界に伝わった数時間後、十六日に中国人民銀行（中央銀行）は電撃的に六年七カ月ぶりの利下げを発表。インフレ圧力が収まらないなかでの利下げに人民銀の周小川総裁は反対したが、金融担当の王岐山副首相が押し切った。十月八日には米欧六中銀に協調する形で追加利下げを実施。

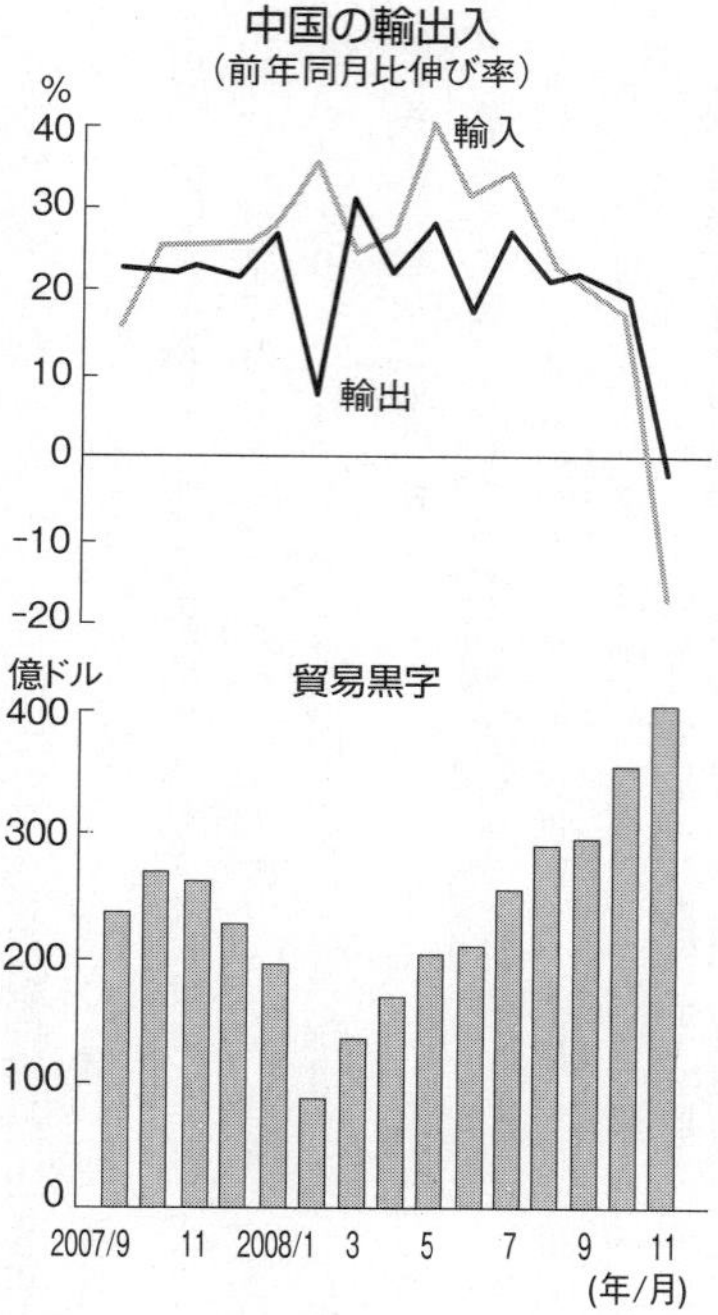

　その後も銀行融資の総量規制を完全に停止するなど矢継ぎ早に金融緩和策を打ち出した。

　「中国が比較的速い成長を続けることが世界への最大の貢献になる」。温首相は中国の高成長維持に向けた政策が、国際貢献の一環であることを繰り返し強調した。

世界を驚かせたのが、十一月九日に発表した総投資額四兆元（約五十七兆円）の景気刺激策だ。〇七年の国内総生産（GDP）の一六％に達する巨額の公共投資で内需を拡大し、世界経済が冷え込むなかでも高めの成長を維持する――。胡主席はこの対策を引っ提げて同月十五日にワシントンで開かれた金融サミットに出席、「中国の措置は世界経済の下振れリスクを和らげる」（欧州中央銀行のトリシェ総裁）などと称賛を浴びた。しかし、空前の規模の景気刺激策が国際貢献というよりも、急減速する中国経済の先行きに対する不安の表れであることは、次第に明らかになっていく。

市場を震撼させたのが十一月の経済指標だ。輸出は前年同月に比べ二・二％減。〇一年六月以来、七年五カ月ぶりに減少に転じた。「外資を導入し、豊富な労働力と結びつけて安い製品を大量につくり、それを輸出して稼ぐ」。中国の高成長を引っ張ってきたこれまでの発展モデルが、もはや機能しなくなったことは一目瞭然だった。

輸出以上に衝撃的だったのが輸入の激減だ。十一月は一七・九％減となった。輸出品を生産するための原材料や部品の輸入が減ったためで、先行き輸出がさらに落ち込むことを示唆する。輸入減は国内の製造業が減産の動きを加速させていることの裏返しでもあり、十一月の工業生産は五・四％増にとどまった。これは旧正月の影響で工場稼働日が変動して比較が難しい一、二月を除けば、調査の公表を始めた一九九九年以降で最も低い伸び率だ。「輸出減↓生産減↓設備投資減」という従来の発展モデルの逆回転が始まった。

北京の天安門広場の西五キロに位置する京西賓館。軍が管理し、一般の人が利用できないこのホテルは一九七八年十二月、中国共産党が階級闘争路線から改革開放への転換を決めた十一期中央委員会第三回全体会議（十一期三中全会）が開かれた場所として知られる。ちょうど三十年後の二〇〇八年十二月上旬、同じ京西賓館に黒塗りの車がひっきりなしに出入りする様子が目撃された。胡主席や温首相ら党・政府の首脳が一堂に会して翌年のマクロ経済政策の基本方針を話し合う中央経済工作会議。「金融危機が深刻化し、中国経済も急減速するなかで開かれた今年の会議は、例年と全く雰囲気が違った」。出席者の一人はこう証言する。

「経済の安定的で比較的速い発展の保持をマクロ経済政策の主要な目標とする」。会議では〇九年の成長率目標を「八％前後」に設定。これを実現するために「積極的な財政政策」と「適度に緩和的な金融政策」を取る方針を決めた。

中国では毎年二千四百万人の新規労働力が生まれる。しかし、実際は約千二百万人分の雇用しか用意できていない。成長率が一％下がると百万人分の雇用が失われるとの試算もあり、高めの成長率の維持は社会の安定を保つために不可欠だ。中国政府が「八％」にこだわる理由はここにある。

足元の雇用情勢は急速に厳しくなっている。

「これからどのように年を越せばいいのか分からない」。〇八年十一月、四川省成都市の北部に位置する成都北駅。曇り空の下、広州からの列車で到着した農民工が不安そうな表情で両手にたくさんの荷物を抱えて駅前で座り込む。深圳市のプラスチック部品メーカーで働いていた成都市郊外の黄玉媚さんは「工場が先週突然に倒産して、工場長が夜逃げした。二千元の月給が三カ月も不払いのままだ」と怒りの表情を見せた。

「返郷潮」と呼ばれる農民工の帰郷現象は十月から顕在化した。中国の農民工は二億三千万人。うち一億人以上が省をまたいで働きに出ている。金融危機のあおりで職を失った彼らが大挙して地元に戻れば、地域社会に及ぼす影響は計り知れない。

世界銀行は〇九年の中国経済の成長率を七・五％と予測する。日米欧が戦後初めて同時にマイナス成長に陥る可能性が高いなかで、中国の成長率は突出して高いと言える。しかし、ある政府系シンクタンクの研究員は「中国にとって八％を下回る成長率はマイナス成長に等しい」と漏らす。雇用を守ることこそが共産党政権の正統性の根本だからだ。

中央経済工作会議が終わった直後の〇八年十二月中旬、胡主席は東北地方の遼寧省瀋陽市を訪問し、地元の職業紹介所を視察した。「あなたたちがあそこに書いた通りだ」。胡主席が指さした先には「就職は人民の生活の基本である」と書かれた看板があった。

改革開放が中国に奇跡的な高成長をもたらし、人々の生活を飛躍的に高めたのは間違いない。だが、三十年目に突き当たった世界的な金融・経済危機という壁。この壁を乗り越え、改革開放を内需主導型の発展という新たなステージに引き上げない限り、共産党政権の未来はおぼつかない。

インド――内需主導型成長も減速

内需主導型で底堅いとされてきたインド経済にも景気減速の荒波が押し寄せている。金融危機の影響で個人消費や輸出が勢いをそがれ、産業界では減産や新規投資を凍結する動きが相次ぐ。

二〇〇八年十一月、大手財閥タタグループを率いるラタン・タタ会長がグループ経営陣に出した指示を、現地メディアが一斉に報じた。「政府が努力しても向こう一年は景況が本格回復に転じることはないだろう」と指摘し、新規設備投資やＭ＆Ａ（合併・買収）計画の凍結、手元資金の最大限の確保などを求めたのだ。

〇七年から〇八年にかけて欧州鉄鋼大手コーラスや英高級車ブランド「ジャガー」の大型買収で資金力と海外進出への並々ならぬ意欲を見せつけたタタ。そんなインドを代表する巨大企業グループですら危機感をあらわにするほど、先行き不透明感は増している。

国内商用車二位メーカーのアショック・レイランドは十二月末まで、工場の稼働日を週三日に絞った。需要の冷え込みを受けた大幅減産だ。車両の購入資金を金融機関からの融資に依存している輸送事業者が貸し渋りに直面している。鉄鋼大手のＪＳＷスチールは二割減産を打ち出した。

〇八年七―九月期のGDP統計でも製造業の減速は急だ。製造業の成長率は前年同期比五・〇%と一年前の半分以下となった。

投資を断念する動きもある。風力発電機大手のスズロンエナジーは最大百八十億ルピー（一ルピー＝約二円）の調達を見込んでいた増資をとりやめ、設備投資を先送り。企業が中止した投資計画は〇七年末から急増し、七―九月期には四十五件・約三千四百億ルピー相当に達したとの調査結果もある。

七―九月期のGDPを支出側からみると、全体の六割近くを占める個人消費は前年同期比五・〇%増、輸出は一三・一%増と、前の期からそれぞれ三・〇ポイント、五・〇ポイント減速した。個人消費には金利高や貸し渋り、輸出には欧米の景気悪化の影響が鮮明に表れた。

「例年並みに戻るにはあと半年はかかる」。〇八年末の旅行シーズンに入っても、ニューデリーにある旅行会社ドルフィントラベルのゼネラルマネジャー、プルニマ・カプール氏は表情を曇らせた。旅行需要の減退で取扱高は思うように伸びないからだ。

頼みの企業もコスト削減に懸命で、ビジネスクラスで飛んでいたなじみ客がエコノミーに乗るようになった。「出張を減らして電話会議ですませる企業も増えた」とカプール氏。民間航空省によると、国内航空旅客は〇八年六月から前年割れに陥った。

十一月末に西部の商都ムンバイで起きた同時テロが追い打ちをかけた。発生直後のキャ

インドの分野別成長率
（前年同期比）

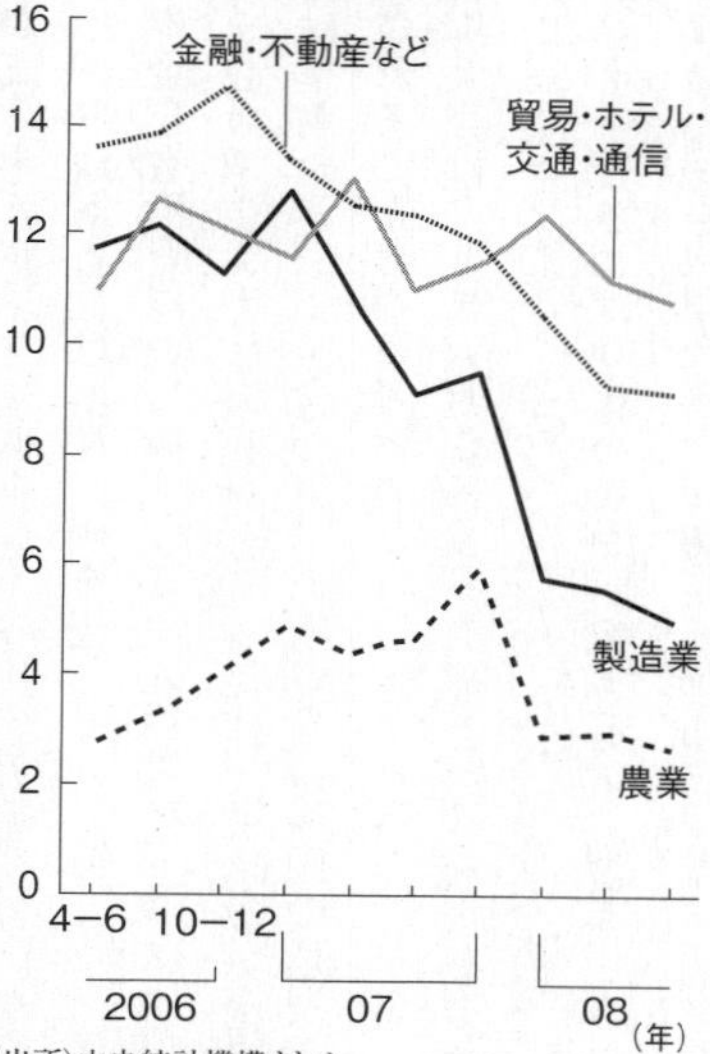

（出所）中央統計機構まとめ

ンセルの嵐は過ぎ去ったが、取扱高は例年の六五—七〇%どまり。ドルフィンは新規顧客の開拓や経費節減を急ぎ、人員削減にも踏み切った。カプール氏は「ムンバイで起きたような事態が繰り返されないように」と願うばかりだ。

苦境に立つ国内航空会社が旅行会社向けの販売手数料の廃止を決め、これに反発した旅行会社の団体が航空券取り扱いのボイコットを表明する騒ぎもあった。航空会社側が手数料を一部復活して折り合ったが、これまでにない両者の対立が旅行業界を取り巻く環境の厳しさを物語る。

世界銀行がまとめた〇九年のインドの予想経済成長率は五・八%。〇七年実績（九・〇%）から三ポイント以上落ち込む。

景気減速の影響は多方面にわたる。

▼「ボリウッド」として有名な映画産業で三十作品以上の製作が宙に浮くか、中止に。

▼IT（情報技術）業界の離

職率が五—十五ポイント低下し、今年の昇給率は一ケタにとどまる。
▼インド鉄鋼各社は増産計画を先送り。
日本企業も消費減速に直面する。北西部ラジャスタン州タプカラ。ホンダがインド第二工場を設ける広大な工場用地が広がる。だが部品生産を始めた途端に自動車販売が急減。同社は車両組み立てを含む第二工場の全面稼働の延期を決め、〇九年のうちに一号車が送り出されることはなくなった。

新車販売は〇八年六月ごろ変調を来し、十一月には一九九五年以降で最大となる前年同月比二三・七％の落ち込みとなった。信用収縮の影響で、車を買う意欲はあっても「消費者がローンをさっぱり組めない」（トヨタ自動車）。ムンバイなどでスズキのディーラーを営むムケシュ・カルマディ氏は「一年前なら誰でもローンを組めたのに——」と不満を漏らす。新型車情報のメール配信などで過去の購入者の来店を促す毎日だ。

インドの中長期の経済発展に欠かせないインフラ整備にも逆風が吹く。ＩＴや医薬品産業の集積が進む南部ハイデラバードでは、旅客の伸び悩みを受けて空港の経営会社が十五億ルピーを投じる予定だった拡張計画を凍結した。

現地メディアによると、民間資金を活用する予定だった政府の幹線道路整備計画で、建設に名乗りを上げる業者がゼロというプロジェクトが続出している。金融危機に端を発する資金不足が障害となっているためだ。

インドはかねてインフラ不足が弱点とされ、技術者不足や不十分な工程管理などの問題点が繰り返し指摘されてきた。そこへ資金難が追い打ちをかけており、経済紙フィナンシャルエクスプレスは〇八年十二月、事業費十億ルピー以上の国のインフラ整備事業五百十六件のうち、実に四割の二百七件が遅延していると報じた。

だが、インドの消費全体がカネ詰まりで失速しているわけではない。ローンに頼る人が少ない商品なら消費ブームはまだまだ健在だ。

「世界不況の影響は全くない。販売は前年比四割増のペースで伸び続けている」と言うサチン・ナルラさんが扱うのは携帯電話。彼が勤めるニューデリーの「USAテレコム」を平日午後六時過ぎに訪れると、小さな店内は家族連れでごった返していた。「NOKIA」「SAMSUNG」「MOTOROLA」――。インドで強い欧米・韓国ブランドの電話機が所狭しと並ぶ。韓国サムスン電子は海外旅行が当たるくじ引きで新型機の購入を呼び掛けるなど、メーカーのシェア争いも活発だ。

印通信当局によると、多数派ヒンズー教の大祭を控え、年間最大の商戦期となる九月から十一月まで携帯の新規契約が三カ月連続で一千万件に達した。日本全体の携帯加入者の三割もの数をわずか三カ月で上積みした計算だ。十一月末の契約累計は約三億四千万件。一人一台の時代をにらむと、それでもまだ七億台以上の市場が眠っている。

ロシア――国家管理強まる懸念

新興市場の一角として世界経済を牽引したロシアでも、金融危機の影響は深刻だ。二〇〇〇年にプーチン氏が大統領に就任して〇七年まで平均七％の成長を維持したが、〇九年は楽観的な予想で三％成長にとどまり、石油価格次第ではゼロ成長となる可能性さえ指摘されている。

「政府は総額五兆ルーブル（約十七兆円）を支出する。危機は回避できる」。ロシアのプーチン首相は〇八年十二月、金融機関への流動性確保や株式買い支えなどに資金を惜しみなく供与することを明らかにし、国民に平静を呼びかけた。

無理もない。失業者や給料遅配が増え、社会的な不安が高まったからだ。景気悪化に加え、インフレ率は〇九年に一〇％を越えるのは確実と見られており、一般市民の生活は厳しくなるばかりだ。

さらに株価は、〇八年五月の高値から年末には七割下落。通貨ルーブルの対ドル相場も下落が止まらない。経営不振に陥る金融機関も相次ぎ、国民の間では事実上の債務不履行（デフォルト）となった一九九八年の経済危機の記憶がよみがえり始めた。

金融危機はロシア経済のもろさをさらけ出した。エネルギー高で潤っていたはずの石油、ガス会社さえも資金繰りが悪化したのだ。政府系企業を中心に非効率的な経営が定着して

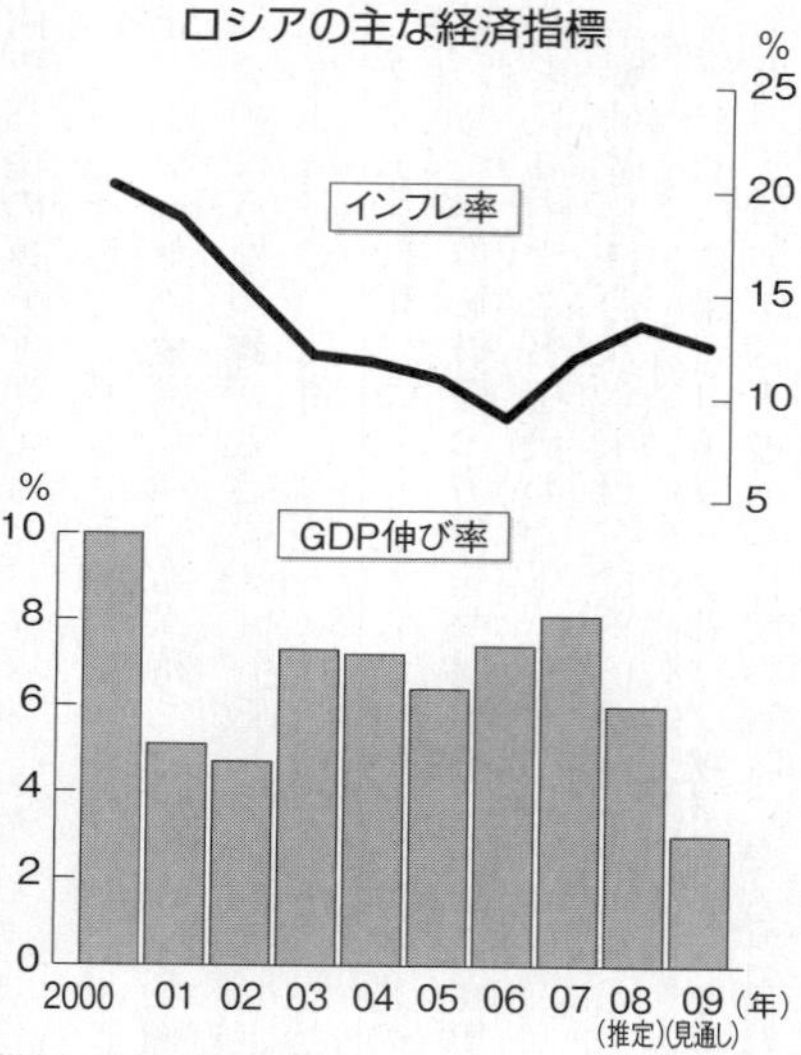

（注）08、09年は世銀の調査

いたうえ、借り入れは外貨に依存。借り入れの担保としていた株式の価格下落で担保価値が低下。株式の売却を余儀なくされ、株安に拍車が掛かり、借り入れがさらに困難になるという悪循環に陥った。

最終的には、大企業については政府が財政支援することで決着した。一部は株式を政府系企業に手渡すケースも出た。この結果、予想されるのが、経営面で国家管理が強まることだ。非効率、不透明経営に拍車が掛かることも懸念される。

ロシアでは旧ソ連崩壊後のエリツィン政権下で新興財閥による産業支配が広がり、一部財閥が政治にまで介入した。プーチン大統領が就任すると、出身母体の旧ソ連国家保安委員会（KGB）など治安機関の強硬派が政府内に台頭。有力な政府系企業などを事実上支配し、逆に民間企業に触手を伸ばし始めた。新興財閥と強硬派との間で利権の再分配が進んだ。

メドベージェフ氏が大統領になっても、プーチン氏は首相として君臨し、強硬派の力も衰えなかった。金融危機で力が落ちた財閥から利権をさらに奪い始めたのだ。

このような現象が起きたのも、政府部門に資金が偏在していたからだ。石油輸出収入で財政は潤沢で、民間との格差は鮮明となった。ただ、政府の資金にも限界がある。

プーチン首相は〇九年度予算について石油価格の下落で歳入の減少が予想されるにもかかわらず、積極財政の方針を堅持。赤字分は石油輸出代金の一部を積み立ててきた準備基金を取り崩すことを決めた。

準備基金は〇八年末現在で千三百億ドル強ある。しかし、年間の平均石油価格（ロシア産ウラルス）が〇八年の一バレル当たり一〇〇ドル弱から四〇ドル程度まで下がると、歳入は理論値で年二千億ドル程度の減収になると言われている。〇八年並みの積極財政を続ける限り、準備基金は二年で底をつくことになる。

金融危機は、経済構造の石油依存が依然として高いことを浮き彫りにした。二〇〇〇年以降の好景気にもかかわらず製造業への投資は進まなかった。この結果、金融危機でルーブル安となり輸出競争力が高まっても生産がそれほど増えないという現象を招いている。

日本企業をはじめ外国企業のロシア進出を後押しした消費も陰りが強まっている。〇八年末に石油バブルが崩壊し、高級品の売れ行きは一気に冷え込んだ。消費ブームの象徴だったのが高級乗用車。トヨタ自動車のレクサスや日産自動車のインフィニティが納車まで半年待ちは当たり前という状況が、〇八年十月ごろまで続いた。しかし、十一月には外国ブランド車の販売が前年同月を下回った。

資金繰りが悪化した多くの金融機関は、〇八年十一月ごろから自動車ローンサービスを停止したり、提供を続けても金利を二〇―三〇%とするなど、顧客は事実上利用できない状況となった。この結果、〇九年は二〇〇〇年から続いた輸入車の市場拡大局面が転機を迎える可能性がある。

欧州市場に伝統的に弱い日本の自動車メーカーにとってロシアは最大の市場に成長していただけに、影響は大きい。特に、トヨタが〇七年末にサンクトペテルブルクに組み立て工場を完成させ、日産、三菱自動車などもこれに追随し、工場建設に着手している。需要見通しの変更ですでにいすゞが工場稼働の延期を決定しており、同様の動きが広がる可能性がある。

ブラジル――頼みは消費

「失業が心配だからといって皆が消費をやめたら、かえって雇用情勢が悪化する。誰も、買い手がいないものをつくらないだろう?」

〇八年十二月。堅調に推移してきたブラジル経済にも、世界的な金融危機の影響が及び始めたなか、ルラ大統領は記者団にまくし立てた。リーマン・ブラザーズの破綻直後、ルラ大統領は口を開けば金融危機への対応を問いただす記者団に「危機はここで起きているんじゃない。ブッシュに聞いてくれ」と言い返していた。だが、三カ月を経て、政府は内需の維持に追われることになった。

〇三年ごろからブラジル経済を牽引してきたのは消費だ。最低賃金の引き上げ、正規雇用の拡大、過去と比べた金利の低下が新たな消費層を創造した。ローンを組める所得層が増え、自動車販売の急拡大などをもたらした。だが金融危機は雇用に影を落とす。

資源価格の下落や需要急減を受け鉄鉱石世界最大手のヴァーレは、生産コストが割高なブラジル中部ミナスジェライス州の鉄鉱山を中心に十二月初めから五千五百人の一時帰休に踏み切ったほか、海外子会社を含め千三百人を解雇した。

鉄鉱石中堅のＭＭＸも十一月下旬に二千人を解雇。鉄鉱石は中国などの需要の急減で減産を強いられている。販売の急減に見舞われた自動車産業でも、一時帰休が相次いでいる。

消費と並び経済を牽引してきたのが設備投資だ。だが、ここにも金融危機の影響が影を落とす。

ブラジルの金融機関は、世界的な金融危機の直接の影響は軽微だった。高金利国債の存在や厳しい規制を背景に、米国の信用力の低い個人向け住宅融資（サブプライムローン）の証券化商品など海外のリスク資産への投資が限られていたためだ。それでも十月以後、融資は慎重姿勢に転じた。雲行きが怪しくなると、まずは融資を絞って様子を見るのが、ハイパーインフレを乗り越えてきた金融機関の身に付いた自己防衛策だ。

政府は中央銀行への預託金の引き下げなどで企業への融資を促したが、サンパウロ州工業連盟のルーベンス・バルボザ通商委員会上級顧問は「高金利も手伝って企業が借り入れしにくい状況が続いている」と指摘する。

特に危機以前にちょっとしたバブルの様相を呈していたバイオエタノール分野では、影響は深刻だ。

「このままでは〇九年四月以後の収穫期に大量のサトウキビが余る」。ブラジルのサトウキビ農工業連合（UNICA）のロドリゲス技術部長が危機感を募らせる。

サトウキビ栽培が盛んな同国中部・南西部では、来春の収穫期までに三十五カ所の精製工場が立ち上がるはずだった。だが融資の縮小で「多くの工場で完成が遅れている」。こうしたプラントの多くは原料のサトウキビからエタノール・砂糖までの一貫生産で、すでにサトウキビ栽培は始まっている。このままではサトウキビが行き場を失いかねない。

個人消費や設備投資に影が差し始めているとはいえ、ブラジル経済にこれに代わる牽引役は見あたらない。例えば資源。

海外の需要減で、ブラジルの十一月の鉄鉱石輸出量は前年同月比一九・八％減。このほかに輸出量が世界一の鶏肉も重量ベースで二一・九％減った。「輸出先の日本などで在庫が過剰になった」(日系商社)ことが背景で、牛肉や豚肉も四―五割減と落ち込みが目立った。十一月時点では前年同月比で単価上昇の恩恵は続いているものの、この先、数量減・単価下落の局面に入ることは確実。

資源に加え自動車や関連部品の輸出が減少。一方で輸入額が高水準でとどまっていることもあり、貿易黒字は六月から前年割れが続く。十月は六五%減、十一月も二〇%減と大幅な落ち込みだった。貿易に加え、直接・間接投資を通じた資金の流入も見込みにくいなか、やはり頼りは内需ということになる。

こうした事態を重く見て政府は十二月、低中所得者の購買力維持に焦点を当てた八十四億レアル(約三千二百億円)の減税策を発表。排気量一リットルの自動車に七%かかっていた工業品税を廃止。所得税も累進税率を二段階から四段階に細分化し、最低税率は〇九年一月に一五%から七・五%に引き下げられた。発表直後の週末、自動車販売は急回復を見せた。

一方、インフレ抑制を最重要課題とするブラジル中央銀行は慎重に動いている。十二月十日、定例の通貨政策審議会で政策金利の据え置きを決めた。各国が金利引き下げに転じるなか、レアル安の影響によるインフレなどを懸念し、四月以後の引き締め姿勢を継続している。

メイレレス総裁は「金融危機の影響はほかの国と比べて浅く、長続きしない」と強気の姿勢を崩さないが、ブラジル経済を支える柱が細くなっていることは確かだ。

2 逆流する投資資金――暗転する国民生活

アイスランド――「金融立国」の夢破れる

「がん患者のための研究費だったのに……」。英マンチェスターにあるがんセンター「クリスティーNHS」。七百五十万ポンド（約十億円）の預金が〝消滅〟する危機に見舞われ、担当者はため息をつく。

同センターは二〇〇八年五月から研究費の一部をアイスランドの最大手銀行カウプシング銀行グループに預けていた。預けた当時は格付けも高く、大手英銀を一―二％程度上回る高い利息が見込めたからだ。

ところが金融危機の発生で十月九日、カウプシング銀行はアイスランド政府の管理下に入り、預金も凍結されてしまった。英地方自治体協議会（LGA）によると、十月中旬時点で百を超す英国の自治体などが計九億ポンドをアイスランドの銀行に預けていたという。

アイスランド側は個人の預金について一定額を上限として返還に応じる構えだが、企業などは大幅な損失計上を余儀なくされそうだ。日本でもカウプシング銀行が発行したサムライ債は予定日に利払いがなされず契約上のデフォルトとなり、投資していた企業が損失を被った。

アイスランドは北海道よりやや広い国土に約三十万人が暮らす。主力産業は漁業で、それ以外にはアルミニウム加工と観光ぐらいしかこれといった産業はなかった。そこで成長を目指すため一九八〇年代以降、規制緩和を進めて「金融立国」化に乗り出す。国内預金には限界があるため、資金は英国のインターネットバンキング子会社など海外を中心とする預金や、債券市場などから調達した。インフレ対策として高金利政策をとったことで、結果的に世界の投資マネーを吸収し、一人当たりGDPは〇六年にルクセンブルク、ノルウェーに次ぐ世界三位に上りつめた。

その半面で、金融機関の膨張ぶりは「身の丈」をはるかに上回っていた。〇三年からの四年間で、カウプシング、ランズバンキ、グリトニルの大手三銀行の総資産は九倍近くに急増。三行の総資産合計額だけで、アイスランドのGDPの九倍強となった。金融業全体では十倍を超える。高金利に見合う運用成績の確保へ各行は競って北欧や英国の企業買収融資などを手掛け、カウプシング銀行は「北欧のゴールドマン・サックス」（英紙）との異名をとるまでになった。

「銀行は企業を支えるのが仕事のはず。だが彼らは自らの成長を目的化していた」と、オンラインゲーム会社CCPを運営するヒルマル・ベイガル・ピエトルソン最高経営責任者（CEO）は指摘する。「それこそ、まるでゲームのようだった」

膨張が限界点に達したとき、米国発の金融危機が同国を直撃。マネーの流れは一気に逆流した。リスク許容度が下がった海外の投資資金が一斉に引き揚げて株式市場は暴落、金

経済規模に比べ金融業が急膨張

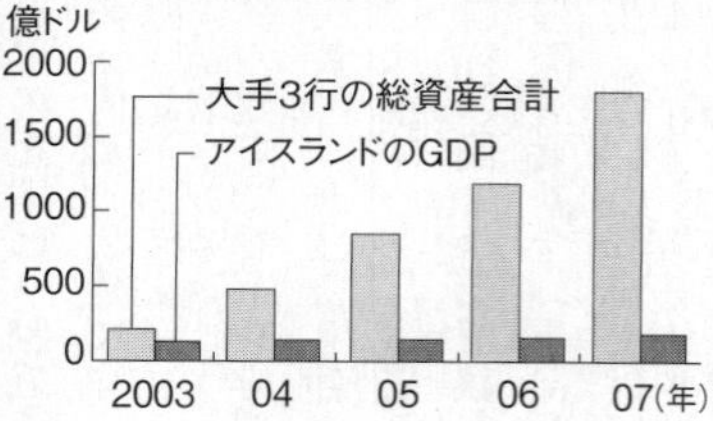

融市場でもアイスランドの大手各行への資金の出し手がいなくなった。政府は「このままでは国家が破綻しかねない」（ハーデ首相）として大手三行を管理下に置き、海外口座を凍結した。
銀行の総資産がGDPを上回るのは、スイスや英国も同じだ。アイスランドの「誤算」は、「海外展開した大手三行が金融システムのほとんどを構成していた」（ハーデ首相）ことだった。このため銀行の資金調達が不能になったとき、「政府や中央銀行が支えきれなかった」（同首相）。
リスク軽視の傾向は個人にまで広がっていた。政策金利が一〇％以上のアイスランドではここ数年、低金利の円などの外貨建てローンが急速に普及。〇七年末時点で家計の負債に占める外

貨建ての比率は一割近くに上昇した。自動車ローンでも、購入者は為替リスクについて深く考えずに外貨建てローンの申込書にサインしていたという。ところがアイスランド・クローナは〇七年秋から〇八年秋までの一年の間に対ユーロで約四割安、対円では半分に下落。円建てでローンを組んでいた個人は一年で債務が二倍に膨れあがってしまった。

失策のツケは計り知れない。アイスランドの実質GDPの成長率は〇七年の四・九％から〇八年は一・六％に急減速し、〇九年にはマイナス九・六％にまで落ち込む見通しだ。経営に行き詰まった三銀行の再生に要するコストだけで、GDPの八五％が吹っ飛ぶという。

国際通貨基金（IMF）は十一月十九日、アイスランドに対する二十一億ドルの融資を承認した。これを受けてデンマークなど北欧四カ国も追加でアイスランドに合計二十五億ドルを融資することを決めた。アイスランド政府はロシアにも四十億ユーロの資金支援を要請したが、明確な回答を得られるに至っていない。

一方、アイスランドの金融危機は、英国との間で外交問題にまで発展した。英国政府が自国民の資産を保護するため、反テロ法を引っ張り出して英国内にあるアイスランドの銀行資産凍結に走ったためだ。アイスランドでは「われわれはテロリストではない」と英国に抗議する署名を募るホームページが立ち上がり、すでに全人口の四人に一人にあたる八万人強が署名。英国に対する国民感情の悪化を招いている。

金融業が急拡大していた二〇〇〇年代前半に財務相を務めていたハーデ首相は、日本経済新聞に対し「今後は金融破綻が起きないよう、金融業界の規制を強化したい」と語った。市場が安定した後も、これまでのように金融大国を志向するのか、との問いには「ノーだ」と答える。一方、マッティエセン財務相は「金融業全体の規模はGDPの十倍強から、将来は三―四倍程度に縮小される」との見通しも明らかにした。「金融立国を目指す小国に、我が国が体験してきたことを伝えたい」とも言う。

しかし経済の壊滅的な被害を招いた政府に対する国民の不満は収まらない。十月以降は毎週のように、首都レイキャビクで市民が抗議デモを実施。首相や中央銀行総裁の辞任を求める一方、早期の欧州連合（EU）加盟やユーロ導入を訴えた。ただEUに加盟すると、主力産業である漁業の規制が大幅に強化され、今後の頼みの綱である産業ですら崩壊しかねない。「EUに加盟せずにユーロを導入できないものか」。アイスランドの政府内ではそんなむちゃなアイデアすら浮かんでいるというが、最終的にはEU加盟申請に踏み切らざるを得ない、というのが大方の見方。金融危機は、大西洋上の小国のあり方そのものを変えてしまった。

ハンガリー――「ユーロ圏入り」期待しぼむ

ハンガリーの首都ブダペストの郊外に住むポルガ夫妻は二〇〇六年夏、マイホームを購入した。期間三十年の住宅ローンで資金をまかなったが、融資は自国通貨フォリントでなくスイスフラン建て。「フォリント建てのほぼ半分の金利四・五％で借りられた」と振り返る。

月々の支払いにはスイスフラン相当額のフォリントを用立てなければならない。フォリントが堅調だった間は気にも留めなかったこの〝落とし穴〟に気付いたのは、つい最近のことだ。フォリント急落で月々の返済額は購入時の一割増しとなった。「食費やレジャー費を切りつめるしかない」と憂うつな表情だ。

ハンガリーのＥＵ加盟は二〇〇四年。ＥＵの東方拡大に弾みが付き、単一通貨ユーロが流通する「ユーロ経済圏」に取り込まれるとの期待が膨らみ、国外からの直接投資などが拡大した。

インフレ率が六％台で高止まりするなかで、中央銀行は政策金利を高めに維持。こうした状況で金利の低いスイスフランやユーロ建ての借り入れが、個人や民間企業の人気を集めた。〇八年に実施された銀行の個人向け新規融資のうち、約九割を外貨建てが占める。民間部門の外貨建て借入比率は、約六割に達している。銀行が外貨建て融資競争に走ったこともあり、「フォリントでローンを組むのは変わり者」という風潮さえ生んだ。頭金のない若者まで「住宅価格の全額を融資します」という銀行の太っ腹な態度を見せられたら、マイホームを買いたくなるというものだ。

フォリントが対ユーロで一九九九年のユーロ導入以来の高値を付けたのは、〇八年七月。

外貨準備に比べ対外債務の増加が際立つ（GDP比）

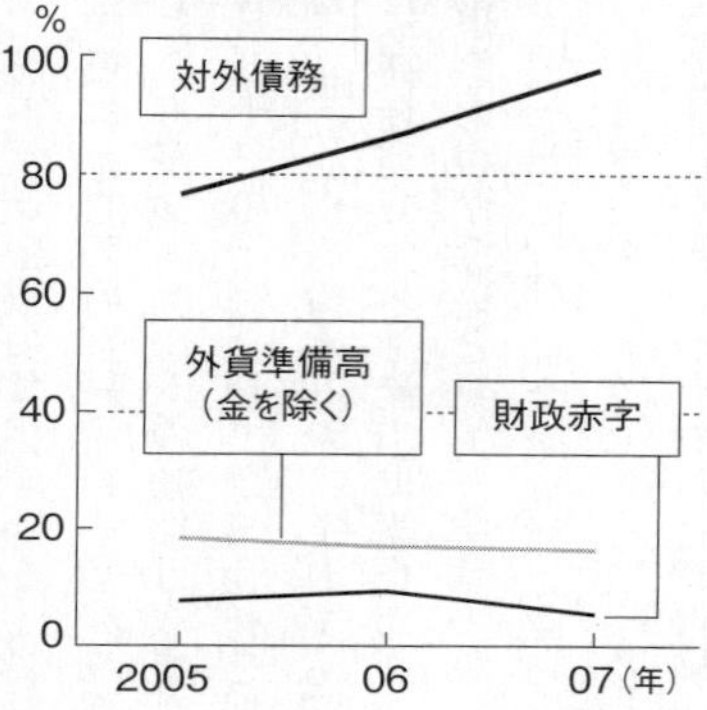

その後、金融危機が世界に広がり、わずか三カ月で一時、三割近くも急落した。地元銀行では、フォリント建ての返済額が急増した外貨借り入れの顧客から、支払い延期の相談を受けるケースが増えた。

ハンガリーの外貨準備は、〇七年時点で百六十三億ユーロ。対外債務は九百八十三億ユーロと約六倍。同じ中・東欧で外貨不足が懸念されているブルガリアやルーマニアでも、この比率は二倍強で、ハンガリーの外貨依存の高さが際立つ。

経常赤字体質のうえ、長年の放漫財政のツケを一気に払おうと増税と歳出抑制に踏み切った結果、低成長にあえぐ。〇八年秋に政府は成長率見通しを下方修正、〇九年はマイナス成長に落ち込む見込みだ。〇八年に七％成長を達成する見込みのスロバキアなど周辺国に比べ見劣りする。

欧米金融危機をきっかけにリスクを恐れ始めた外国マネーは、こうした弱点に目を向けた。焦りを深めた政府・中銀には、自力での有効な手だてが見当たらなかった。政府は少数内閣のため、危機対策を他国のように機動的に打ち出しにくい。おのずと中銀に負担がかかる構図で〇八年十月十六日、欧州中央銀行（ＥＣＢ）から五十億ユーロの特別融資枠の設定を受け、銀行の外貨の資金繰りを支援する態勢を整えた。ところがマーケットの動揺は収まらず、通貨と株の連鎖安に見舞われた。

十月二十日の定例会合で政策金利を据え置いた中銀だが、二十二日に急遽金利を三％引き上げ、年一一・五％とした。それでも翌日、フォリントは対ユーロで最安値圏で推移した。中銀は高金利でマネー流出に歯止めをかける狙いだったが、三％もの大幅利上げに市場は緊急事態の根が深いと見て、中銀の狙いとは逆の動きに出たわけだ。

「小国である以外、（金融危機に陥った）アイスランドと共通点はない」。シモル中銀総裁はメディアとのインタビューでこう憤った。しかし一時膨らんだ「ユーロ圏入り」への期待は急速にしぼみつつあると、市場関係者は指摘する。

ついに政府はＩＭＦへの支援要請を決めた。十月二十六日、ＩＭＦはハンガリーに対する支援策で同国と大筋合意した。最終的にＩＭＦだけでなく、世界銀行、ＥＵも加わる形で総額二百億ユーロと事前の予想を大きく上回る巨額支援となった。

この巨額支援について、シモル総裁は日本経済新聞のインタビューで「市場が落ち着き、フォリントに対する投機的な売りを止める効果があった」と評価している。支援額と同国の外貨準備高の合計額（約三百八十億ユーロ）が「期間一年以内の対外債務（約二百五十億ユーロ）を完全にカバーしている」と指摘。資金繰り不安を直撃する短期対外債務の支払いに問題がなくなったことをアピールした。

中銀は市場の動きが一段落したのを機に、金融政策を「守り」から「攻め」に反転した。十一月二十四日の政策決定会合で予想に反して政策金利を〇・五％引き下げ、年一一％とした。十二月にも緊急会合で追加利下げを決め、十月の通貨危機対応の三％の大幅利上げの異常事態からの急激な修正を狙っていることを印象づけた。

これで通貨危機によって遠のいたユーロ導入への展望が再び開けるかが注目される。シモル総裁は日本経済新聞に対し、「緊縮財政により〇九年までに財政赤字、一〇年にはインフレ率の導入基準を達成できる」との見通しを示した。ただ、導入目標年の設定には「危機の影響が一段落してから具体化したほうが良い」とし、「〇九年初めから導入に向けた行程表作成の協議を始めるべきだ」と述べるにとどめた。

確かに現状ではユーロをいつ導入できるかという議論は時期尚早だ。ハンガリーが輸出を依存するユーロ圏の景気後退がどのように影響するのか見通せないため、緊縮財政路線を進めても、税収不足から歳入の見通しが狂う可能性がある。また、欧州各国が危機対応で財政出動をいとわないなか、ＩＭＦ管理下のハンガリーは一時的な財政出動にも動けないだろう。〇九年のマイナス成長からＶ字回復を描けなければ、ユーロ導入の道筋はなかなか見えてこない。ハンガリーが海外投資家を失望させた代償は大きいのが実情だ。

パキスタン――外貨流出、破綻の瀬戸際

パキスタンの首都イスラマバードで会社を経営するワカスさんは〇八年十月半ば、ある新聞記事に目を丸くした。記事の見出しは「ザルダリ大統領の警備に億単位のカネ」。政府は大統領執務室の窓に防弾ガラスを入れるため、わざわざドイツの企業と高額の契約を結んだという。「不足している外貨をたった一人のためにつぎ込んでしまっていいのだろうか。ムシャラフ（前大統領）の時代の方がまともだったかもしれない」

大統領報道官は「防弾ガラスはテロ対策に必要な措置」と説明する。ザルダリ大統領は〇七年十二月にテロで夫人のブット元首相を失っており、テロへの備えに敏感にならざるを得ない面もある。それでもワカスさんは理解に苦しむ。庶民の生活は困窮の一途をたどっているからだ。連日十時間にも及ぶ停電で仕事は頻繁に中断し、十月に年率二五％に達したインフレは懐を直撃した。九年ぶりの本格的な文民政権として国内の大きな期待を背負い九月に就任したザルダリ大統領に、多くの国民は早くも愛想を尽かし始めている。

ムシャラフ前政権の外資導入政策で二〇〇〇年代半ばに九％近い高度成長を達成したパキスタン。しかし〇七年以降の相次ぐテロと政情不安で海外マネーが逃げ出し歯車が狂った。米国発の金融危機と一時期の原油高は外貨流出に拍車をかけ、中央銀行の外貨準備は十月、輸入代金の一カ月分強にまで落ち込んだ。

先行きへの不安から株価は急落、危機感を募らせた同国最大のカラチ証券取引所は八月末から十二月半ばまで売買を事実上停止した。国内外の投資家は資金を引き揚げたくても株を売れない状況に置かれる。さらに通貨パキスタンルピーは、対ドルで年初に比べて三〇％下落。債務不履行（デフォルト）の瀬戸際に追い詰められた政府は十月、「最後の手段」（経済担当顧問のタリン氏）としていたＩＭＦへの融資要請に踏み切った。

十一月に七十六億ドルの緊急融資を決めたＩＭＦは、融資の見返りに緊縮財政と金融引き締めを求めた。パキスタン経済を自立させるための処方箋だ。しかし、これで同国が立ち直る保証はない。これまでの支援の経緯がその懸念を裏付けている。

パキスタンは実は〇四年までＩＭＦの融資に頼っていた、いわばＩＭＦ融資の「常習者」。それからたった四年で再びＩＭＦに駆け込まざるを得なくなったのは、経済の構造改革が後手に回り、外貨を稼ぐ輸出産業の育成に本腰で取り組まなかったためだ。

この十年間で輸入額は三倍に増加したが、輸出額は二倍しか増えていない。米国発の金融危機は、経常赤字を海外からの資本流入で補ってきた経済基盤のもろさを露呈させた。根底にあるのは経済の基礎体力の強化を怠ってきた戦略不在のツケであり、金融危機はパキスタン経済が抱える構造問題を一気に表面化させた導火線と言える。

元中央銀行総裁のフサイン氏はロイター通信とのインタビューでパキスタン経済を病人にたとえ、「健康体になるためにはＩＭＦが処方する苦い薬を飲むしかない」と指摘した。

パキスタンの貿易収支と外貨準備高

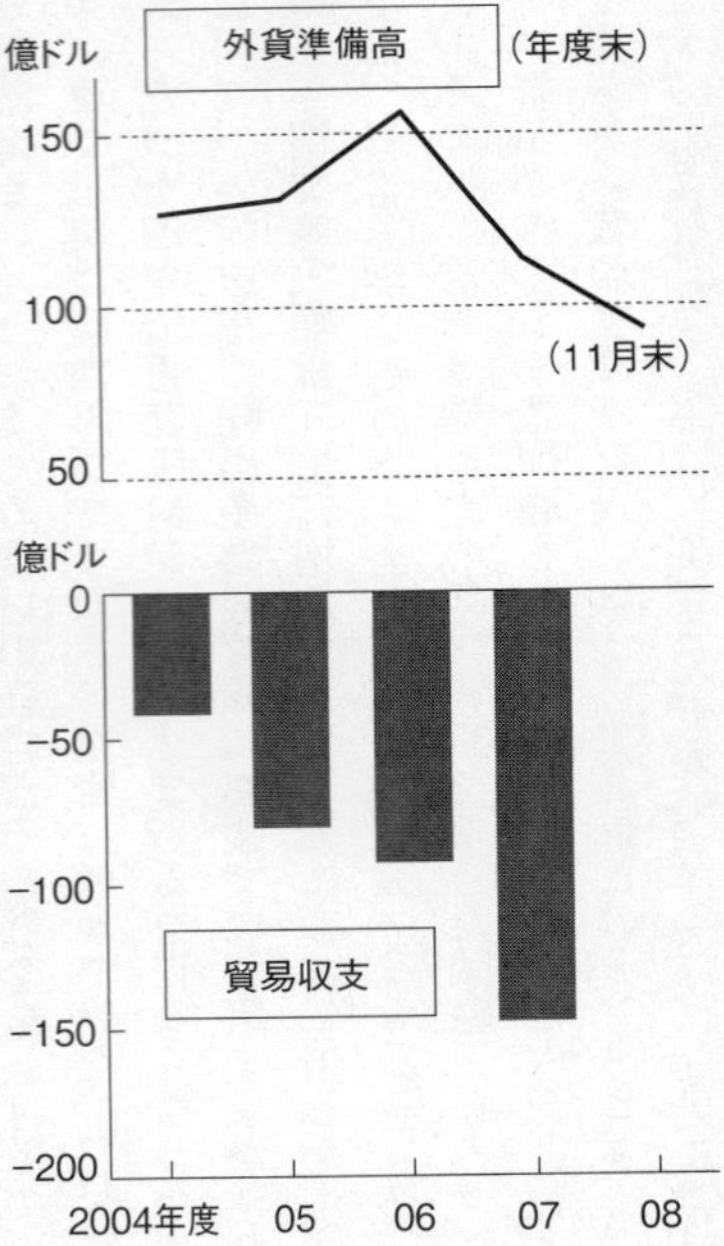

だが「薬」を処方されても、それを指示通りに服用しなければ、パキスタンはいつまでたっても「健康体」にならない。

IMFが融資した七十六億ドルは、パキスタンが資金不足を克服するために必要としている支援額の一部にすぎない。政府は最終的に必要な支援額を「二年間で最大百五十億ドル」と試算する。このうち約半分をIMFに求め、残りを他の国際金融機関やサウジアラビア、中国など友好国からの二国間援助に期待する。

百五十億ドルという金額は〇八年度予算の六割に相当する大きさにもかかわらず、パキスタン政府関係者は支援の獲得に自信をみせる。それは「テロとの戦いの最前線に立つパキスタンを欧米が見放すわけがない」とひそかに読んでいるからだ。

だが〇八年十一月二十六日にインド西部の商都ムンバイを襲った同時テロは、追加の支援獲得に陰を落とす。インドはパキスタン地盤のイスラム過激派の関与を疑い、米国や英国もこうした見方を支持してパキスタンに過激派の徹底した取り締まりを迫る。大規模なテロを仕掛ける能力を持ち、反米・反英を掲げるテロ集団の存在を米英が放置するはずがない。米民主党重鎮のケリー上院議員は「これからのパキスタンへの支援は慎重に検討しないといけない」と指摘、過激派の取り締まりは追加支援の前提条件になりそうな雲行きだ。

海外企業や投資家のパキスタンへの見方はＩＭＦ融資後も目立って好転していない。中央銀行の統計によると、〇八年七―十一月の海外機関投資家による株式投資は一億六千三百万ドルの大幅な売り越し。前年同期は一億五百万ドルの買い越しだった。直接投資（ＦＤＩ）も前年同期比六・四％減の十六億ドルと停滞している。

仮にパキスタンが経済破綻の回避に必要な追加支援を獲得できたとしても、構造改革に目をつむったままでは同国の支援依存体質からの脱却はおぼつかない。核保有国パキスタンをいかに自立させるか。金融危機はこんな難題も国際社会に投げかけている。

ウクライナ――自国民の「パニック売り」懸念

「この銀行は破綻する。直ちに預金を回収せよ」――。二〇〇八年九月下旬、携帯電話のメールでばらまかれた怪文書が、ウクライナで取り付け騒ぎを引き起こした。ＡＴＭに預金者が殺到、攻撃を受けた大手行プロムインベスト銀行から数日間で三十億フリブナ（約五百二十億円）の預金が引き出された。

プロムインベスト銀行は七—九月期に約八千万フリブナの利益をあげており、事件の背景には同行の買収を狙うライバルの策略があったとされる。中央銀行は「金融危機の影響ではない」と強調したが、騒ぎは国民の不安心理がパニックにつながりやすいリスクを浮き彫りにした。

アイスランドなどと比べると、金融危機のウクライナへの直接の影響は小さい。同国の市場の推計では、千億ドル規模の対外債務のうち、七割は長期の借り入れで、〇八年内に返済期限を迎える民間債務は八十八億ドルとされた。外貨準備高は三百億ドルを超えており、「パニックに陥らなければ危機的な状況ではない」（現地証券のドラゴンキャピタル）とみられていた。

それでも世界的な不況は、ウクライナ経済にも重くのしかかる。輸出の四割を占める鉄鋼の国際需要は低迷し、稼働率は半分に落ち込んだ。一方、ロシアは石油相場の急落にもかかわらずウクライナ向けの天然ガス輸出価格を大幅に引き上げると表明。ロシアがウクライナの親欧米政権への圧力にガス輸出を利用していることは明白で、経常赤字が一段と拡大するとの見通しが通貨フリブナの売り圧力につながった。

通貨安は市民生活を直撃する。首都キエフに住む三十代のオクサナさんが五年前に組ん

ウクライナのGDP伸び率と
経常収支

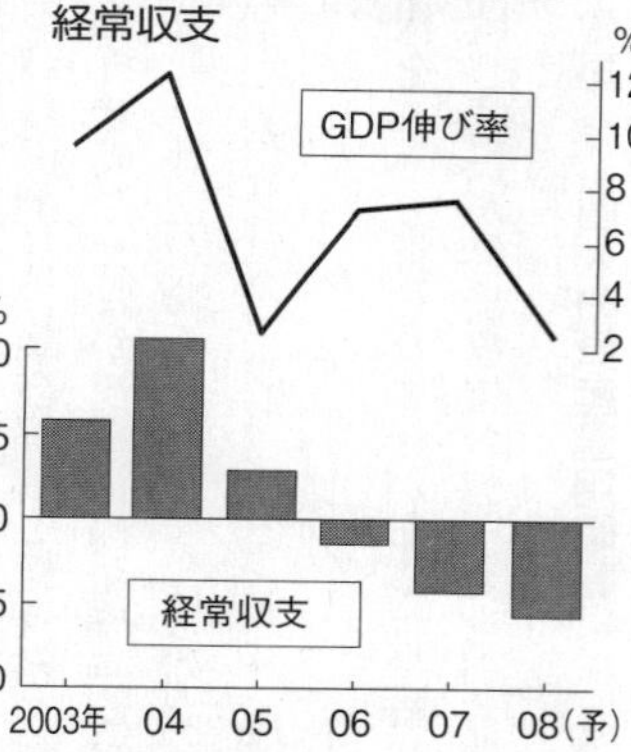

（注）経常収支はGDP比
（出所）ドラゴンキャピタル

だ住宅ローンはドル建て。月々八百ドルの返済額はドル高・フリブナ安に伴い膨らんでいく。住宅など消費者のローンの三割前後は外貨建てとされ、市民の外貨確保の動きがフリブナの下落に拍車を掛ける構図が鮮明になった。

　企業による投機的なドル買いもあり、危機前には一ドル＝五フリブナ前後だった為替相場は十二月に一時、最安値となる九フリブナ台まで急落した。ウクライナ中央銀行はドル売り・フリブナ買い介入と同時に、矢継ぎ早に金融機関に対する短期資金の貸出金利を引き上げ、通貨防衛に躍起になった。

　ウクライナ政府は十一月、ＩＭＦから百六十四億ドルの融資を受けることで合意した。「ＩＭＦの後ろ盾があることを示し、国民の不安心理を抑える狙い」（ロシアの証券会社、トロイカ・ジアローグ）からだ。ＩＭＦ支援決定にもかかわらず、その後も国民の外貨逃避に歯止めが掛からないのは不安定な政治情勢が背景にある。

　政情不安の根っこにあるのは、ともに親欧米派のユーシェンコ大統領とティモシェンコ首相の権力争いだ。大統領派が首相派との連立を解消し、大統領は金融危機にもかかわらず十月に議会解散と総選挙の実施を表明した。結局、少数政党を加えて両派は連立を再結成させたが、経済政策やロシアとの天然ガスの輸入交渉をめぐり、大統領と首相の激しい対立が続く。「政治家には何の期待もできない」とオクサナさんはいう。

「きっかけはヘッジファンドによる通貨売りだったが、国民による自国売りが各国を危機に陥れた」。シンガポールのリチャード・フー蔵相（当時）は一九九七年のアジア通貨危機をこう分析したことがある。危機に直面する中で指導者が政争に明け暮れるウクライナは、国民が経済危機の引き金を引く瀬戸際にあるのかもしれない。

韓国——個人の資産運用暗転

「家も株式も処分したいのに売れず、いつまで働けるかもわからない。本当に苦しい」。韓国の中堅財閥系企業に勤める金哲賢（キム・チョルヒョン）課長（仮名）は、人生設計の見直しを迫られている。

一年前、いま住むアパートを担保に投資目的で別のアパートを購入したが、不動産市況の悪化で一向に売却できず、金利上昇に伴う住宅ローンの利子負担の増加に悩んでいる。保有する株式は半分以下に値下がりした。勤務先の企業は経営が悪化して人員削減の話が浮上している。

韓国では金課長のように、多くの一般市民が住宅転売や株式投資で資産を運用している。だが、米金融危機をきっかけに株価は急落。「必ず上昇する」という〝不動産神話〟も揺らいでいる。安定的な就職先のはずだった財閥系企業でさえ、一部の大手を除いて資金繰りの不安がささやかれる。

「あるマンションは契約者の四〇％が権利を放棄したらしい」。人気が高く二〇〇〇年以降不動産価格が急上昇したソウル南部の「バブル7」と呼ばれる地域の一つ、瑞草（ソチョ）区で不動産業を営む朴文田（パク・ムンジョン）さんは嘆く。

最近まで同区の新築アパートの競争率は百倍超が当たり前だった。だが、短期で売り抜ける投機目的の購入希望者が金融危機の影響で資金調達に失敗し、契約放棄が相次いでいる。新しいアパートに住み替えようとしても「売り物ばかりで売買が成立しない」ため、購入資金を確保できなくなったようだ。

「多くの人が十年前（の通貨危機）と比較するが、今の韓国で通貨危機は断じてない」。李明博（イ・ミョンバク）大統領は金融システムの健全性を繰り返し訴える。〇八年十一月末の外貨準備高は二千五億ドルと、十年前の十倍の水準を維持している。米国に続いて日本、中国とも通貨交換（スワップ）協定を結び、金融機関の自己資本増強を支援するなど「あらゆる手を打った」（青瓦台＝大統領府＝関係者）。

だが、為替差損にもかかわらず外国人投資家は資金回収を急いでいる。〇八年だけで

韓国の総合株価指数と外貨準備高

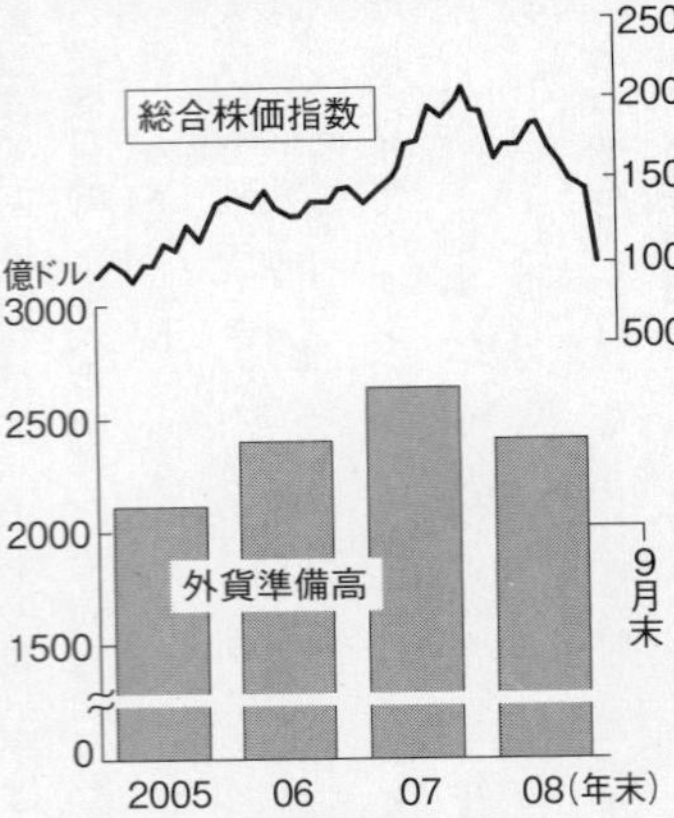

(出所)株価指数は韓国証券先物取引所、
外貨準備高は韓国銀行調べ

前年同期より四割多い約三十四兆ウォン（約二兆三千億円）が韓国株式市場から流出。韓国総合株価指数は半年前に一八〇〇だったが、一時は一〇〇〇も割り込んだ。為替のウォン安は止まらず、インターネットでは根拠の乏しい「金融危機説」が次々と浮上している。

　韓国の銀行が抱える対外債務で〇九年六月までに返済期限を迎えるのは、外貨準備の約四割に相当する八百億ドルに上る。借り換えが難航する恐れがあるとして、米格付け会社は大手銀行の信用格付けを格下げ方向で見直すと発表した。

　政府は三十五兆三千億ウォン規模の景気刺激策を発表した。「韓国型ニューディール政策」と呼ぶ、四大河川の整備など公共事業や十万人の雇用創出を柱とする財政支出に十五兆六千億ウォン、所得税を二％、法人税も三―五％引き下げるなど減税規模も十九兆七千億ウォンに達する。

　内需拡大策では、①中小企業が若年失業者を雇用すれば賃金の五〇％を支援、②低所得者の食費支援、③自動車ローンの購入資金支援——などさまざまな対策を打ち出した。〇九年度予算では、上半期に主要事業費の六〇％を執行する目標を立てて、特に雇用創出関連予算は七〇％を執行する計画だ。

その他、金融機関の外貨建て債務の保証やドル供給拡大など金融安定化対策も次々に打ち出した。中央銀行の韓国銀行は〇八年十月以降、年末までに四回にわたって利下げを実施し、政策金利は五・二五％から三％まで下がった。

それでも内外投資家の不安心理を払拭するまでには至っていない。消費者金融まで含めると金融機関の住宅担保融資総額は六百三十七兆ウォンに達し、金融機関の不良債権は「政府の見込みをはるかに上回る」（エコノミスト）との声も聞かれる。

「怖くて保有株の価格を確認できない」（二十代の女性会社員）。一人当たりの国民所得は十年前の二倍に膨らんだが、一方で老若男女誰でも株式のネット取引を手掛ける「国民総財テク」の時代を迎えている。そこを直撃した世界金融危機。国内のバブル崩壊と共振し、実体経済へ波及する懸念が急速に強まっている。

デンマーク——独自通貨の維持コスト重く

二〇〇八年秋、北欧の小国デンマークが揺れた。「我々は欧州単一通貨ユーロに入るべきか」。テレビは連日、特集番組で激しく討論する政治家や有識者を映し出す。

ＥＵに加盟しつつ、ユーロには加わらず自国通貨クローネを保つ道をデンマークが選んだのは一九九二年。ユーロを使う周辺国との貿易通商が安定するよう完全変動制ではなく、ユーロと自国通貨クローネを連動させる制度にした。ユーロ相場に対し一定範囲（中心交換レートから上下二・二五％）を超えてクローネが下落または上昇すれば、デンマーク中央銀行が市場介入や金融政策により範囲内に戻す。

その後エコノミストや産業界はユーロ導入を呼び掛け続けたが、二〇〇〇年の国民投票は反対五三・一％、賛成四六・九％でユーロ導入を否決した。経済や企業活動を考えればユーロに加わる方が便利だが、「損得勘定よりも国王の肖像やモノグラムを描いた独自の紙幣やコインへの国民の愛着が伝統的に強い」（デンマーク労働組合連合チーフエコノミスト、イアン・ラスムセン氏）。ここにきて見直し機運が急に高まったきっかけは、米国発の金融危機だ。

〇八年九月半ばの米証券リーマン・ブラザーズ破綻後の信用収縮で、規模が小さいデンマーク金融市場では中小銀行の資金繰りが悪化。十月初めの週末の深夜に、政府が民間銀行の預金を全額保護するためＧＤＰの二％に相当する三百五十億クローネの基金の新設を発表する騒動に発展した。

外国為替市場ではクローネがユーロに対して急落。クローネを支えるためデンマーク中央銀行は大規模なクローネ買い・ユーロ売り介入を実施し、外貨準備高は十月の一カ月間

実質成長率と失業率

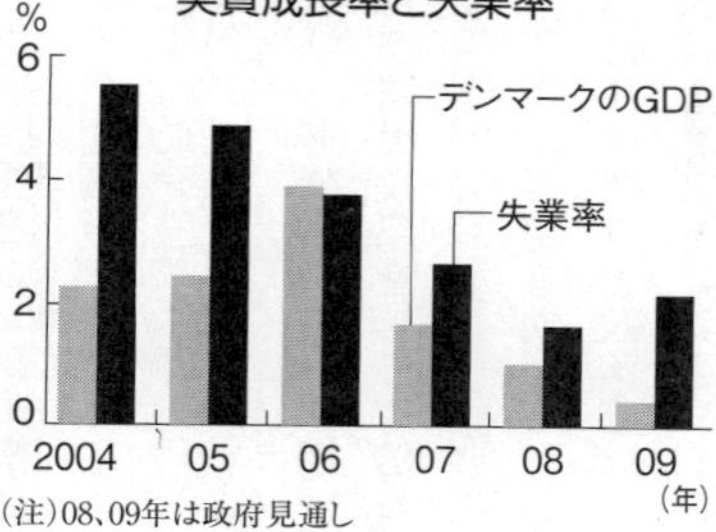

(注)08、09年は政府見通し

に二割近く減少した。信用収縮で金融市場が混乱するなか通貨防衛のため二度、政策金利の引き上げに踏み切り、ユーロ圏より約二%高くした。今までほぼゼロだった「独自通貨の維持コスト」。それが金融危機で急騰した。

「ずっとクローネ維持派だったけど、最近、ユーロ加入派に転向したよ」。〇八年十一月、空港からコペンハーゲン中心部に向かう途中、タクシー運転手のクラウス・クリステンセンさんはぽつりぽつり話し出した。

　金融危機のニュースがかまびすしくなった九月からタクシーの客足がめっきり落ちた。「観光客よりロンドンやパリから来るビジネス客が大幅に減ったのが痛い」。変動金利で借りた住宅ローン返済負担が最近の利上げでこれから増えるのも悩みの種。「グローバルな金融危機という嵐から身を守るには統一通貨の大樹に寄り添う方が安心と思うようになった」。

　最大手銀ダンスケ・バンクのスティーン・ボシアン調査部長は「金融危機でユーロに加入しないリスクを国民が初めて実感した」と指摘する。民間調査機関がまとめた世論調査でもユーロ賛成派は五〇・一%と過半数を上回った。デンマークと同様にユーロ導入を二〇〇三年の国民投票で否決した隣国スウェーデンも金融危機で自国通貨が急落すると、世論調査のユーロ賛成派の割合が三八％と五月の三五％より高まった。

「ユーロについて国民が投票する機会が必要であることは明らか」。〇七年十一月の総選挙でユーロ導入の旗を掲げたラスムセン首相は〇八年秋の金融危機をふまえ、三年以内に再び国民投票を行う方針を改めて強調する。ただ、人々の心理は微妙に揺れ続ける。

「小国の良さを失うのでは」。会社員のアーニャ・ニールセンさんは盛り上がるユーロ導入論議に不安を覚える。デンマークは自転車で通勤する大臣に通行人が声をかける光景が当たり前なほど政治家は身近な存在。政治家を「お上」と畏れる意識は薄く、むしろ政治に目を光らせることで官民癒着・汚職などの問題は大国より少ない、と国民は自負してきた。「通貨を捨てると、政策決定権も欧州委員会のあるブリュッセルに移り、自分たちの声が届かなくなるような気がする」

ドイツなど近隣の大国と度重なる戦争を経験した歴史を持つデンマークの国民の団結心は強い。人口五百万人と小粒な国だから機動的な経済運営に成功したという自負も、独自通貨へのこだわりの背景にある。

世界経済フォーラムの〇八年の国際競争力ランキングで、デンマークは米国、スイスに続く第三位。転職しやすい柔軟な雇用システムを整え高福祉と高成長を両立させた。経常収支も財政収支も黒字を維持。金融危機が起こった〇八年秋も失業率は一・六％と歴史的低水準で、ほぼ完全雇用が続く。〇七年十―十二月から二期連続でマイナス成長に落ち込んだが、「長く続いた過熱景気の反動、と国民は平静に受け止めている」（クラウス・ラスムセン経済団体連合主任エコノミスト）。

「ノルウェーですら自国通貨が急落したのだから……」。危機直後のテレビの特集番組では政治家やエコノミストからこんな発言が目立った。

北海石油収入で潤うノルウェーは、先進国のなかでも財政の健全性は群を抜き、経済も欧米主要国と比べれば好調だが、不安心理にかられた市場では「小国でユーロより流動性が乏しい」という売り材料で資金が流出した。識者たちはノルウェーを引き合いに「市場に翻弄される小国の宿命」を国民に訴えた。

独自通貨を守るため市場と戦い続けるコストは妥当か。嵐を避けてユーロに加わった場合の対価はどの程度か。金融危機をきっかけにデンマークの国民は、世界の中の自らの立ち位置を考え直し始めている。

アルゼンチン――金融界の孤島にも押し寄せる荒波

アルゼンチンの首都ブエノスアイレスの旧市街。両替店が立ち並ぶ金融街の一角では、観光客に交じってドルを買い求める市民が列をつくる。「アルゼンチン人が一日に三百―

四百人は来るよ。去年の倍かな」と両替店を経営するカルロス・レイネルさんは話す。

経済や政治の雲行きがあやしくなるとドル買いに走るのは、度重なる危機を経てきた国民の知恵。一時は落ち着きを見せていたものの、二〇〇八年十月に突如打ち出した民間年金・退職金基金（ＡＦＪＰ）の国有化をきっかけに再び火がついた。

フェルナンデス大統領は「金融危機から国民の年金を守る」と説明するが、国民の見方は異なる。

〇一年の債務不履行（デフォルト）以降、急速な経済回復を遂げてきたアルゼンチンだが、財政への信任は薄い。〇九年には百二十億ドルの国債償還が控えるとされ、三百億ドルを運用するＡＦＪＰの国有化も、税収減や資金調達環境の悪化を予測する政府の現金確保策という解釈が専らだ。ＡＦＪＰの従業員組合は議会周辺でデモを決行、「どろぼう」「略奪をやめろ」とフェルナンデス大統領を非難したが、法案は成立。〇九年一月からの国有化が決まった。

中央銀行によると十月に銀行預金は前月比四・九％減少。多くがドル買いに向かったと見られる。通貨ペソは十月下旬に〇二年末以来の安値水準まで下げ、中銀が介入に乗り出した。

もともとアルゼンチンはデフォルト以後、国際金融界から孤立。政府も企業も海外からの資金調達が難しいなか、〇三年以後は八％を超える実質経済成長率を記録して復活を遂げてきた。外から入ってくる資金が限られていた分だけ、金融危機の直接の影響は他の新興国と比べれば小さいとされる。だがそんな「孤島」の実体経済にも荒波は押し寄せている。

なかでも懸念されているのが、ここ数年の経済拡大の立役者の一つだった、自動車産業への波及だ。九月に過去最高の生産台数を記録した自動車産業では、米ゼネラル・モーターズ（GM）が工場従業員約五百人の解雇を計画。仏ルノーなども一時帰休に踏み切った。同国の自動車生産の六割は輸出用で、大半がブラジル向けだが、そのブラジルで自動車販売が失速したためだ。

アルゼンチンのGDP成長率と外貨準備高

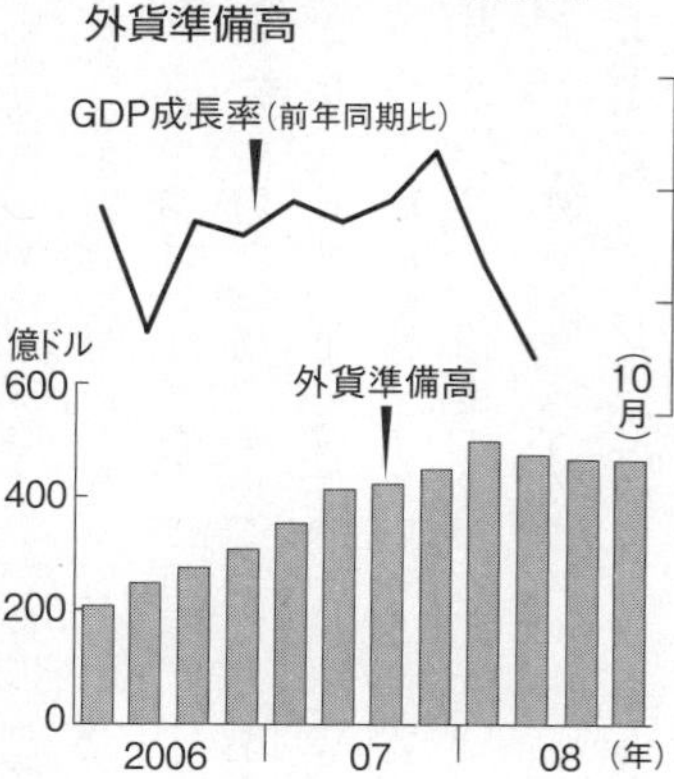

政府は自動車などの主要産業に雇用維持を求める規制を準備中だが、「かえって駆け込み解雇が増える可能性がある」（民間シンクタンク、IERALのガブリエラ・サンチェス所長）。大豆をはじめ、輸出の五五％を占める農産物の世界的な価格下落も逆風だ。

好調だった消費に影響が及ぶ可能性も出てきた。中小事業者が加盟するスーパーマーケット協会のペドロ・オロス顧問は「割安な二番手メーカーの製品に売れ筋がシフトしているようだ」と話す。

フェルナンデス大統領は十二月に入り、総額百三十二億ペソ（約三千五百億円）の景気刺激策を発表した。自動車や家電販売の促進に重点を置き、販売価格引き下げや、購入者向けのローンに充てられる。三月に引き上げを打ち出した際には、農畜産団体との激しい対立に発展した輸出税をめぐっても、小麦、トウモロコシの輸出税を五％引き下げた。フェルナンデス大統領は「従業員を解雇する企業は支援対象にならない」として、支援策を通じて企業に雇用維持を求める考えを示した。その後、ブラジル政府系銀行からの融資などを財源に、一千百十億ペソ（約三兆円）規模の公共投資計画も打ち出した。

アルゼンチンにとって深刻なのは、国際金融界との関係が改善しないまま危機を迎えてしまったことだ。フェルナンデス大統領は九月初め、デフォルト後棚上げされたままになっていた六十七億ドルの公的債務を、外貨準備を取り崩して支払う意向を表明していた。未解決債務の問題が、政府だけではなく同国経済全体への信用回復を遅らせていたからだ。また国際金融界との関係改善は、〇九年以後、政府の起債を見込んでのことだったが、金融危機を受けて当面、見合わせる方針に転換した。

〇一年のデフォルト時に比べれば、足元の経済は安定している。財政黒字はGDP比で三％を維持。経常収支も黒字だ。外貨準備も〇一年の約三倍まで積み上がっている。だが金融界の不信は根強い。フェルナンデス政権が「大きな政府」を志向するうえに、主要産品の大豆価格が下落していること、インフレ統計の操作が公然の秘密となっていることなどもあいまって、「〇九年中に再びデフォルトに追い込まれるのでは」との憶測が絶えない。

地元の経済アナリストは、急激な通貨下落や海外金融機関による経済見通しを、「実態からかけ離れている」と口をそろえる。金融危機後も相変わらず、ブエノスアイレス随一の商業街、フロリダ通りは地元や中南米各国からの買い物客でごったがえし、危機の匂いはしない。一角で写真店を営む五十歳代の女性は「影響はまだ感じないわね。それに、わたしたちは危機に慣れっこだし。北米の人はたまにしか危機がないから大騒ぎしてるんじゃない」と、冷めた見方だ。

ただ実態はともかく、金融界を中心に海外からアルゼンチンに向けられる厳しい目が、金融危機下でアルゼンチン経済のリスク要因になることは確かだ。

3 難航する資金調達──大型プロジェクトにブレーキ

中東──資金調達難に原油安が追い打ち

金融危機の影響は中東にも及んでいる。中東の湾岸産油国はここ数年の原油高を追い風に活況に沸いてきた。しかし、信用収縮の影響で大型事業の資金調達が難航し、原油価格の急落も重なって計画の見直しが相次いでいる。天を突く高層ビルや海を埋め立てる人工島など奇抜な大型開発をテコに、飛躍的な成長を遂げてきたアラブ首長国連邦（UAE）ドバイもスピードを落とさざるを得なくなっている。

「我々は課題と向き合わねばならない」。ドバイ首長国政府のアルアッバール金融危機対策委員長は二〇〇八年十一月、政府当局者として初めて同国経済の減速に言及した。あわせて政府と政府系機関が抱える債務が八百億ドルである一方、三千五百億ドルの資産を所有していると説明し、債務不履行（デフォルト）などの事態にはならないと強調した。

UAEを構成する七つの首長国のひとつであるドバイは、中東では抜きんでた経済の自由化を進めることでヒト、モノ、カネを集め、域内のハブとして地位を確立した。その原動力の一つとなったのが、大型の不動産開発だ。政府自身が巨大開発事業を打ち上げ、資源高で潤う湾岸産油国に資金の受け皿を提供してきた。アルアッバール委員長も世界最高層のビル「ブルジュ・ドバイ」を建設する政府系デベロッパー、エマールの会長だ。

ドバイ自体は石油がほとんど出ない。建設資金は借り入れに依存してきた。ところが金融危機による信用収縮のあおりで新規資金の調達や借り換えが難しくなった結果、開発計画は見直しを迫られ、一部の大型工事は中断や延期に追い込まれた。

エマールとならぶ政府系デベロッパー、ナキールは社員の一五％に相当する五百人の人員を削減、今後の事業を見直す方針を発表した。同社が手掛けるヤシの木の形をした人工島建設では、一部工事が止まったともいわれる。ダマックやオムニヤットなど民間の不動産開発会社でも人員削減が相次いでいる。

不動産市場も急速に冷え込んでいる。不動産価格は〇二年に外国人への不動産所有を事実上解禁して以降初めて下落に転じた。人工島の高級戸建て物件では四割下がったとの情報もある。金融機関は、不動産ブームを支えてきた住宅ローンの貸し付け条件を一斉に厳しくした。

ドバイ証券取引所の株価指数

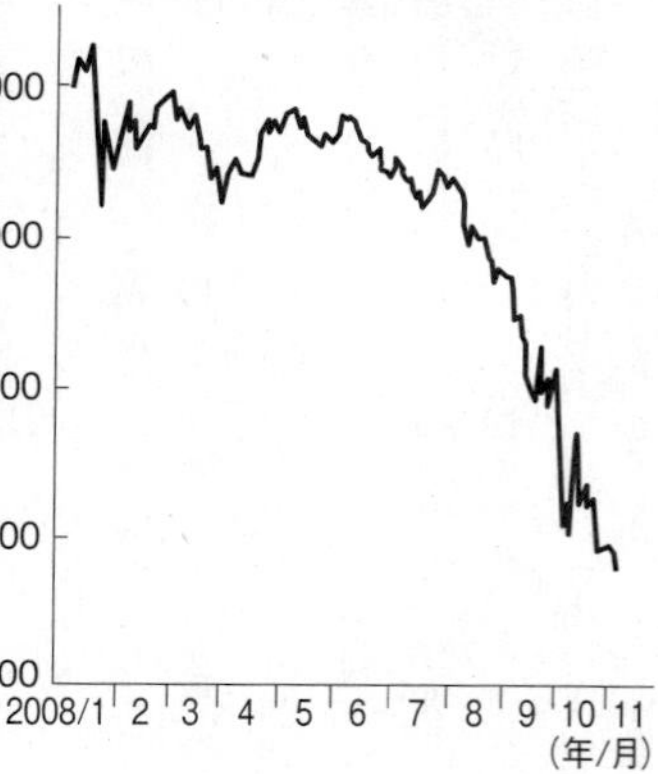

手元資金の何倍もの借り入れでプロジェクトを進め、不動産市況の右肩上がりを前提としてきた開発モデルは継続が難しくなっている。株式相場も〇八年は十二月時点で年初から七割下落、ドバイ経済は減速傾向が鮮明になりつつある。

「ドバイは大丈夫なのか――」。政府が債務を公表したのも、こうした不安を打ち消す狙いだ。同じタイミングでＵＡＥ連邦政府が窮地にあるドバイの不動産金融大手二社の救済を決めた。

これは連邦予算の八割を負担するアブダビ首長国が、「ドバイを支えるという明確なサイン」（アブダビの外交筋）と見られている。

信用収縮の影響はドバイにとどまらない。中東の湾岸産油国では総額二兆ドルを超えるプロジェクトが進んでいた。金融危機の表面化以降、金融機関がプロジェクト向けの融資に慎重になったことで、こうした計画の先送りや見直しの動きが広がっている。

英豪資源大手のリオ・ティントは、サウジアラビア国営鉱物資源会社（通称マーデン）と進めていたサウジアラビアでのアルミニウム精錬事業からの撤退を決めた。百億ドルの事業費確保が難しいと判断した。

原油価格の下落も追い打ちをかけている。サウジ国営石油会社サウジアラムコは、米コノコフィリップスと進めていた合弁製油所の発注企業を選ぶ入札を〇八年中から〇九年に延期した。事業採算を見直すためで、一部の油田開発計画も先送りする可能性が出ている。

資金調達の難航はインフラ整備計画にも影を落としている。中東では急激な人口増加に対応する電力や水の供給能力増強が急務。UAEやサウジ、オマーン、バーレーンなどでは、発電所の建設・運営を企業に委託する民活方式による能力増強の計画が進んでいる。しかし、一プロジェクト当たり数千億円規模の資金が必要とあって、金融危機の表面化以降、具体化が遅れ始めている。信用収縮が長期化すれば電力や水の不足など生活基盤を脅かす可能性も出てくる。

東南アジア――大型開発の撤回・遅延相次ぐ

サブプライムローン問題で金融機関の破綻などの影響は少なかった東南アジアだが、日米欧や他の新興市場の実体経済の悪化で景気は大きな影響を受けた。大型不動産開発やインフラ投資計画の計画撤回や遅延、さらに企業の人員削減や給与引き下げなど経済の先行きは深刻化するばかり。域内の消費も悪化する悪循環に陥りつつある。

マレーシアのマレー半島西海岸の高速道路建設計画が二〇〇八年十一月、融資の滞りで延期になった。約二百五十キロメートルの高速道路網を約三十一億二千万リンギ（約八百四十億円）を投資して建設する計画は当面頓挫。マレーシア経済計画庁幹部によると景気低迷で融資団の一部が資金供給に消極的になり始めたのが原因だ。

同国南部ジョホール周辺にテーマパークや大型会議場、住宅街、工業団地などを建設する「イスカンダル計画」にも暗雲が漂う。地元紙などは関係者の話として「六月以降、投資を計画する視察団がめっきり減った」と説明。中東産油国などからの視察もあったが、原油価格の急落もあり期待薄となった。

「全面開業は二〇一〇年にずれ込むだろう」。米カジノ大手ラスベガス・サンズがシンガポール中心部に建設中の大型総合リゾート施設「マリーナ・ベイ・サンズ」についても、工事関係者は〇九年末の開業予定が遅れると指摘する。サンズの資金繰りに疑念が出ているのが主因だ。

投資額は計六十億シンガポールドル（約三千八百億円）とされる。マリーナ・ベイ・サンズはシンガポールが禁止してきたカジノを解禁して実施する観光の目玉だけに、地元紙などは「政府系投資会社や政府系不動産会社が投資を肩代わりする可能性がある」などと報じた。

シンガポール中心街の大型ショッピングセンターも〇八年中の開業を予定してきたが、「〇九年三月ごろ」と先送り。シンガポールは2四半期連続で経済成長率がマイナスに落ち込む「景気後退」局面。個人消費の行方など実体経済を見守る考えだ。

ベトナムでも「大型の不動産開発プロジェクトで遅れが目立つ」（大手証券会社）。ハノイやホーチミンなど大都市の中心部で進行中の複合施設整備で資金不足に陥るケースが増えているという。いずれも外資とベトナム資本の共同事業体が手掛ける。この事業体は計画の遅れを否定するが、景気が減速すれば事業計画を見直す事態に発展する可能性もある。

ベトナムは景気減速への懸念から建設・不動産業の業績悪化が徐々に深刻化。有力企業でも資金確保が難しくなり始めている。「自社の従業員から運転資金を募っている企業もある」（同証券）と深刻だ。

シンガポールの日系金融機関幹部も「東南アジアで欧米系金融機関が融資を厳しくし、手を引くケースが出てきた」と明かす。日本政策金融公庫の国際金融部門である国際協力銀行（JBIC）関係者は「手を引く欧米系金融機関に代わり出資を求められるケースが増えてきた」と話す。

住友金属鉱山は、フィリピン・ミンダナオ島タガニートで計画するニッケル製錬工場の建設着工を、〇九年初めから一〇年に先送りした。金融危機の影響が広がり商品価格が下落。ニッケル価格の急落や建設費増大で見直しを迫られた。当初一千二百億円程度とされた工費は一千五百億—二千億円に膨らむ可能性がある。

雇用削減や給与の引き下げも本格化しつつある。香港では、英HSBC傘下の香港上海銀行が全職員の二％強にあたる四百五十人の削減を決定。シンガポールの最大手商銀DBSグループ・ホールディングスは、全社員の六％にあたる九百人を削減すると発表した。同国の政府系海運大手ネプチューン・オリエント・ラインズ（NOL）も荷動き縮小に対応し、全世界の拠点で一千人削減する。

ただ各国は、できるだけ人員削減を避けながら人件費を減らそうとしている。労働組合が一定の力を持つとの事情もあるが、人員削減による失業者の増大は社会不安を拡大するなど世論の反発も強いためだ。韓国の中堅鉄鋼メーカー、東部製鉄は〇九年一月から課長級以上の給与を三〇％削減。資金不足に直面しており、役員だけではなく、幅広く管理職の人件費削減に踏み切る。ハイニックス半導体も〇九年からCEOは三〇％、他の役員は一〇—二〇％の報酬を減らした。

東南アジア最大の不動産会社でシンガポールに拠点を置くキャピタランドは、経営幹部や管理職の給与を〇九年一月から三―二〇％削減。政府系投資会社のテマセク・ホールディングスも今後、上級管理職の給与を一五―二五％減らすという。

人件費削減の動きは一般従業員にも拡大している。ファウンドリー（半導体受託生産会社）世界首位の台湾積体電路製造（ＴＳＭＣ）は、〇八年十二月から工場従業員らに月五日の休暇を義務づけた。月一日は有給休暇をあてられるが残りは無給。香港のキャセイパシフィック航空も、客室従業員七千人に〇九年一月からの予定で無給休暇の取得を呼びかけた。休んだ分の給与は出ないので、実質的な賃金引き下げ。雇用を維持しながら総人件費を抑えるのが目的だ。

マレーシア政府は〇八年十二月、企業の人員削減を食い止めようと労使双方を集め、残業時間減少や給与削減など実質的な賃下げを模索した。

労組の強い韓国でさえ、地元メディアによると李允鎬（イ・ユンホ）知識経済相は「労働組合も賃下げを受け入れなければならない」と語った。一般従業員の給与削減が目の前に迫りつつある。

賃金が急激に上昇してきた中国は、当局が人件費抑制を容認し始めた。人力資源社会保障省は十一月半ば、最低賃金の引き上げを一時凍結すると発表。雇用確保のためには人件費抑制もやむを得ないとの方針転換とも見られる。政府が人件費抑制を容認したため、社会全体で賃上げを抑制する効果があるとされる。

ベトナムでも賃金カットの動きが相次いでいる。情報通信大手のＦＰＴグループは傘下企業の人件費を大幅に削減した。金融・証券、不動産開発部門が主な対象で、ボーナスや諸手当を最大で全額打ち切った。減額分が年収に占める基本給の割合より大きいケースもあり、従業員の間に生活への不安が広がっている。

金融危機をめぐる主な動き（パリバ・ショック以降）

【2007年】

8・9　仏BNPパリバが傘下のファンド凍結を発表（パリバ・ショック）
　　欧州中央銀行（ECB）が短期金融市場に九百四十八億ユーロを供給
　　米FRB、二百四十億ドルの資金供給
10　日銀、一兆円の即日供給
　　ECB、六百十億五千万ユーロを供給
　　FRB、三度にわたり合計三百八十億ドルを供給
13　日銀、六千億円を供給
　　ECB、四百七十六億六千五百万ユーロを供給
　　FRB、二十億ドルを供給
17　FRB、公定歩合を〇・五％緊急引き下げ、＊景気下振れのリスクを指摘
31　ブッシュ米大統領、借り手救済策を発表
9・14　英中銀、中堅銀行ノーザン・ロックへの救済融資を発表
18　FRB、FF（フェデラルファンド）金利の誘導目標を〇・五％引き下げ
27　FRB、総額三百八十億ドルの資金供給

10 米シティグループ、メリルリンチなどが相次ぎサブプライム関連損失を発表
10・19 七カ国（G7）財務相・中央銀行総裁会議、金融混乱に対する協調姿勢を確認
31 FRB、FF金利を〇・二五％追加利下げ
11・1 FRB、総額四百十億ドルを資金供給、同時テロ以来の規模
12・11 FRB、FF金利を〇・二五％引き下げ
12 米欧五中銀が資金供給声明

【2008年】

1・18 ブッシュ米大統領、最大一千五百億ドルの緊急景気対策を発表
22 FRB、FF金利を〇・七五％緊急利下げ
24 米政府と議会が緊急景気対策で合意
30 FRB、FF金利を〇・五％引き下げ
2・9 G7財務相・中央銀行総裁会議、世界経済の下振れリスクに言及した共同声明を採択
13 米景気対策法案が成立、二年で約一千六百八十億ドルの財政出動
17 英政府、中堅銀行ノーザン・ロックの一時国有化を発表
3・16 米大手銀行JPモルガン・チェースが経営危機の証券大手ベアー・スターンズを救済買収
FRB、公定歩合を〇・二五％緊急利下げ
18 FRB、FF金利を〇・七五％引き下げ

31　ポールソン米財務長官、金融行政の包括的な改革案を公表
4・2　バーナンキFRB議長、景気後退の可能性に初めて言及
30　FRB、FF金利を〇・二五％利下げ
5・2　FRB、ECBなどと協調して市場への資金供給を拡大するとの緊急声明
6・3　バーナンキFRB議長、利下げ休止を示唆
9　米証券大手リーマン・ブラザーズが三—五月期決算で上場来初の赤字
25　FRB、金利据え置きを決定
7・11　米住宅公社二社、経営不安で株価急落。米地銀インディマック・バンコープが破綻
13　米財務省とFRBが住宅公社への緊急支援策を発表
21　米証券取引委員会（SEC）、空売り規制を導入
30　米住宅公社支援法が成立
8・5　FRB、金利据え置きを決定
9・7　米政府、住宅公社二社を管理下に置くと発表
10　リーマンが六—八月期決算で最終赤字が三十九億ドルに達するとの見通しを発表
15　リーマンが経営破綻（リーマン・ショック）
米バンク・オブ・アメリカがメリルリンチを買収と発表
米欧中銀、資金供給を拡充

16　米政府が米保険最大手アメリカン・インターナショナル・グループ（AIG）を事実上管理下に置くと発表
英銀大手バークレイズが米リーマンの北米投資銀行事業を買収
FRB、金利据え置きを決定
18　英銀大手のロイズTSB、英住宅金融最大手のHBOSを救済合併することで合意
日米欧の主要六中央銀行が総額一千八百億ドルのドル供給を発表
19　米政府が金融安定化策の大枠を発表
21　米FRB、米証券大手のゴールドマン・サックスとモルガン・スタンレーの銀行持ち株会社移行を認可
22　三菱UFJフィナンシャル・グループがモルガン・スタンレーへの出資を発表
野村ホールディングス、米リーマンのアジア太平洋部門を買収
G7、米金融安定策を「強く歓迎」と緊急共同声明
23　野村、リーマンの欧州・中東部門を買収
ポールソン米財務長官とバーナンキFRB議長、議会公聴会で金融安定化法案の早期可決求める
24　FRB、オーストラリア、スウェーデンなど四カ国の中央銀行と通貨スワップ協定を締結
ゴールドマン・サックスが増資額を引き上げ、総額百億ドルに

25 米貯蓄金融機関最大手ワシントン・ミューチュアルが破綻、JPモルガンが買収

26 JPモルガン・チェースが増資額を引き上げ、百億ドルに

28 金融安定化法案、米政府と議会が大筋合意

オランダ、ベルギー、ルクセンブルクの三カ国政府が金融大手フォルティスを公的管理に

29 米下院が金融安定化法案を否決。NY株、史上最大の七七七ドル安

英政府が住宅金融大手ブラッドフォード・アンド・ビングレーの部分国有化を発表

アイスランド政府、グリトニル銀行を国有化

米大手銀シティ、同ワコビアの銀行部門買収を発表

日米欧など主要十中銀がドル資金供給を計六千二百億ドルに拡大

三菱UFJフィナンシャル・グループ、モルガン・スタンレーに二一%出資することで合意

30 欧州銀デクシアにベルギー、フランス政府などが公的資本注入

10・1 米上院、金融安定化法案修正案を可決

3 米下院の可決を経て、金融安定化法が成立

米大手銀ウェルズ・ファーゴがワコビア買収を発表、シティへの売却撤回

4 英独仏伊の四カ国首脳が緊急会合

5 独政府が個人預金を全額保護すると発表

独政府、不動産金融ヒポ・レアルエステートに最大五百億ユーロの資金支援

6 米ダウ平均株価が四年ぶりに一万ドル割れ
EU、金融の早期安定へ共同声明
アイスランド政府、非常事態宣言、全銀行を国有化
7 日経平均一時、一万円割れ
8 米欧六中銀含む十中銀が協調利下げ
英政府、大手銀行への資本注入を柱とする包括的な銀行救済案を発表
米財務長官が資本注入を示唆
9 シティ、ワコビアの買収を断念
10 大和生命保険が破綻。日経平均、一時千円を超す下げ
ブッシュ米大統領が資本注入検討を表明。G7会議が行動計画発表
11 ブッシュ米大統領がG7財務相と会談、「あらゆる手段をとる」と声明
12 ユーロ圏首脳会議、銀行間取引の保証など共同行動計画発表
13 主要中銀がドル供給を強化
14 米政府、金融機関への資本注入を柱とする金融安定化策を発表
15 ECB、欧州金融市場の安定に向けた追加策を発表
16 EU首脳会議、金融危機への包括対応策を採択
スイス政府、金融大手UBSへの支援策を発表

19　オランダ政府、金融大手INGに百億ユーロの公的資金を注入
20　バーナンキFRB議長、議会証言で財政出動を要請
　　仏政府、大手六銀行に総額百五億ユーロの公的資金を注入
24　IMF、アイスランド向け緊急融資で同国政府と暫定合意
25　アジア欧州会議（ASEM）、国際通貨・金融システムの改革を促す特別声明を採択
26　IMF、ウクライナ向け緊急融資で同国政府と暫定合意
28　IMF・世銀・EU、ハンガリー向けの二百億ユーロの金融支援を発表
29　FRB、FF金利の誘導目標を〇・五％引き下げ
30　日本政府、事業規模約二十七兆円の追加経済対策を決定
31　日銀、〇・二％利下げ
　　英大手銀バークレイズ、アラブ首長国連邦（UAE）王族らを引受先とする総額七十三億ポンドの資本増強を実施
11・3　ユーロ圏十五カ国財務相会合、二〇一〇年に財政均衡を目指す中期目標断念で一致
4　米大統領選で民主党オバマ氏が勝利
5　独政府が総額五百億ユーロの大型景気対策を決定
6　ECBや英イングランド銀、スイス国立銀など欧州一斉利下げ
7　EU首脳会議、景気対策で政策協調を進める方針を確認

9　中国政府、総投資額が四兆元（約五十七兆円）の景気刺激策を発表
10　米政府とFRB、AIGへの新たな支援策を発表、四百億ドルを資本注入
12　ポールソン米財務長官、資本注入の対象をノンバンクに拡大する方針を表明
15　G20緊急首脳会合（金融サミット）、金融安定化に向け「あらゆる措置」
17　シティ、全従業員の約一五%にあたる五万人を削減
23　米政府、シティ救済策を発表
24　オバマ次期米大統領、財務長官などの経済閣僚を発表
25　FRB、個人向け融資拡大に向けた追加金融対策を発表
12・10　米下院、自動車大手救済法案を可決
11　米上院、自動車大手救済法案を巡る協議が決裂、政府支援が白紙に
12　米政府、金融安定化法を活用した自動車大手救済を検討するとの緊急声明を発表
16　FRB、FF金利の誘導目標を年〇・〇―〇・二五%に引き下げ、史上初めて事実上実質ゼロ金利に

《『実録・世界金融危機』取材班》

品田　卓	津川　悟
山崎浩志	内山清行
深沢　潔	田中直巳
志田富雄	太田泰彦
菅野幹雄	梶原　誠
清水功哉	吉田ありさ
発田真人	後藤未知夫
藤井一明	下田　敏
米山雄介	藤田和明
宮東治彦	石井一乗
西村博之	森安圭一郎
野見山祐史	赤川省吾
須野原礼展	山下茂行
大滝康弘	粟井康夫
松浦　肇	柳澤律道
小高　航	上杉素直
覧具雄人	玉木　淳
宮下奈緒子	岩切清司
湯田昌之	山崎　純

本書は日経ビジネス人文庫のために新たに編集したものです。

日経ビジネス人文庫

実録《じつろく》 世界金融危機《せかいきんゆうきき》

2009年3月1日 第1刷発行
2009年3月16日 第2刷発行

編者
日本経済新聞社

発行者
羽土 力

発行所
日本経済新聞出版社
東京都千代田区大手町1-9-5 〒100-8066
電話(03)3270-0251 http://www.nikkeibook.com/

ブックデザイン
鈴木成一デザイン室
西村真紀子(albireo)

印刷・製本
凸版印刷

Printed in Japan ISBN978-4-532-19485-7

文系人間のための金融工学の本

土方 薫

難しい数式は飛ばし読み！ 身近な事例を使って、損か得かを考えるだけ。デリバティブからマーケット理論までやさしく解説。

やさしい経済学

日本経済新聞社＝編

こんな時代だから勉強し直さなければ…そんなあなたに贈る超入門書。第一級の講師陣が考え方の基礎を時事問題を素材に易しく解説。

市場対国家 上・下

ヤーギン&スタニスロー
山岡洋一＝訳

経済・社会の主導権を握るのは、市場か国家か——政府と市場との格闘のドラマを、ピュリッツァー賞作家が壮大なスケールで描破！

良い経済学 悪い経済学

ポール・クルーグマン
山岡洋一＝訳

「国と国とが競争をしているというのは危険な妄想」「アジアの奇跡は幻だ」人気No.1の経済学者が、俗流経済論の誤りを一刀両断!

経済論戦は甦る

竹森俊平

「失われた15年」をもたらした経済政策の失敗と混乱を完璧に解説した名著。昭和恐慌、世界恐慌からの歴史的教訓とは？

クルーグマン教授の経済入門

ポール・クルーグマン
山形浩生＝訳

「経済のよしあしを決めるのは生産性、所得分配、失業」。米国経済を例に問題の根元を明快に解説。正しい政策を見抜く力を養う。

いやでもわかる 日本の経営

日本経済新聞社=編

日本企業はいま何に悩み、何に挑戦しようとしているのか。知財紛争から事業再生まで、現場の息吹を小説仕立てでホットに描く。

新しい中世

田中明彦

混沌を深める世界はどこへ向かうのか。ヨーロッパ中世になぞらえた「新しい中世」の概念で、移行期の世界システムを鋭く分析。

経済ニュースが スッキリわかる本

西野武彦

毎日のニュースがピンとこないのは背景にある基礎知識が整理されていないから。経済オンチを経済通に変える入門書の決定版。

最新キーワードで わかる! 日本経済入門

三菱総合研究所=編

経済ニュースを理解するには、頻出キーワードを学ぶのが早道！基本用語から最新トピックまで、55の重要語を明快に解説。

50語でわかる 日本経済

UFJ総合研究所調査部編

年金制度改革、減損会計、郵政民営化、ネット家電――。毎日のニュースに頻出する重要語50を厳選して、現代が見えてくる。

いやでもわかる 日本経済

日本経済新聞社=編

日本経済が回復しないのはなぜ？企業は何に悩んでいるの？ 大学では教えてくれない日本経済の素顔を、小説スタイルで描く。

インド

日本経済新聞社=編

急速に発展するインド経済をデリー駐在記者が現地報告。主要産業の現状、台頭する新富裕層……。手軽に読めるインド入門書。

実況！“売る力”を6倍にする戦略講座

水口健次

「値下げと新商品なんか“問題”を解決しない」。カリスマ マーケター が商売の基本をユーモアたっぷりに教える「読む講演会」。

イスラム

日本経済新聞社=編

原油高を背景に、EUや北米、東アジア圏を上回る巨大経済圏が生まれようとしている。振興著しいイスラムの内実をレポート。

なぜハーレーだけが売れるのか

水口健次

縮小市場で売上増を実現するには—。20年以上成長を続けるハーレー・ジャパンに肉薄。全業界に通じる成長のドラマを紹介する。

社長! それは「法律」問題です

中島茂・秋山進

「敵対的買収」「証取法違反」「情報漏洩」——。「こんな会社はいらない」と言われないために、ビジネス法の「知識と常識」を伝授。

中国 大国の虚実

日本経済新聞社=編

人民元を巡る米中のせめぎ合い、ユーラシア覇権の陣取り合戦、深刻の度を高める環境問題まで、本紙1面連載をオリジナル文庫化。